ISIFS :
Unis :

4

lp.com
nc.,
inc.

pays :

de la Seine

1 56/91
11 33
Métropolitaine
'1 00
71 28

DOM-TOM
78 86

orum.fr

SE
2 Givisiez – Suisse
0 60
30 68
isse.ch
suisse.ch

2 Givisiez – Suisse

3 33
54 66

h

mbourg :
S.A.

20
0 24

e

Mensonges
d'enfance

Jocelyne Robert

Gwendoline Dernière

Mensonges d'enfance

roman

LES ÉDITIONS DE
L'HOMME
Une société de Québecor Média

À Agnès et Marie-Agnès, mes ascendantes
À Véronique et Alice, mes descendantes

PREMIÈRE PARTIE :
FAUBOURG À M'LASSE

Une fille !

Temps de chien dans le Faubourg à m'lasse. Au-dessus de l'avenue Collin, alias la ruelle Collin, de lourds nuages remplis à craquer de commérages planaient. Agnès Dubois, la pauvre, était en train d'accoucher de son septième. Gilberte l'accoucheuse était entrée au 939 quelques heures plus tôt. Une femme respectable, la Gilberte. Pas comme cette faiseuse d'anges de madame Beausoleil. Ma mère disait souvent que c'était péché mortel, non pas de faire passer les fruits de l'amour dans les limbes sans transit terrestre, mais de s'appeler Beausoleil et de faire ce métier ténébreux…

Pauvre et sainte Agnès Dubois. À quarante ans, elle n'avait surtout pas besoin d'un autre morveux. Avec le dernier qui venait de commencer l'école, elle pensait pouvoir respirer un peu. Et ce Robert le diable, joueur, buveur et chômeur, qui lui servait de mari et de géniteur… On la plaignait. Tout le monde la plaignait. Sauf elle-même, qui connaissait à son mari des qualités qui échappaient aux autres.

Plus tard, bien plus tard, elle me raconta qu'elle était devenue enceinte de moi à un moment où cela n'aurait pas dû arriver et en «faisant attention». Puisque Robert le diable, mon père, s'était retiré pour débonder, et qu'Agnès s'était levée vite vite, aussitôt, pour égoutter, c'est donc la gouttelette délinquante, échappée juste avant la pétarade, qui avait fait sa petite bonne femme de route vers l'ovule-aspirateur. Le spermatozoïde qui avait gagné la course, sans trop de concurrence, il faut bien l'avouer, portait le X en plus qui décida de moi. Finie l'égalité – numérique – hommes-femmes. Les filles allaient être majoritaires dans cette baraque!

J'avais une dizaine d'années lorsque ma mère me dit: «Tu n'as pas été désirée. Avec déjà six beaux enfants de six à quinze ans, trois garçons et trois filles, solides malgré tout, tu te doutes bien qu'on ne te voulait pas. J'en avais bien plus que j'en avais souhaité. Et si les trois plus vieux n'avaient pas travaillé dès l'âge de douze ans, on n'y serait pas arrivé. Quand j'ai compris que j'étais enceinte, j'ai prié pour que tu décolles et j'ai même tenté d'aider la prière avec des gros travaux. Rien à faire. Tu t'es accrochée. Un soir, j'ai dit à ton père: "Ce bébé-là, va bien falloir y faire de la place, il est têtu comme une mule. Ton portrait tout craché!" Et ton père a répondu: "Pour naviguer par vents contraires comme cette petite bête le fait, sa place, elle l'a déjà prise."»

Ai-je été traumatisée par cette révélation? Eh bien non. Car, si elle ne me l'avait pas dit, je ne l'aurais jamais deviné. En fait, ça m'a plutôt épatée. Je venais de comprendre, à dix ans, qu'on pouvait être aimée, se sentir aimée, sans avoir été désirée. J'allais mettre bien plus de temps à comprendre qu'on pouvait aussi désirer sans aimer. Mais ça, c'est une autre histoire. De toute façon, quelle femme, à l'époque, aurait pu vouloir des enfants à la douzaine? Hein? Soyons sérieux.

J'ai donc débarqué dans ce cycle de la vie avec la giboulée d'avril de 1948, très précisément le 27, à neuf heures du soir comme on disait à l'époque, à l'heure avancée de l'Est. C'était la semaine même où on remettait les pendules à l'heure. Pendant des années, mon père m'a raconté – et je le croyais – que le jour de ma naissance, tout le pays, d'un commun accord et dans un mouvement spontané et déconcerté, avait avancé son horloge d'une heure.

— Pourquoi donc, dis-moi? lui faisais-je sans cesse répéter.

— Parce que lorsqu'une naissance tient du miracle, il faut lui donner de la lumière en plus!

Jusqu'à sept ou huit ans, j'ai cru ce bonimenteur. J'ai pensé qu'on changeait l'heure, la dernière semaine d'avril, en mon honneur. Rien de moins!

Ce soir-là de 1948, j'ai abouti entre les bras potelés de Gilberte. Ma vieille mère et moi – à cette époque, une femme de quarante ans était une vieille femme, et une femme de quarante ans qui accouchait était une *très* vieille femme –, on a accouché comme des pros, on a fait équipe pour me sortir de là. J'ai poussé si fort avec ma grosse tête de pioche qu'elle n'a presque pas eu à le faire. La Gilberte fut ainsi le tremplin de ma vie. Pourtant, je ne crois pas avoir vu plus de trois ou quatre fois celle que les enfants, les parents, la coiffeuse, l'épicier, la marchande de tissus, Édith la femme de mauvaise vie et son maquereau, Laura la serveuse et toute la smala du coin appelaient *matante* Gilberte. Mais j'en entendrai tant et tant parler que la présence chaleureuse de cette sage-femme se tissera à même mon histoire. Et si je peux affirmer sans hésitation qu'elle fut pour moi un moteur à propulsion, c'est à cause de son retentissant cri de joie lorsque, petite boule visqueuse, je glissai, toute ruisselante, entre ses mains :

— C'est une magnifique petite fille !

Elle aurait fait un salut au soleil que ça n'aurait pas été plus enthousiaste ni plus gratifiant. Un tel accueil, un cri de bonheur si authentique, toutes les petites filles n'y ont pas eu droit. Et ce *salam alaykoum* s'est infiltré dans toutes mes cellules comme si cette salutation m'avait inoculé une sorte de *plus-value*. C'est simple, matante Gilberte m'a fait naître avec une estime de soi à neuf sur une échelle de dix. Toute ma vie durant, je me souviendrai de son visage.

Baptême de baptême...

J'avais quatre jours lorsque j'ai fait ma première sortie. J'allais me faire baptiser dans la somptueuse église Sainte-Catherine-d'Alexandrie, rue Amherst. On m'avait enveloppée dans une robe de mariée miniature. J'étais ridicule. J'avais l'air d'un ange. J'entendis mon père marmonner à l'oreille de ma mère :

— C'est le plus beau fruit de la corbeille.

— Tu te répètes. Tu as dit ça aussi aux six autres. Même au premier, alors qu'il était tout fin seul dans la corbeille. La dernière fois, c'était il y a six ans !

J'étais dans les bras de matante Gilberte, ma porteuse, escortée de mes parrain et marraine qui n'étaient nuls autres que mon frère et ma sœur aînés, Pierre et Blanche. Ma mère n'était pas venue. Elle se reposait. Elle avait forcé mon père à mener la parade. Agnostique et «curéphobe», il se serait bien passé de ces simagrées, comme il disait, mais je soupçonne ma mère d'avoir voulu, pour une rarissime fois, la maison pour elle toute seule. Quelques heures de silence, de solitude et, qui sait, de pur bonheur; elle ne connaîtrait pas cela souvent dans sa vie.

Il faisait grand soleil. Un soleil qui lavait les restants de l'hiver. On marchait à la queue leu leu vers l'église. Gilberte ouvrait fièrement la marche, avec bibi dans ses bras. Cette femme, qui avait mis au monde une centaine d'enfants sans avoir jamais accouché, avait une poitrine toute ronde et spongieuse. Je m'y vautrai en fantasmant qu'elle me donnait un sein à téter. Hélas! C'est un biberon qu'elle m'inséra dans le mâche-patates.

Nous étions, ma porteuse et moi, encadrées de Pierre et de Blanche, les deux autres dignitaires de la cérémonie. Les enfants du milieu, Jacques, les jumelles Claire et Aimée, qui se ressemblaient à peu près autant qu'une souris et une éléphante, trottinaient derrière nous. Jean-Jean traînait la patte à distance, avec mon père qui le houspillait. Il ne voulait pas venir. Peut-être boudait-il parce qu'il avait perdu son titre de cadet. Nous étions neuf: mon père, mes six frères et sœurs, vêtus de leurs habits fatigués du dimanche, chaussés de leurs souliers troués fraîchement lustrés, ma porteuse et moi. Dix avec le curé célébrant qui demanda, suspicieux, pourquoi ma mère n'était pas là.

— Elle se repose. Je ne sais pas ce que vous faisiez il y a quatre jours, monsieur le curé, mais madame Agnès, elle, enfantait dans la douleur. Si vous n'aviez pas tant insisté pour baptiser la petite aussi vite, de peur qu'elle ne meure et se retrouve dans les limbes à tourner en rond éternellement, elle serait venue.

Gilberte était la seule à appeler ma mère «madame Agnès». Cela donnait à ma mère une personnalité et une existence propres, inconnues. Cette maîtresse-femme excellait aussi dans l'art de clouer le bec aux curés. Mon père lui vouait un respect sans bornes pour tout ce qu'elle était, mais pour ses réparties anti-curé, il l'aimait à la folie. L'officiant me jeta un œil ombrageux, s'étonnant que je sois si vigoureuse avec des procréateurs si vieux – ils avaient quarante ans tous les deux – et si pauvres.

— Combien pèse-t-elle? Elle semble en bonne santé…

— Elle mesurait vingt et un pouces et pesait sept livres et demie mardi dernier, trancha Gilberte qui m'avait jaugée «à la main» puisque nous n'avions pas de balance à la maison – chez nous, on n'avait pas les moyens de se soucier de son poids.

Ça ne prit pas goût de tinette: je fus aspergée d'une eau sale, gris-beige, gluante, bénite et glaciale. «*In nomine Patris et Filii et Spiritus Sancti. Je te baptise… Heu, au fait, je la baptise comment? Marie et?…*» demanda le curé. À ce moment, Robert le diable, qui, jusque-là, avait joué profil bas, proclama fièrement:

— Elle s'appellera Gwendoline. Gwendoline Dubois.

— Hein? s'étonna le curé. Qu'est-ce que ce prénom impie?

— C'est le sien. C'est celui que nous avons choisi. Contentez-vous de la baptiser: on ne vous demande pas votre avis.

J'eus un choc. Comment peut-on être la dernière d'une ribambelle de frères et sœurs qui se nomment, côté mâles,

Pierre, Jean et Jacques puis, côté femelles, Blanche, Claire et Aimée, et s'appeler Gwendoline? Aucun rapport! Ni avec la banalité des prénoms masculins, ni avec la mièvrerie des prénoms féminins. Jusque-là, j'entendais bien «gwen gwen» quand on s'adressait à moi et je croyais que c'était une syllabe enfantine, une onomatopée parmi les «guili guili, lala, mama, lolo, papa, nana»...

— Allez, comme ce sera la dernière de la couvée, je te laisse choisir son nom, avait dit ma mère à son mari.

Pfft!... Il fallait que ça tombe sur moi. Mon père avait souvent entendu parler, par un grand-oncle, d'une aïeule prénommée Gwendolen arrivée tout droit de Bretagne. On racontait qu'elle était si altière qu'on l'appelait Gwendolen Première et ça l'avait grandement marqué.

— À la mémoire de Gwendolen Première, elle s'appellera Gwendoline. Ce sera notre Gwendoline Dernière, notre Gwen.

Le traumatisme de ma naissance, c'était de la petite bière comparé à celui de mon sacrement de baptême et de l'annonce officielle de ce p'tit nom avec lequel j'allais passer le reste de ma vie.

Une goutte d'or sur fond bleu

Ma mère me tenait entre ses bras grassouillets et me donnait un biberon de lait chaud, sucré avec du sirop de maïs. Même sans sein nourricier et sans biberon, j'avais le sentiment de me nourrir quand elle me prenait. Elle me regardait intensément; il y avait un peu trop d'eau dans ses yeux. Trop de détresse et d'enchantement. On aurait dit qu'ils allaient déborder, m'inonder, me noyer. Dans un de ses yeux très bleus, le gauche, il y avait une tache marron doré. Une tache de naissance. La première fois que j'ai distingué son visage, j'ai cru qu'elle avait des yeux vairons, un bleu et un brun. Mais non, juste une goutte d'or liquide sur fond bleu.

Mon frère Jean-Jean collectionnait les billes. C'était de son âge et, surtout, c'était facile à voler, et Jean-Jean était un fieffé voleur de billes. Il en avait quelques-unes qui étaient exactement comme l'œil de notre mère, bleues filetées d'or.

— Tu vois cette bille ? La première fois que j'en ai gagné une semblable, j'avais quatre ans et demi, me raconta-t-il un jour. Je pensais que je venais de trouver l'autre œil de notre mère.

Et ma mère avait poursuivi en riant :

— Oui ! Tu avais tenté de remplacer mon œil bleu-bleu par ta bille ambrée, pour corriger mon regard, espèce de snoro.

On disait que j'étais un bon bébé. Avais-je le choix ? J'étais arrivée dans cette talle comme un chiot dans un jeu de quilles. Une fille en plus ! Personne ne me souhaitait, ne me voulait, ne m'attendait. C'est donc par pur opportunisme que je suis devenue une purée de gentillesse : je ne voulais pas qu'on me fasse la vie trop dure.

Jusque-là, ça ne se passait pas si mal. Blanche et Pierre se comportaient avec moi comme s'ils étaient mes père et mère. Ils étaient fiers : mon arrivée imprévue leur avait donné accès au titre de parrain et de marraine. Jacques était un boute-en-train. Il voulait toujours me faire des câlins, me chatouiller, m'entendre rire. Du côté d'Aimée, rien à signaler. Elle était toute en complaisance et en bienveillance, ne voulait pas faire de vagues, jamais. Il y avait aussi Claire, la sœur du milieu, puisque l'aînée des jumelles d'une dizaine de minutes, que je ne cernais pas trop. Elle me regardait de travers, comme si j'étais une intruse. Lorsqu'elle baissait les yeux sur moi, je voyais du fiel dans sa prunelle. Quant à Jean-Jean, il me témoignait un intérêt un peu perplexe, ambivalent. J'avais l'impression de l'étonner, comme si je sortais d'une boîte à surprises. Ma présence le bouleversait, le ravissait et le dérangeait en même temps.

J'avais bu mon lait de vache jusqu'à la dernière goutte. Ma mère me remit dans mon lit qui était tout près du sien, de son côté à elle du lit conjugal. Ma couchette était un palace dans les tons de lilas. C'est elle qui l'avait fabriquée avec une caisse en carton rigide, neuve, que l'épicier Deprater lui avait donnée. Une couverture épaisse, pliée et repliée quatre fois, me servait de matelas. Par-dessus, une bâche en plastique, un piqué puis un drap. L'intérieur de ma boîte était tapissé avec du papier peint qui restait de la chambre des filles. Je ne sais trop si c'était l'effet des émanations de la colle à tapisserie, mais j'étais merveilleusement bien dans ma boîte ; je planais. Ça sentait bon, une fragrance unique à mi-chemin entre la poudre de talc, la glu et le lait chaud sucré.

Une tentative de meurtre

J'avais quelques mois. Ma mère venait de me déposer sur une couverture, sur le plancher de la cuisine, près de la fenêtre. À cet endroit, un losange de lumière se faufilait dans la maison. Il fallait vite capter ces rayons fugitifs.

— Un bon bain de soleil te fera grand bien ! Avec ton visage pâle et ta peau rouge, on devine bien que nos ancêtres ont batifolé avec les sauvages.

Elle m'avait mise sur le ventre pour que mon dos rouge homard, qui se desquamait en croûtes eczémateuses, prenne un bol d'air et de lumière.

— Surveille la petite, ordonna-t-elle à Deuxième sœur, qui avait prétexté un rhume pour refuser d'aller au bain Généreux avec Aimée et Jean-Jean. Je monte chez madame Bonin pour voir si elle ne me prêterait pas un peu d'onguent pour hydrater sa peau. J'en ai pour quelques minutes.

Ma sœur tournait autour de moi comme une hyène autour de sa proie. Mince, blonde, elle avait presque dix ans mais était grande pour son âge, alors qu'Aimée était brune et toute petite. Louche et opaque, elle portait bien mal son prénom de Claire. Elle avait hérité des yeux azurés de notre mère, mais sans la tache. Elle était très jolie. C'était le chouchou de notre père. La veille, lorsque celui-ci avait encore radoté, en me donnant le bain, que j'étais le plus beau fruit de la corbeille, je l'avais vue me poignarder du regard.

Elle m'observait comme si j'étais un animal de cirque. Visage de glace, vide d'émotion. Je crois que c'était la première fois que l'on se retrouvait seules dans la maison toutes les deux. Mon dos piquait et me démangeait tant que je commençai à pleurer. J'aurais tellement aimé que quelqu'un l'effleure, y souffle de l'air frais, le grattouille gentiment…

Claire me regardait souffrir, imperturbable, en mangeant des raisins secs à pleine bouche. Tout à coup, elle me retourna sur le dos. Elle savait qu'il ne fallait pas, que mon dos était une plaie vive. Je pleurai encore plus fort. La couverture froissée sous ma peau me faisait vraiment très mal. Alors, ma sœur décida que je devais avoir faim et commença à me nourrir de raisins secs.

Un raisin sec, deux raisins secs, trois raisins, quatre raisins, cinq raisins secs… Six raisins secs, sept raisins secs, huit raisins, neuf raisins, dix raisins secs… Je pleurais à tue-tête, je bavais, je crachotais. J'en avalai quelques-uns tout ronds au passage. J'essayai, dans une sorte de réflexe de survie, de me retourner sur le côté pour ne pas suffoquer. La bête me retenait sur le dos et continuait de me gaver de petits fruits secs. Je l'entrevoyais à travers un rideau de larmes et de détresse. On aurait dit une somnambule, une folle. Une démente impassible qui sourit un peu lorsqu'un raisin, qui avait emprunté le mauvais conduit, jaillit de ma narine droite. Peut-être souriait-elle aussi parce qu'elle croyait que j'avais moins mal… Je pleurais de moins en moins. J'avais du mal à respirer. J'étais rouge et blanc lorsque maman m'avait déposée sur la couverture. Maintenant, un soupçon de bleu s'ajoutait à ma carnation. Elle trouvait ça comique, la jument.

Puis, plus de larmes, plus de cris. Je ne la voyais plus. Que se passait-il? Trou blanc. Trou noir. Une seconde, dix secondes, je n'en sais rien. Je n'étais plus là. Enfin, dans un jet violent, j'expulsai un gros motton marron en même temps que je ressentis un bref coup, serré et sec, dans ma poitrine. C'était mon parrain, ce colosse de treize ans, qui venait de rentrer du travail pour me sauver la vie *in extremis*.

Le coup m'avait fait un petit peu mal. Pas trop. Il avait du jugement, mon parrain, il y était allé mollo. Et puis, se faire sauver la vie, cela fait forcément un peu mal. Instantanément, mes poumons s'étaient gonflés comme les voiles d'un bateau. Ils avaient fait de même, quelques mois auparavant, lorsque matante Gilberte avait coupé le cordon ombilical qui me reliait à mon garde-manger, le placenta de ma mère.

Pierre me tenait allongée sur l'un de ses solides avant-bras, près de son cœur, en même temps qu'il administrait, de sa main libre, de grandes claques sur la gueule et derrière la tête de ma sœur.

— Si tu recommences, je te casse toutes tes dents pourries! Tu comprends, espèce de grande vache?

— Du calme. Elle est pas morte, quand même! se lamenta Claire.

— Je ne sais pas ce qui me retient de t'arracher ta tête de poule!

Je pleurnichais, je geignais pour montrer que j'étais encore en souffrance.

Pierre n'a pas soufflé mot à notre mère de la tentative de meurtre dont je venais d'être victime. Moi non plus. Pas un délateur, le parrain. Moi non plus. Il a fait bien mieux en menaçant Claire-Obscure – je l'affublerai désormais de ce prénom composé –, car elle prit ses menaces pour du *cash* et commença à filer doux. Ce jour-là, j'appris du même souffle l'existence de la solidarité et de la rivalité. Non seulement Deuxième sœur voulait conserver l'amour privilégié de Robert le diable, mais elle avait voulu anéantir la petiote pour rester sa préférée. Et c'est mon parrain Pierre, mon presque père, qui m'avait tirée de ce mauvais pas.

Le bon docteur et le bébé tortue

Un monsieur à lunettes se penchait sur moi, doucement, l'air inquiet. J'étais surprise car, chez nous, seule Blanche portait des verres, en fond de bouteille, qui lui faisaient des yeux tout petits. Ses barniques à lui lui faisaient de très gros yeux.

— Il va falloir l'hospitaliser. Je n'ai jamais vu un eczéma semblable. On n'a même plus accès à sa peau… On dirait la carapace d'une tortue, dit-il à ma mère inquiète.

Celle-ci expliqua qu'on m'avait amenée deux fois ces derniers mois au dispensaire de l'hôpital Sainte-Justine et que les crèmes, onguents, pommades et gouttes antibiotiques avaient coûté la peau des fesses, c'est le cas de le dire, et n'avaient rien donné.

— Vous savez bien, docteur, qu'on ne peut pas l'envoyer à l'hôpital. Dites-moi ce qu'il faut faire, je vais la soigner ici tout aussi bien.

— Je ne sais pas quoi vous dire. Elle doit voir des spécialistes de la peau, d'autres peut-être… Faudra lui faire des injections, s'en occuper. Elle ne peut pas rester comme ça, affirma-t-il, catégorique.

Je ne souffrais pas trop mais j'avais de la peine à bouger. Tranquillement, les plaques s'étaient agrandies dans mon dos au point de se rejoindre toutes, sans plus d'espace entre elles. Puis la couche s'était mise à épaissir. Rien au cou, ni au visage, ni aux fesses, ni aux membres. Une belle ligne droite tracée à l'Exacto au bas du dos et au-dessus des omoplates. Une croûte épaisse, sans le moindre interstice, couvrait désormais mon dos, de la nuque jusqu'en haut des foufounes.

— C'est jeune, six mois, pour en avoir plein le dos, murmura le docteur.

Le docteur Sanche, c'est comme ça qu'il s'appelait, semblait déconcerté. Il faisait des oh! et des ah! et répétait que j'avais l'air d'un bébé en train de se métamorphoser en tortue. Mais ma mère était perspicace. Pétillante d'intelligence. Elle pigeait vite. Jusqu'à sa mort, survenue alors que j'étais encore dans la vingtaine, sa vivacité d'esprit m'impressionna.

— Quand vous dites, docteur, qu'elle devra voir des spécialistes et pas que des spécialistes de la peau, que voulez-vous dire? Qu'elle a un problème ailleurs? Quelque part entre les deux oreilles? Voulez-vous dire qu'elle veut se retirer? Disparaître sous son armure? Si c'est de cela qu'il s'agit, ce ne sont pas des spécialistes de la peau qui vont la guérir, non?

Le docteur aux gros yeux ne répondit pas aux questions de ma mère.

— Il faudrait que je voie sous la calotte, que je la perce… Excuse-moi, petite crapaude, ça risque de faire un peu mal.

Il avait utilisé un petit scalpel pour soulever un coin de la croûte près de mes fesses. Il disait que cette région était moins sensible. Ça n'était pas des plus agréable mais cela s'endurait. En fait, je ne sentais plus grand-chose. C'est comme si, à l'arrière, une dalle de béton me recouvrait. Lorsqu'il souleva un petit bout de ma gale géante, je perçus un minuscule filet d'air qui s'infiltrait dessous, remontant le courant, jusqu'à mon cœur. Je frissonnai. Le docteur continua de relever délicatement, un peu plus encore, la pointe de ma calotte galeuse comme on soulèverait le coin d'une couverture à moitié cousue sur un lit, sans la détacher. Il faut dire que ma croûte, c'était du solide. Au moins une dizaine de feuilles d'épithélium superposées les unes sur les autres. Pas un mille-feuille, mais presque.

Il se pencha, regarda dessous comme s'il écorniflait dans une caverne interdite.

— Oh mon Dieu, grimaça-t-il, vous sentez cette odeur? Vous voyez ça? Elle est tout infectée. Un océan de pus sous sa carapace. Elle n'a plus de peau. Que de la croûte et, dessous, des muqueuses au sang.

Ma mère était pâle comme les draps blancs de son lit. Elle fourra son nez là où le docteur avait le sien un instant auparavant. Elle ne grimaça pas. Un enfant ne pue jamais au nez de sa mère.

— Madame Dubois, il faut qu'elle soit hospitalisée. Son état est grave. D'ailleurs, je ne comprends pas qu'avec une telle infection elle ne soit pas brûlante de fièvre.

— D'accord, docteur. On va l'amener s'il le faut. Merci d'être venu. Je vous dois combien, pour votre visite?

— Ce sera une piastre. Vous me paierez la prochaine fois.

— Vous m'avez déjà dit ça la dernière fois. Et peut-être aussi l'avant-dernière... Merci beaucoup. Vous êtes un homme bon.

— Vous ne me faites jamais venir pour rien.

Pierre et Blanche s'étaient approchés sur la pointe des pieds. Vissés dans le cadre de la porte de notre chambre, à mes parents et moi, ils étaient silencieux. Anormalement silencieux. Ils devinaient que je n'allais pas bien du tout. Que ma mère était morte d'inquiétude. Elle leur demanda d'aller éplucher les patates et de mettre la table.

Elle s'allongea sur son lit. Elle me coucha sur elle, moi nue, elle à moitié dévêtue, ventre contre ventre. Je ne pouvais plus être couchée sur le dos.

— Qu'est-ce qui se passe avec toi, petite caouane? Es-tu si malheureuse avec nous? Veux-tu donc disparaître sous toi-même? Pas nécessaire d'en faire autant pour jouer à cache-cache, tu sais...

Ma mère décida alors de jouer le tout pour le tout et déclara la guerre à l'écaille qui me recouvrait un peu plus chaque jour. Entre la carapace mangeuse de petite fille et elle, c'est elle qui gagnerait ! Elle négligea tout : ses six autres enfants, son mari Robert le diable, son ménage, sa couture, son repassage, son lavage, son raccommodage, ses repas, sa propre personne et se mit à temps plein sur le cas de Gwen la tortue qui fuyait sous elle-même. Chaque jour, dix fois par jour, elle me parlait, me redisait la même chose, avec des mots différents, sur tous les tons, parfois un peu colériques mais la plupart du temps dans une palette de tons pastel, doux, aimants…

— Tu nous as désorganisés. On aurait bien voulu se passer de toi. Tu t'es imposée envers et contre nous, contre moi surtout. Il est vrai que quand j'ai compris que tu t'en venais, j'ai coulé à pic, dans un désespoir d'encre. Bon. C'est vrai. C'est dit. Maintenant, écoute bien ce que je vais te dire et enregistre-le bien dans ta petite caboche : quand tu n'étais pas encore plus grosse qu'un petit poisson dans mon ventre, je me suis mise à avoir du respect pour toi, pour ta détermination à vouloir venir faire notre connaissance. J'étais impressionnée, tu sais. Maintenant que tu es là, il est trop tard pour rebrousser chemin. Tu ne peux pas retourner là d'où tu es venue. Ça ne fonctionne pas comme ça. Maintenant que je t'aime, c'est trop tard.

— Nananana… que je lui répondais, baveuse, les doigts enfoncés au fond de la bouche.

— Tu ne comprends pas ? Je te dis que je ne peux plus me passer de toi, crapaud galeux. La vie ne peut plus se passer de toi. Il y a plein de monde, des grands comme des petits, qui s'attendent à te croiser sur leur route, à te connaître. Tu ne peux pas te défiler comme ça. Je sais bien que c'est pas la grande vie ici. Que tu n'as pas de lit à baldaquin, pas de chambre, pas trop de place pour respirer…

Que tes frères et sœurs te bardassent et te tapochent, mais bon, c'est pas rendue à six mois que tu vas commencer à en faire tout un plat! À nous faire du chantage en croûte! C'est trop tard, que je te dis! Fallait y penser avant.

Cela dura quelques semaines. Les journées se déroulaient sensiblement sur le même canevas. Tous les matins, dès que la troupe était partie à l'école et que mon père avait regagné le Amherst Building où il avait décroché un emploi de garçon d'ascenseur, ma mère sortait la grande cuvette, faisait bouillir sur le poêle à bois de l'eau dans laquelle elle mettait de l'acide borique et me faisait macérer une vingtaine de minutes dans ce bain. Ensuite, elle m'épongeait longuement, mollement, en me tapotant avec du savon Barsalou. Elle attribuait à ce savon de ménage des propriétés magiques. S'il pouvait débarrasser vêtements, literie, murs et plafonds de leurs vermine, bestioles et microbes, il pouvait certes venir à bout des miens. Finalement, grand rinçage à l'eau bouillie, puis rien. Aucun onguent, pommade ni autre lotion. Nudité et bain de soleil dans le trou de lumière de la cuisine. Il ne fallait pas rater Galarneau, qui se pointait chez nous entre midi et une heure de l'après-midi.

Après, elle m'enfilait une camisole de coton plus blanc que blanc, plus doux que doux, et je faisais la sieste, à plat ventre dans le lit conjugal imprégné des parfums mêlés de mes parents. Par quelle magie ma mère parvenait-elle à rendre nos haillons, draps et autres guenilles aussi duveteux? On ne le saura jamais.

Toute la journée, ma mère chantait pour moi et pour elle: ça lui changeait les idées. *À la claire fontaine, Rossignol, Les noces de Maria Chapdelaine, Le pont d'Avignon, La jolie Rochelle, Mon beau sapin, Le vieux sapin, Aux marches du palais*, *En montant la rivière*, *Un Canadien errant*, *Un petit cordonnier*, *La petite diligence*, *Le mois de Marie*, *La destinée*, *la rose au bois*, *Les trois petits enfants*, *Le roi Dagobert* et surtout *Marlbrough s'en va-t-en guerre*, dont elle changeait les paroles pour : Gwendo s'en va-t-en guerre... À un an, sans savoir parler, je connaissais toutes ces chansons par cœur. Je les chanterais, bien plus tard, à ma fille Marie-Unique, puis à Adèle, ma petite-fille. Et je peux les chanter aujourd'hui encore.

Le rituel recommençait après le souper. La smala devait filer doux, marcher au pas, obéir au doigt et à l'œil de notre mère supérieure. Robert le diable prenait la relève au bain thérapeutique, ajoutant cette fois du bicarbonate de soude à l'eau bouillie et, surtout, employant sa méthode à lui, bien personnelle. Il avait inventé une sorte de cri de rassemblement : «On va venir à boutte de la couenne de Gwen! Croûte que croûte!»

— Que va-t-il arriver à la couenne de Gwen? criait-il à sa brigade en préparant mon bain.

— On va en venir à boutte, croûte que croûte! répondaient en chœur mes frères et sœurs.

Même le sérieux Pierre, Claire-Obscure et ma mère se laissaient prendre au jeu de notre vieux fou de père.

Toute l'attention était sur moi. Après mon trempage, on me saupoudrait de je ne sais quelle poudre de perlimpinpin. La tribu m'entourait. Huit paires d'yeux scrutaient ma couenne et suivaient, soir après soir, l'évolution de mon armure. Claire-Obscure était en manque d'attention et d'applaudissements. À sept contre une, elle ne faisait pas le poids. Elle sentait vaguement que la force du nombre allait l'emporter. Moi, je me laissais porter, je m'abandonnais.

Bref, je me laissais sauver. Ma famille se solidarisait pour moi, derrière moi, pour que je vive. Et cela était bon.

Métamorphose

Depuis plusieurs jours, j'éprouvais une étrange sensation, comme si des courants d'air frais s'insinuaient sous ma carapace. Je sentais aussi des filets d'eau coulisser sous ma croûte. C'était tout nouveau.

Les vendredis soir étaient doux. Le lendemain, pas d'école pour les enfants, pas d'ascenseur pour Robert le diable. Pierre était au boulot. Les jeudis, vendredis et samedis, il livrait des commandes d'épicerie pour monsieur Deprater avec un gros tricycle devant lequel était attachée une énorme caisse carrée. Blanche était partie chez Dupuis Frères avec son amie Rolande pour acheter une brassière. C'était sa deuxième déjà.

Rolande, elle, avait douze ans et des seins qui poussaient à vue d'œil. On se demandait quand cela allait s'arrêter. Tous les petits chenapans l'embêtaient. En la voyant passer, ils chantaient « Oh ! Roro, que tes melons sont gros » et se sauvaient en vitesse. Parfois, elle en attrapait un et lui donnait une bonne mornifle. Ça fessait, car il n'y avait pas que ses seins qui étaient solides, à Roro ; ses muscles l'étaient aussi.

Jacques lisait un *comic*, affalé sur le divan de la salle à manger. Il faut dire que ce divan devenait son lit la nuit puisque la salle à manger se transformait chaque soir en salle à dormir pour les garçons. Claire-Obscure et Aimée se chamaillaient comme d'habitude, et Jean-Jean traînait dans la ruelle.

Nous étions au jour douze de ce que ma mère appelait, en turlutant, l'opération BaBiBaBo (bain, bicarbonate, Barsalou, borique). J'avais fini de tremper dans ma bassine. Mon père me soulevait, une main sous la nuque et l'autre sous les fesses, en prenant grand soin, toujours, de ne pas toucher à mon dos. À cet instant précis survint un événement étrange, une sorte de cataclysme du corps, un *act of God*: quelque chose céda brutalement, tout d'un bloc, dans mon dos. Je sentis un poids énorme, comme un pan de mur, se détacher de moi. Sensation bizarre que je n'éprouverais plus jamais de toute ma vie. J'entendis Robert le diable s'époumoner de stupéfaction:

— Câlisse, Agnès, viens voir ça! Arrive!

La dalle de béton qui me couvrait le dos s'était décrochée d'une seule pièce. Elle flottait dans l'eau, brunâtre, mollassonne, dégoûtante. Je me sentais tellement légère que je me demandais si je n'apprendrais pas à voler plutôt qu'à marcher. Adieu, tortue galeuse! Bonjour, volatile rieur! Les jumelles, Jacques et ma mère étaient accourus et fixaient, incrédules, mon bouclier détaché. Jacques, perplexe, regardait ma mère pour voir ce qu'elle en pensait. Toute sa vie, Jacques se demanderait ce que ma mère pense de tout. Claire-Obscure se dit que j'étais décidément répugnante, que je l'écœurais. Aimée restait coite, troublée. Ma mère n'avait pas d'état d'âme. Elle analysait mon nouveau dos.

— Non, mais regardez-moi ça! s'exclama-t-elle, avec un sourire perplexe qui n'en finissait plus de se fendre d'une oreille à l'autre. Et regardez-moi ce dos! Plus la moindre trace de pus ni d'infection. La peau est toute rose, neuve, mais ne semble pas trop fragile ni trop suintante. Alléluia! Merci mon Dieu!

— Que va-t-on faire de cette grosse gale ? demanda Jean-Jean, arrivé sur ces entrefaites, avec une moue rebutée.

— Tu veux qu'on en fasse quoi ? Qu'on la mange ? Qu'on la garde en souvenir ? On va la jeter et vite ! Elle n'en a plus besoin. Et puis non, on va la brûler !

Ma mère aimait brûler le « mauvais ». Il y avait dans le feu une symbolique de purification, de renouveau. C'était son petit côté sorcière. Le Premier de l'an, elle nous faisait écrire ou dessiner ce dont nous voulions nous débarrasser et, dans une sorte de rituel, nous jetions nos petits papiers au feu, dans la fournaise ou le poêle à bois.

Bien plus tard, quand je fus devenue une jeune fille autonome, dans mon logement chauffé à l'électricité, je supportai mal de ne pas avoir de fournaise ou de poêle à bois pour brûler le « mauvais ». Jusqu'à ce que j'habite des maisons avec une cheminée, chaque Premier de l'an, j'allumai à l'extérieur un feu purificateur du « mauvais »…

De la famille et du bonheur !

Toc toc, clac clac, toc clac ! Le gros pic fracturait la glace sur le trottoir devant notre maison. Pierre avait décidé d'aider le printemps à s'installer. Il libérait le trottoir de sa dernière épaisseur d'hiver. De l'autre côté de la ruelle, les frères Croteau faisaient de même. Sur l'asphalte, le soleil faisait fondre les dernières flaques de neige. Les filets d'eau sale qui zigzaguaient de bord en bord du trottoir sentaient la sève et le bonheur. Quand Pierre ou Jacques étaient autour, à portée de vue et d'ouïe, une odeur de bonheur me montait au nez et des feux d'artifice pétillaient dans tous mes sens. En leur présence régnait une sorte de paix joyeuse.

Pierre était grand, svelte, fort, beau, sérieux. Il avait quinze ans, mais maman disait qu'il en paraissait vingt et pensait qu'il en avait trente. Il se prenait pour le bras droit de ma mère. En fait, il l'était. Avec moi, il gardait toujours une distance. Il était affectueux mais pas démonstratif, Pierre. Il souriait beaucoup mais riait peu, mon presque père. Les sœurs de ma mère disaient que son plus vieux était un garçon tellement réservé! Il jouait les protecteurs, les cicérones, les guides un peu autoritaires. Il me regardait toujours avec des yeux qui rassurent. Et qui s'émerveillent. Qu'est-ce qu'une fille peut demander de plus? Il disait que j'étais belle comme Shirley Temple quand elle était petite.

Dans son tiroir – on n'avait pas de chambre, mais chacun avait son tiroir, quand même –, il y avait plein de photographies de stars de cinéma. Sa préférée, c'était Gina Lollobrigida. À cause, précisément, de ses lolos. Pierre aimait les femmes avec de la poitrine. Il venait de découvrir les seins de Sophia Loren et quand il regardait sa photo, il avait la bouche ouverte et l'air un peu niais. Il n'avait pas de petite amie et attendait son Italienne à la poitrine opulente. Ça doit être pour ça qu'il y avait tant d'actrices au décolleté plongeant enfermées dans son tiroir... C'était un timide. Mais un timide qui savait ce qu'il voulait.

Elle viendrait, sa brune italienne, mais bien plus tard, alors qu'il serait un vieux garçon de près de trente ans. Et ce serait une Italo-Madelinienne de Cap-aux-Meules, venue des îles enchanteresses telle une sirène, qui lui ferait découvrir le foie et les bajoues pulpeuses de morue!

Jacques aussi était beau. Moins grand que Pierre, plus coquin. Dodu. Si l'aîné riait peu et souriait beaucoup, mon deuxième frère, lui, riait beaucoup et souriait peu. Dans son tiroir, pas de starlettes à moitié nues, mais plutôt des *comics* et des petits romans policiers à dix sous. Des *Ixe-13*. À treize ans, il avait déjà toute une collection de blondes à son inventaire. Les starlettes du faubourg faisaient la file d'attente à la porte de son cœur. Jacques n'aimait pas seulement les filles de papier: c'était un tombeur. Un «toucheux» aussi. Il surprenait ma mère, la prenait dans ses bras, la faisait rire et valser. Un joueur de tours, haïssable, un vrai tannant. Parfois, il m'amenait avec lui faire une commission ou une course je ne sais où. On n'avait ni poussette, ni charrette, ni carrosse pour me mettre dedans, alors il me tenait fort la main et je clopinais à ses côtés. Quand j'étais fatiguée, il me mettait sur ses épaules, faisant de moi une géante.

Un jour, je crois que c'était en automne, il faisait magnifiquement doux et Jacques venait de m'acheter un cornet de crème à glace chez Laura, sur la rue Saint-Timothée. Au coin de la rue de Montigny, il m'ordonna:

— Ne bouge pas d'ici, je reviens tout de suite. Compris? Tu ne bouges pas, hein? insista-t-il en me prenant par les épaules.

Et il disparut.

J'avais deux ans et demi et j'étais seule au monde au coin d'une rue. La maison était tout près, mais je ne le savais pas et j'ignorais comment y retourner. Je regardai partout autour, le cherchai et je pris peur. Je me mis à hurler, à crier, à pleurer de désespoir. Un énorme tramway me bouchait la vue. J'étais certaine d'être perdue à jamais. Sans doute ce moment a-t-il duré quelques secondes, tout au plus, mais quelques secondes sans aucun repère familier, c'est une éternité dans la vie d'un bébé de deux ans et demi.

À travers un gros rideau de larmes, de morve et de crème glacée tricolore, je le vis surgir de nulle part, sur le trottoir. Il riait aux éclats et accourut vers moi, les bras et le cœur grands ouverts.

— Hé, gros bébé Gwen, cesse de pleurer et viens dans les bras de Coco!

Je me jetai sur lui comme une prisonnière sur une fenêtre ouverte. Je me roulai en boule, m'enfouis en lui, dans son cou chaud, dans ses bras, dans son odeur de gâteaux et de brioches – il travaillait à la pâtisserie du Woolworth. Il me serra si fort que c'était comme la fin du monde. Il riait aux éclats et quand Jacques riait, ses yeux disparaissaient comme ceux de ma mère.

— Je vais t'apprendre, moi, à chialer comme un bébé lala! Non, mais pour qui tu me prends? Pensais-tu vraiment que je t'oublierais sur le trottoir? C'était pour jouer. Pour faire semblant!

Il me fit tourner, me lança en l'air et me rattrapa encore et encore. Je riais aux larmes maintenant. Je déboulais de rire en même temps que je déboulais dans ses bras robustes. Un si grand bonheur après une si grande détresse, c'était presque trop. Si je n'avais pas été un bébé en santé, je faisais à coup sûr un infarctus!

Entre l'âge de deux et cinq ans, Jacques me fera le coup des dizaines de fois. Sur la rue, dans la ruelle, dans notre cour, au parc La Fontaine, il se cachera dans une entrée, sous le porche d'un commerce, derrière un arbre, et il m'épiera. Il me laissera m'assombrir, me chagriner puis paniquer, pour mieux me consoler et m'apaiser. Évidemment, il n'aurait jamais pu me sauver s'il ne m'avait d'abord abandonnée et mise en péril, l'animal!

Après le traumatisme de la première fois, le choc de la deuxième et le petit bouleversement de la troisième, j'avais compris son manège. Et je me prêtais à la supercherie. Lorsque je partais en promenade avec lui, j'anticipais joyeusement le moment de sa désertion factice. Je bavais de plaisir juste à évoquer nos retrouvailles corporelles, sensuelles, rassérénantes…

Moments de grâce

Une fois par semaine, pendant que mon père nous gardait, ma mère allait au théâtre. Seule. Le soir.

Une femme qui sortait seule au début des années 1950, pour aller au théâtre en plus, était une sacrée avant-gardiste. Si tout le monde ne l'avait pas considérée comme une sainte femme, c'est certain que les langues de vipère auraient bavassé. Elle était comme ça, ma mère. Elle avait beau n'avoir fait qu'une septième année, être une modeste ménagère, elle allait seule au théâtre chaque semaine, à pied ou en tramway, au Monument national, au P'tit Canadien ou à l'Arcade. Ça me faisait plaisir, et ça me la rendait plus admirable encore. Ma mère était l'unique femme de notre entourage à quitter de temps en temps son foyer pour se distraire, pour son plaisir, pour un motif autre qu'aller faire ses emplettes. Cette soirée semblait être son poumon, sa tente d'oxygène hebdomadaire. Elle en avait besoin.

J'adorais la regarder se préparer, se mettre sur son trente-six. Elle était belle et avait de la classe! Jamais on n'aurait dit qu'elle était pauvre. D'ailleurs, mes parents se sont toujours vantés de n'avoir jamais eu recours, malgré leur situation précaire, au Secours direct. Question de dignité, disait Robert le diable. Quand on lui faisait des compliments sur nos jolies tenues, ma mère disait que cela prouvait bien que les riches n'avaient pas le monopole de l'élégance et que la beauté pouvait résider dans la modestie.

Elle avait de longs cheveux bruns, très foncés, qu'elle tressait et remontait en chignon. Ses yeux, son sourire, sa peau, son odeur… Elle était pulpeuse sans être grosse. Elle était sensuelle. J'aimais que cette femme soit ma mère. À la manière dont il la regardait, je comprenais que mon père aimait que cette femme soit la sienne. Il y avait dans son regard quelque chose qui ne nous appartenait pas, à nous, les enfants. Parfois, il semblait se demander ce qu'il avait bien pu faire pour qu'elle s'entiche de lui, l'épouse et lui donne sept rejetons, pour qu'elle l'endure. Orpheline de mère à cinq ans, elle venait d'une famille de riches propriétaires terriens. Lui, orphelin de père à douze ans, était issu d'une famille «pas très catholique», comme on disait alors.

Oui, il était fier de sa femme, Robert le diable. Et peut-être un peu inquiet quand il fermait la porte derrière elle, alors qu'elle partait seule pour le théâtre. Si elle lui plaisait autant, il savait bien qu'elle pouvait plaire à d'autres, ravager d'autres cœurs.

Ce que j'aimais par-dessus tout de la soirée théâtrale de ma mère, c'est que ce soir-là mon père nous gardait et nous faisait rire. Il se laissait aller à tous les cabotinages quand sa femme s'absentait. J'aimais entendre rire Jean-Jean. Et Aimée. Mon père me donnait le bain sur la table de la cuisine où il installait bassine et serviettes. Pourquoi là plutôt que dans la baignoire? Aucune idée. Faut dire que nous n'avions pas d'eau chaude et qu'il fallait faire chauffer la froide. C'était moins long de remplir un récipient qu'une grande baignoire. Mon père réclamait toujours qu'un de mes frères ou une de mes sœurs l'assiste. C'était important, la cérémonie du bain. On aurait dit qu'il avait peur de me noyer, de m'échapper, de mettre du savon dans mes yeux, de me brûler… Il trempait la débarbouillette dans la bassine et taponnait d'abord le pli de son coude, là où la peau est tendre, pour vérifier la température.

— Ferme bien les yeux! disait-il en passant la débarbouillette sur mon visage avec une infinie douceur. Ça va, c'est pas trop chaud? Tu n'as pas froid?

— P'pa, reviens-en, elle ne va pas fondre! Elle n'est pas faite en chocolat! le sermonnait Claire-Obscure.

Je ne sais ce qu'il en est pour les autres enfants, mais moi, je me suis vite rendu compte à quel point un père et une mère touchent leur fille différemment. Mon père me manipulait comme une chose fragile, extérieure à lui. Ma mère, elle, me maniait, me pétrissait, me saisissait, m'enroulait et me déroulait autour de ses mains et de son corps comme si j'étais son prolongement.

Rituellement, avant de passer ma chemise de nuit, Robert le diable me chatouillait le bedon de sa barbe rêche rasée du matin. Pas d'ambiguïté ici, mon père n'était pas et ne sera jamais un reluqueur d'enfants. D'ailleurs, comme il était orphelin de père et avait été placé, enfant, à l'orphelinat Saint-Arsène, j'ai toujours soupçonné que sa haine maladive des soutanes lui venait de son séjour chez les Frères de Saint-Gabriel. Il parlait rarement de cet épisode de sa vie, mais quand le sujet venait sur le tapis, son regard, sa voix et son visage se voilaient. Il y a des mines sombres comme ça qui ne trompent pas. Pas même une enfant. Tout son corps racontait des histoires, livrait des souvenirs qu'il ne pouvait laisser remonter à la surface avec des mots.

On a du flair à deux ou trois ans. Dans la façon dont mon père me donnait le bain, je percevais confusément plein de choses : un mélange de crainte et de malaise qui le rendait tatillon. Mon air bête de père, cet homme que l'on percevait comme un taciturne endurci, se transformait en peluche roucoulante quand il me savonnait.

Des dimanches au caramel

Le dimanche était un jour guirlande. Ce jour-là, j'avais l'impression que ma mère avait des bras du dimanche lorsqu'elle nous servait à table : plus beaux, plus élégants, plus gracieux, plus parfumés... Pour aller à la messe, chacun mettait ses habits et ses souliers les plus neufs, pour ne pas dire les moins abîmés. Tous, sauf mon père qui ne voulait rien savoir de la religion, des curés et des soutanes. Il y avait dans l'air quelque chose de sucré, de oisif, de disponible, de décontracté, de musical. Chaque dimanche d'été, par beau temps, nous allions pique-niquer de temps à autre au parc La Fontaine, mais le plus souvent sur l'île Sainte-Hélène, au beau milieu du fleuve Saint-Laurent.

En fait, les semaines allaient ainsi : il y avait trois journées dédiées au nettoyage et trois autres au salissage. Le vendredi était consacré au récurage de la maison et des planchers, le samedi, au lavage des corps et des cheveux – l'eau chauffait du matin au soir pour que toute la neuvaine y passe –, le lundi, à la grande lessive de la semaine. Il fallait voir la montagne de chiffons : une lessive juste pour les mouchoirs, une soixantaine chaque semaine. La couleur de l'eau de trempage me levait le cœur. Ma mère était à la planche à laver dès six heures du matin jusqu'à cinq heures du soir. Nous décrassions les vendredi, samedi et lundi ce que nous avions encrassé les mardi, mercredi et jeudi.

Heureusement qu'il y avait le dimanche, ce jour béni avec sa double fonction : on se rinçait les poumons d'air pur et on se lavait l'intérieur de la tête, tout en se barbouillant et en s'éclaboussant à cœur joie.

— Ce n'est pas tous les jours dimanche. Profitons-en pour changer d'air ! Pour s'aérer l'esprit comme on aère sa maison ! claironnait ma mère.

L'été surtout, il y avait obligation de respirer de l'air moins poussiéreux, de se rouler dans l'herbe verte, de mâchouiller des brindilles, de nager, de courir, de hurler, de se balancer, de jouer à la balle, aux billes, aux fers, de plonger, de grimper aux arbres… Le dimanche, les jeunes de la famille pouvaient flirter avec d'autres jeunes venus d'ailleurs que de notre Faubourg à m'lasse. Découvrir d'autres parfums, effleurer d'autres grains de peau.

Du reste, l'adolescence n'avait pas encore été inventée. En tout cas, pas par chez nous. En quittant l'école, Pierre, Jacques et Blanche étaient passés du monde de l'enfance à celui des adultes. Du jour au lendemain. C'était comme ça. Même si on n'avait que treize ou quatorze ans, même si on était encore tout petit de taille, on intégrait le monde des grands. Les pauvres étaient précoces en tout : ils faisaient des bébés plus tôt et en plus grand nombre que les nantis. Ils mouraient plus jeunes aussi.

On ne se lassait pas de ces pique-niques. C'était chaque fois la fête, une partance à l'aventure. On se prenait pour Robinson Crusoé. Il nous fallait, par beau temps, aller à la première messe du matin pour être prêts au plus tôt à partir vers l'île. Pendant que nous expédiions nos dévotions, mon père, resté à la maison, préparait le pique-nique. Il adorait faire des sandwichs pour neuf personnes, parfois davantage, lorsque des amis et amies, des chums et des blondes se joignaient à l'excursion. C'est terrible ce que peuvent manger, par une journée de plein air, neuf bouches dont six ont entre dix et dix-sept ans! Aussitôt arrivés dans l'île, après plus de deux milles de marche, mes frères et sœurs dévoraient. Des ogres.

Mon père, ce maître pique-niqueur, glissait toujours des petites surprises dans le festin : négresses en réglisse, lunes de miel, bâtons forts, mini outils au fudge, boules noires, bananes Haribo, petits sacs de chips à un sou. Il avait prévu, la veille, l'achat des boissons gazeuses. On en vendait sur l'île mais elles coûtaient beaucoup trop cher.

Cet homme mettait rarement la main à la pâte mais lorsqu'il le faisait, c'était avec une grande minutie et une rare sensibilité. Une fois que j'étais restée avec lui à la maison, je l'avais surpris parlant à voix haute en étalant ses provisions sur la grande table de cuisine, recouverte d'une nappe en vinyle avec des pommes dessus.

— Avec de la moutarde pour Pierre et Jacques. Ils mangent comme des porcs, ces deux-là. Avec de la mayonnaise pour Blanche et Aimée. Avec rien pour Claire. Avec du ketchup pour Jean-Jean et la petite Gwen. Hein, t'es d'accord avec ça? Mais pas de ketchup dans ton sandwich au beurre de pinotte, quand même! rajoutait-il en plissant le nez de dégoût.

Il me faisait rire. Je me demandais s'il se donnait ainsi en spectacle en préparant son pique-nique quand il était seul, ou si cette représentation était exclusivement destinée à m'amuser.

Il y avait des sandwichs à la viande (jambon, porc ou Paris Pâté), au fromage Velveeta, aux œufs et au beurre de pinotte. Il plaçait le tout, bien ordonné, dans une boîte à pique-nique réfrigérée avec un gros carré de glace, puis les boissons dans une autre boîte, elle aussi réfrigérée. Dans un panier de paille, il mettait les denrées non périssables et plus légères, ainsi que les serviettes et les couverts en plastique, quand nous en avions. Enfin, un grand sac de toile contenait des fruits, invariablement des pommes, des oranges et des bananes, et parfois, en période faste et en saison, des raisins et des cerises de même que des biscuits secs Village, qui devenaient mous quand nous les trempions dans le lait ou le thé. Pas d'autres desserts. Sur place, dans les grandes occasions, on s'offrait une folie dominicale : un cornet de crème à glace ou un *sundae* au caramel, que ma mère appelait un « dimanche au caramel ».

Dès le retour de la messe, nous sautions dans nos habits de jeu : pantalon court en coton, chemise d'été, robe courte, short et sandales ou *running shoes*. Le dimanche, tout le monde avait un petit air différent, vacancier. Est-ce parce que ma mère était soulagée de la corvée de repas ? Le dimanche lui donnait des allures de femme légère, presque frivole. Ses robes de pique-nique étaient aériennes, plus courtes me semblait-il, souvent imprimées de fruits de saison ou de fleurs. Elle portait de petits souliers de toile blanche. Elle s'évaporait comme une libellule. Mon père, lui, enfilait sa chemise de coton à manches courtes, un pantalon beige et une casquette. Il portait toujours des bretelles pour tenir son pantalon. De toute ma vie, je n'ai jamais, jamais vu mon père sans bretelles. Ça me gênait. Je trouvais que les bretelles lui donnaient une allure de grand-père.

Les garçons étaient en jeans et les filles, en robes estivales ou en shorts aux couleurs pastel. Nous formions une très jolie famille dominicale, folichonne et colorée. Oui, notre tribu était grise sur semaine et colorée le dimanche, semblable aux crayons Prismacolor d'Aimée, dont la longueur variait selon l'aiguisage et l'usage, intempestif ou rarissime, qu'elle faisait de chacun. Nous étions neuf, de couleur et de longueur différentes.

Nous quittions en vitesse notre ruelle sombre vers neuf heures trente, houspillés par le paternel :

— Vite ! Il faut arriver tôt pour avoir une bonne place !

Les plus vieux des garçons, Pierre et Jacques, portaient les boîtes les plus lourdes contenant les liquides et la glace. Jean-Jean était chargé de porter le sac de jeux : balle, ballon, gants de baseball, jeux de fers légers fabriqués de bois et de corde, fusils à eau… Blanche portait le panier d'osier et les jumelles transportaient, à tour de rôle, le sac de fruits. Évidemment, Claire-Obscure s'organisait pour que ce soit Aimée qui le trimballe la plupart du temps. Leur entente était qu'elles comptaient jusqu'à cinq cents et changeaient de porteuse. Bien sûr, Claire-Obscure comptait très vite lorsqu'elle portait le fardeau et laissait traîner sa voix nasillarde au ralenti lorsque c'était Aimée. Loin d'être sotte, cette dernière s'en rendait bien compte mais ne s'obstinait pas. Elle achetait la paix.

Chacun apportait son joujou de prédilection personnel.

— Jean-Jean, tu laisses ton *slingshot* et ton tire-pois à la maison ! Compris, espèce de chenapan ?

Mon plus jeune frère était champion des mauvais coups et des bêtises. Un dimanche, caché derrière un arbre, il souffla un pois directement dans le décolleté du costume de bain de Rolande Cartier qui se dorait au soleil. La cible charnue ne l'avait nullement ébranlé, ni fait vaciller. Il avait ri aux éclats avec ses poltrons d'amis en déguerpissant, pendant que la plantureuse Rolande se trémoussait comme une anguille, à la recherche de la petite graine dans son bustier, avant de bondir :

— Ah! ben toé, mon enfant de nananne! Attends que je t'attrape. Hé! citron que tu vas en manger toute une!

Elle courait derrière Jean-Jean qu'elle ne rattrapait jamais, ses seins tanguant et bondissant de haut en bas comme des montgolfières.

— Tu ne perds rien pour attendre, p'tit maudit!

Jean-Jean raconterait plus tard aux copains que Rolande lui avait permis, une fois tout le monde éloigné, d'aller fouiner entre ses deux melons à la recherche du pois perdu.

Jacques apportait avec lui en pique-nique sa tonitruante radio portative, Pierre, sa longue-vue, ses cartes de hockey et photos de stars, dédicacées, pour impressionner les mignonnes si jamais il en rencontrait, Aimée, son livre, Blanche, ses chocolats sacrés, Claire-Obscure son miroir, son peigne et autres niaiseries… Moi, je ne traînais rien. Je n'ai jamais été très poupée. J'aurais bien apporté mon tricycle mais je n'en avais pas. Je les avais, eux, mes frères et sœurs. Ils étaient mes jouets. Ma grande source de plaisir.

Ma mère avait une sorte de grande sacoche du dimanche qui recelait, outre ses objets personnels habituels (mouchoirs, rouge à lèvres, porte-monnaie, billets d'autobus…), tous les «okazous», en cas de blessure : pansements, désinfectant, onguent, ciseaux, aspirine, en plus des serviettes, costumes de bain et tout le tralala que seule une mère pense à apporter dans ce genre d'expédition.

Mon père trimballait un grand sac avec quatre ou cinq couvertures. Il fallait absolument qu'on puisse tous s'allonger dans l'herbe pour faire la sieste ou pour bavarder, la tête dans les nuages. Et si l'envie nous en prenait en même temps, tout le monde devait avoir son bout de couverture. Mon père avait une deuxième charge: moi. Il me portait dans ses bras durant la quasi-totalité du parcours.

Notre cortège se mettait en marche, empruntait la rue Saint-Timothée vers la rue de Montigny, puis à l'est vers Papineau. Nous marchions à la queue leu leu en chantonnant et en sifflant. Pierre ouvrait le défilé, Jacques le fermait.

Entre les deux, on pouvait changer de rang, passer de la troisième à la sixième position, mais il était interdit de devancer Pierre ou de passer derrière Jacques. Moi, je ne devais jamais lâcher la main de mon père ou de ma mère. La consigne était facile à respecter pour tous, sauf pour Jean-Jean qui aimait prendre les devants ou flâner en arrière. Jean-Jean aurait toujours de la peine à marcher en ligne droite et à suivre un troupeau…

Après moins de trente minutes de marche, nous arrivions sur le tablier du pont Jacques-Cartier et empruntions le trottoir de droite. Là, la consigne devenait un ordre nerveux. Mon père sortait sa grosse voix:

— Fermez-la! Et que je n'en voie pas un changer de place dans le rang jusqu'à l'arrivée sur la terre ferme de l'île. Et personne ne court. C'est clair?

— Aimée avait justement envie de pratiquer son plongeon en hauteur. Laissons-la donc nous épater, niaisait

Claire-Obscure, qui savait combien Aimée avait une phobie de l'eau.

C'était haut. L'accotement était étroit. On pouvait difficilement marcher deux de front. Dessous, les voitures et l'asphalte. Après quelques centaines de pieds grondait le fleuve tumultueux, bleu nuit, effrayant de beauté. Les rambardes me paraissaient bien hautes à moi, qui étais toute petite, mais aux grands, elles arrivaient à peine au-dessus de la taille. Aimée avait le vertige, il lui arrivait de vomir. Jacques la menaçait en blague de la prendre dans ses bras ou sur ses épaules pour qu'elle contemple mieux la beauté du majestueux cours d'eau. C'est vrai que c'était bouleversant, ce ruban d'eau bouillonnant, écumant, léchant vigoureusement le pied du grand champignon vert que l'on apercevait au loin, sur notre droite : notre île enchantée, l'île Sainte-Hélène.

Mon père qui, aux yeux du monde, passait pour une brute était en réalité un vrai père poule. Il relâchait ma main, tenue bien serrée jusque-là, dès que nous arrivions sur le pont.

— Viens, je vais te porter.

— Non ! Je veux marcher en regardant les vagues.

— C'est trop dangereux. Allez, hop ! Dans mes bras.

— Non. Tu m'étouffes. Je ne veux pas. Laisse-moi donc tranquille !

Je profitais de ce bref moment où il relâchait ma main pour filer en courant. Il me rattrapait aussitôt, mort de peur.

Alors il me hissait sur sa poitrine, glissait la sangle de son sac par-dessus sa tête et ensuite par-dessus moi, de manière à m'attacher à lui. J'ai eu tôt fait de comprendre qu'il ne me lâcherait pas tant que nous n'emprunterions pas le tunnel-escalier intérieur menant sur l'île. Pas question que je regarde les vagues en bas, que j'écoute le vacarme de l'eau en laissant glisser ma petite main libre sur le grillage de la balustrade. Dommage. Il craignait que je grimpe sur le rebord et que je tombe à l'eau. Ou que le vide m'aspire.

J'ai fini par être habitée, durant ces épisodes de traversée du pont, par une étrange sensation : un mélange de frayeur et de quiétude indéfinissable. Mon père, en ces instants, avait pour unique préoccupation de me protéger. Il me serrait contre lui sans jamais relâcher son étreinte, comme s'il tenait sur son cœur le plus inestimable des trésors. Claire-Obscure pouvait bien être jalouse.

J'avais l'impression qu'en m'immobilisant, pour me protéger, il voulait aussi arrêter le temps, m'empêcher de grandir. Mon père, je le compris plus tard, aurait voulu que ses petits enfants restent à jamais des petits enfants.

Après une heure de marche, nous foulions le sol du pays des merveilles. Nous déposions aussitôt nos bagages par terre et Jean-Jean, Jacques et Claire-Obscure partaient sans tarder en courant dans toutes les directions, une nappe ou un objet de table à la main, pour trouver et réserver le carré de verdure sur lequel nous allions asseoir notre bonheur du jour.

— Deux tables ! tonnait mon père. Entre le pavillon des piscines et la plage !

— Avec du soleil et de l'ombre ! renchérissait ma mère.

Le premier qui trouvait sifflait éperdument, avec le pouce et l'index dans la bouche. Un bruit strident de sirène. Les gars et les filles Dubois étaient des experts du sifflet. Presque toujours, c'était Jean-Jean qui trouvait et revenait, fier comme paon :

— Ça y est! Eurêka! hurlait-il comme s'il venait de découvrir l'Amérique.

Jean-Jean venait d'apprendre ce mot savant et le répétait à tout bout de champ.

Chaque semaine, avec un ravissement renouvelé, jamais démenti, nous collions ensemble deux grosses tables vertes en bois, rangions les denrées sous celles-ci, à l'ombre, et nous reposions un peu, délestés du poids des bagages et gonflés de fierté. Nous étions, pour les heures à venir, les riches propriétaires d'un bout de jardin.

Bien que ce soit rare, il arrivait que toutes les tables soient prises, et les lopins convoités déjà occupés. Alors, mon père nous disputait :

— Si vous n'aviez pas perdu votre temps à la messe, on serait arrivés plus tôt et on serait bien mieux installés. La vie serait bien plus belle!

— Tais-toi donc, vieux fou! relançait invariablement ma mère.

«Tais-toi donc, vieux fou!» Voilà, sans l'ombre d'un doute, la phrase concernant mon père que j'ai entendue le plus souvent fuser de la bouche de ma mère. Étonnamment, cet ordre de la fermer, lancé en le traitant d'aliéné, sonnait à nos oreilles comme un éloge bien plus que comme une insulte.

Il est vrai qu'après onze heures, par beau temps, les bons lots étaient tous occupés et, parfois, toutes les tables étaient réquisitionnées. Les retardataires devaient se contenter de monter leur camp, loin des piscines autant que de la plage fluviale, des toilettes et des casse-croûtes. Et se résigner à pique-niquer par terre. Mais que ce soit autour d'une table ou sur une couverture, l'île Sainte-Hélène ne nous décevait jamais. Elle nous donnait accès, semaine après semaine, à l'atoll paradisiaque du bout du monde et du bout de nos rêves. J'y ai appris que la couleur n'est jamais bien loin derrière la grisaille et que c'est l'ombre qui permet de distinguer la lumière. J'y ai compris, en observant mes parents, que le paysage transforme les personnes qui le traversent.

Le diable à cartes

Au moins un dimanche sur deux, ma tante Alice, la sœur de mon père, et son mari, Gérard le séducteur que mon père traitait de «frais chié» en le regardant droit dans les yeux, nous rejoignaient avec leurs enfants, Madeleine, Louis et Guy, pour le pique-nique. Ces jours-là, mon père était vraiment très content. Je dirais même «émotionné». Alice et lui étaient proches. Leur attachement l'un pour l'autre était quasi palpable. La misère et la souffrance de leur enfance avaient tricoté entre eux des mailles solides, invisibles. C'est seulement lorsqu'ils étaient ensemble que transpirait l'enfance trop triste qui avait été la leur. Mystérieusement, lorsqu'ils étaient séparés, cela ne se devinait pas. Comme s'ils étaient l'un pour l'autre un miroir rétrospectif, faisant sourdre inexorablement de grands pans de leur passé. L'un sans l'autre, mon père était mon père, un adulte, et Alice était ma tante, une autre adulte. Ensemble, ils n'étaient plus que d'anciens enfants. En détresse. Jamais secourus.

Madeleine avait l'âge de Jean-Jean; Louis était un peu plus grand que moi et Guy, un peu plus petit. Un vrai bébé, celui-là. Madeleine, à qui on disait que je ressemblais, était une très chic fille. Mes deux cousins m'énervaient. Ils n'avaient pas le nombril sec qu'ils étaient aussi frais chiés que leur père. Mais les arbres, la verdure, l'eau, le soleil, la chaleur, l'ombre, les fleurs, l'espace, le boire, le chamaillage, les querelles, le manger, les jeux, le rire et même les averses me les faisaient tolérer.

— Elle est pas belle, la vie ? disait mon père.

Oui, notre vie du dimanche était belle comme ça n'est pas permis.

Le samedi soir, au moins deux fois par mois, l'insolite clan des Dubois venait chez nous pour jouer aux cartes. À l'argent. La plupart du temps, on voyait arriver les sœurs de mon père, Alice et Thérèse, avec leurs maris Gérard et Henri, son frère Réginald, le séparé, qui deviendrait plus tard un robineux, et son autre frère, Stan, parfois accompagné de sa femme, la grosse Gertrude, que tout le monde appelait Trude.

Ni Réginald, qu'on surnommait Redgi, ni moi n'aurions deviné alors que vingt ans plus tard, enceinte jusqu'aux yeux, je le croiserais au centre-ville de Montréal et reconnaîtrais ses yeux de poisson frit en donnant quelques sous, une veille de Noël, au clochard qu'il serait devenu.

Nous nous retrouvions dans la salle à manger du 939, avenue Collin, alias la ruelle Collin, cette salle à manger qui se transformait chaque soir en dortoir de garçons. Ça riait, ça criait, ça s'engueulait, ça fumait. Les hommes crachaient dans leur mouchoir, calaient de la bière tandis que les femmes buvaient des boissons gazeuses. Mais pas toutes. Thérèse et Alice buvaient aussi de la bière et elles fumaient. Et pour sacrer, elles ne donnaient pas leur place ! J'adorais les entendre blasphémer et se traiter de tous les noms.

— Calvaire de mardeux! tonnait ma tante Alice, sous l'effet conjugué de l'alcool et de l'excitation que lui procurait le jeu. Tu vas encore me plumer pis je vais retourner chez nous la sacoche vide!

— Vous n'avez qu'à apprendre à jouer, lui répondait mon père.

— T'es cochon, Robert! Tu pues la merde en ciboire. T'es en train de nous laver, renchérissait Gérard.

Un vrai spectacle, ces parties de cartes! Mon clown de père se donnait à fond dans les pitreries. Il faisait des incantations, caressait les cartes et dessinait des cercles dessus lorsqu'il les coupait, se levait, faisait trois fois le tour de sa chaise, la cigarette pendouillant au coin de la bouche...

En ces temps-là, une femme sacrait et les yeux s'écarquillaient. Elle passait pour la mauvaise femme qu'elle n'était pas. Dans notre salle à manger, il y avait tellement de boucan et de boucane qu'on ne se voyait ni ne s'entendait plus. De toute façon, dans cette famille, chacun se faisait les questions et les réponses!

Moi, au milieu de ce brouhaha, je ronronnais. J'aimais cette vitalité. Je me suis vite rendu compte qu'il existait deux types de femmes: les saintes comme Trude et ma mère, et les folles finies, perçues comme des pécheresses et des dépravées, telles mes tantes Thérèse et Alice. Ces deux femmes étaient de vraies Dubois. Des bûcheronnes. En plus de sacrer, boire et fumer, elles jouaient comme les hommes, mais sans cracher. Elles me fascinaient. M'excitaient. Dès trois ou quatre ans, je me demandais lesquelles je préférais, des Alice-Thérèse ou des Agnès-Trude.

Tantôt je disais à Blanche:

— Moi, j'aime beaucoup ma tante Alice. En plus d'être belle, elle n'a pas la langue dans sa poche. Je serai comme elle quand je serai grande.

Puis le lendemain, j'affirmais à Aimée :

— Ma tante Trude est vraiment une grande dame, une si bonne personne. Je veux lui ressembler quand je serai grande !

Je pressentais déjà, confusément, que j'avais hérité des deux types, que je devrais choisir car il semblait bien ne pas y avoir de troisième voie ni d'entre-deux. Le hic : j'admirais autant les Alice-Thérèse que les Agnès-Trude. Mon dilemme existentiel de fille commençait...

Un jour, je marchais avec ma tante Alice vers les toilettes du parc La Fontaine. Elle portait un maillot de bain noir et un fichu rouge, du même rouge que ses lèvres, qui retenait attachés ses longs cheveux de jais. Comme des complices, nous mâchions à l'unisson de la délicieuse gomme Thrills qui goûtait le savon. Un homme la siffla.

— C't'à moé, c't'à toé, c't'à moé, c't'à toé, ironisa-t-il en marchant devant nous, caricaturant le déhanchement harmonieux du bassin d'Alice, de gauche à droite.

— Ôte-toi d'dans nos jambes, imbécile !

— Si j'étais dans tes jambes, tu te plaindrais pas, ma beauté ! baragouina-t-il en se frôlant l'entrejambe.

— Tu fais bien de tenir ton p'tit paquet minable. T'as peur de le perdre ? Dégage, pauvre serin ! lança-t-elle à voix forte, pour que tout le monde puisse entendre.

Elle me regarda, serra ma main plus fort dans la sienne. Nous nous sourîmes en silence en continuant notre route, la tête un peu plus haute. Je n'avais pas tout compris, mais saisi l'essentiel. J'étais pâmée d'admiration devant son pouvoir de séduction, mais surtout devant son *guts* et son aplomb.

Après ce jour, il y aurait toujours du rouge très rouge, en touche minuscule, dans mes représentations de ma tante Alice : ses lèvres ou ses ongles, un bouton de chemisier, un gant, une courroie de chaussure, un bijou, un ruban dans sa chevelure d'enfer, noire, épaisse, longue, flottante... Parfois, dans mon imaginaire, même ses yeux, bleu-violet en réalité, étaient rouges. Pas rouges d'avoir pleuré mais rouges dans l'iris même. Accroché à ses lèvres, perpétuel, un demi-sourire de Joconde dont on ne savait jamais s'il était moqueur, cynique ou désespéré. Le teint mordoré, portant du noir, jamais de pantalon, que des jupes ou des robes moulantes, toute en galbes, convexes et concaves là où il se doit. Des seins prospères, en forme de poires, qui bougeaient en cadence et qui palpitaient. Des seins qui ne demandaient qu'à vivre. Vigoureuse. Plantureuse. Toujours je la verrais avançant langoureusement, rythmiquement, ses jambes qui n'en finissaient plus. Elle faisait tourner les têtes et les regards, Alice. Elle faisait même tourner les mayonnaises !

Alice était unique. Infernale. Fluide. Elle n'en remettait pas, elle était ainsi : un fauve. Elle savait le pouvoir qu'elle exerçait mais ne l'exploitait pas. Cela se voyait dans son air indifférent, dans sa mine désenchantée. Elle était lasse de s'entendre sifflée, désabusée ou désillusionnée. Elle semblait en attente. Même saoule, fumant comme une locomotive, sacrant et jouant aux cartes, elle était émouvante.

Rien à voir avec ma mère et tante Trude qui, les soirs de cartes, se tenaient à l'écart en souriant discrètement, buvant leur boisson gazeuse à la paille, le bec pincé, mangeant des « paparmanes » et parfois des chocolats avec une cerise dedans. Paisibles et apaisantes, elles parlaient de leurs enfants, surveillaient ceux qui étaient autour, survoltés par cette atmosphère endiablée.

Quand la soirée avançait, Agnès et Trude préparaient un goûter pour tout le monde. Elles servaient d'abord les sportifs de table qui, finalement, étaient un peu les héros du moment. Les perdants – cinq ou six dollars, cela représentait le cinquième de leur salaire hebdomadaire – avaient la mine basse. Si les ouvriers gagnaient en moyenne quarante dollars par semaine à l'époque, chez les sans-métier, c'était bien moins.

L'oncle Redgi, le futur robineux, me faisait pitié. Ma mère aussi semblait tantôt le prendre en pitié, tantôt s'en méfier. Avec sa voix de rogomme, son haleine fétide et ses doigts fourchus, tordus déjà par quelque carence alimentaire, il voulait toujours me prendre sur ses genoux et me faire des câlins :

— Yiens icitte, ma belle p'tite Wendâline, yiens me donner un beau bec, là.

Je détestais qu'il me touche. Il sentait toujours la tonne et le vieux tabac, et j'avais l'impression qu'il essayait de me tripoter. Je me souviens bien qu'il m'attirait toujours vers lui en me prenant par les fesses et que j'haïssais cela pour mourir. En fait, les mononcles puants, quand ils avaient un verre dans le nez, devenaient tous un peu cochons. Ils badinaient souvent au sujet des belles petites «blagues» bombées des filles. Ma mère devait percevoir mon aversion car elle s'empressait de me tirer de là en tranchant :

— Ça suffit, Réginald, tu as eu ton beau bec, maintenant, laisse la p'tite tranquille, compris ?

Et elle transperçait son mari d'un regard qui ne trompait pas : «Toi, surveille ton frère, bout de crisse !»

La visiteuse fantôme

J'ai connu le père de ma mère et sa seconde épouse, la belle-mère marâtre. J'ai connu aussi Amanda, la mère de mon père, mais pas mon grand-père paternel. Après sa mort, mémère ne s'est pas remariée. Il faut dire que Dieudonné, feu mon grand-père inconnu, était déjà son troisième mari. Ce qui fait que les oncles et tantes de lignée paternelle qui ont traversé mon histoire sont ceux d'un troisième et dernier lit.

Elle était maigre, Amanda, très maigre, et elle me faisait un peu peur. Elle portait toujours un étrange bonnet et sa bouche était édentée. Elle avait des yeux vert mousse immenses qui lui avalaient la moitié du visage. Des joues creuses. Un ventre, creux lui aussi, qui lui collait aux os. Si creux qu'un jour Jean-Jean lui avait demandé, perplexe :

— Mémère, comment tu as fait pour avoir tous tes bébés ? Y'avait pas de place pour eux dans ton ventre, ça, c'est sûr.

Elle n'avait rien répondu. Mémère Dubois semblait ne jamais entendre lorsqu'on lui adressait la parole. Si bien qu'on a fini par ne plus rien lui demander.

Elle avait eu des rejetons de trois lits, une quinzaine peut-être dont plusieurs étaient morts en bas âge. Parmi les nombreux demi-frères et demi-sœurs de mon père, nous connaissions Paula, Aurore, Donat et Roméo. Les autres étaient trépassés, disparus, perdus dans la nature.

Quand Amanda apparaissait au bout de la ruelle Collin, les enfants se sauvaient en lui criant des méchancetés :

— C'est la vieille mémère Dubois ! Cachons-nous avant qu'elle nous jette un mauvais sort avec sa canne de sorcière !

Elle ne bronchait pas. Son visage de marbre restait impassible. Moi, la cruauté des enfants à son endroit ne me dérangeait pas : mémère Dubois ne signifiait rien pour moi. Elle arrivait et repartait comme une ombre. Au détour de l'avenue, elle surgissait comme un spectre gris dans une ruelle grise et se fondait dans le décor. Elle était incolore et inodore, paraissait sans émotions, sans sentiments, sans voix. C'était notre visiteuse la plus fidèle. Elle besognait comme un automate : elle repassait, pliait et rangeait le linge, reprisait nos chaussons percés, recousait des boutons, rallongeait des robes, mettait des *patches* aux genoux de pantalons usés, lavait les carreaux, balayait le perron… Elle faisait tout ça dans un silence impénétrable. Combien de fois lui ai-je proposé, avant de me lasser :

— Mémère, je veux t'aider à balayer le perron.

— Enlève-toi de là, tu me déranges.

— Mémère, laisse-moi t'aider à plier le linge. Je sais le faire, j'aide souvent m'man.

— Tu me nuis. Allez, ôte-toi de là !

— Mémère, j'aime ça, repasser. Je peux faire les mouchoirs.

— Va jouer dehors au lieu de me déranger, petite fatigante ! Laisse-moi donc travailler en paix.

Allez donc savoir pourquoi, je ne deviendrais jamais une ménagère avertie !

Mémère venait pour aider sa bru avec sa marmaille et elle l'aidait assurément. Mais nous, ses petits-enfants, nous ne l'intéressions pas. Je ne me souviens pas qu'elle m'ait souri ni même adressé la parole. Elle entrait et sortait de la maison, deux fois par semaine, comme elle serait entrée et sortie d'une usine. J'apprendrais bien plus tard qu'elle venait chercher les quelques piastres que mon père lui versait chaque semaine pour l'aider à survivre. J'étais haute comme trois pommes et malléable comme de la cire chaude. Au bout du compte, en dépit de ses absences et de son silence, mémère s'est bien installée en moi.

Le premier vendredi du mois

Le premier vendredi du mois, les écoliers qui avaient déjà fait leur première communion allaient se confesser de leurs péchés pour pouvoir communier à la messe du dimanche. C'était comme ça chez les catholiques. Mon père persistait : tout cela n'était que bêtises et singeries. Moi, j'étais petite et, par conséquent, pure et sans péché. Au 939 Collin, le premier vendredi du mois était tout de même un jour de fête et d'abondance, une communion d'un tout autre ordre.

Je l'attendais devant la porte, avec ma mère et les enfants de la ruelle trop petits pour aller à l'école. C'était son heure ; il était plus attendu que le père Noël. Pour nous, il ÉTAIT le père Noël, et ses deux gros chevaux nous impressionnaient bien davantage que les insipides petits rennes au nez rouge de Santa Claus. Nous étions en liesse dès qu'on apercevait, au coin de la rue Saint-André, d'abord la tête des deux chevaux suivie de leur corps massif, puis mon grand-père Boisjoli qui tenait les rênes, tout sourire, fier comme un paon.

Il était toujours fidèle au rendez-vous. Levé à l'aube, il avait attelé ses deux puissantes bêtes chevalines pour trotter vers sa fille aînée Agnès, la seule qui ne vivait pas dans l'opulence. Il mettait la journée à effectuer le trajet qui séparait sa ferme de Boucherville du Faubourg à m'lasse. Il y avait encore très peu d'automobiles au début des années 1950, et c'est à cheval que nous arrivaient des montagnes de lait, de crème, d'œufs, de beurre et de fromage! Sans compter la dépense : traverser le pont Jacques-Cartier avec son attelage tiré par deux chevaux lui coûtait quarante cents. Il devait de plus attifer les bêtes d'une sorte de sac-couche, car si elles laissaient tomber leurs pommes de route sur le pont, il risquait une amende!

En dehors de ce jour-là, nous voyions peu mon grand-père maternel qui vivait sur sa terre, une ferme laitière florissante, de l'autre côté du fleuve. C'était loin : une vingtaine de milles aller-retour. Il aurait pu envoyer un homme engagé nous livrer tout ça, mon grand-père, mais non : c'est lui qui venait. Seul. Et il y tenait.

Les petits enfants de la ruelle s'agglutinaient comme des mouches autour des chevaux. Nous donnions aux bêtes à boire et à manger, du foin puis une pomme que pépère tirait d'un grand sac. Ensuite, pour dessert, un morceau de sucre. Après, il vidait leur couche dans le caniveau et les couvrait d'une épaisse couverture à carreaux rouges pour qu'ils se reposent deux petites heures avant de faire le voyage à rebours.

— Laissez les chevaux se reposer, les enfants. Ils en ont besoin.

Les gamins s'assoyaient sur la bordure du trottoir, en contemplation devant ces mastodontes qui dormaient debout.

Ma mère était tellement contente de voir son «pâpâ» que, chaque fois, elle avait les yeux pleins d'eau. Pâpâ... Je ne sais pas pourquoi elle et ses sœurs ont toujours prononcé pâpâ et non papa. Ses yeux à lui, coquins et enjoués comme je n'en verrais jamais d'autres, étaient dans la flotte, eux aussi. Le père et la fille avaient le même regard, tout plein de sourire et de bienveillance, toujours au bord de se réjouir. Des yeux qui pétillaient, qui enluminaient, qui jouaient à cache-cache dans les plissures du visage. Et croyez-moi, le premier vendredi du mois, ils étaient heureux.

Pendant que les chevaux récupéraient, ma mère, Jean-Jean – qui s'arrangeait toujours pour manquer l'école ce jour-là – et moi, on aidait pépère à décharger les précieuses victuailles qu'il nous avait apportées et à les ranger dans notre grosse glacière beige. Il y avait, en plus des produits laitiers, un gros sac de pommes et, en saison, du sirop d'érable. Des fois, du sucre d'érable. Pour nous, cela tenait du miracle. Pépère aurait changé l'eau en vin, trotté sur le fleuve avec ses chevaux ou multiplié les pains que cela n'aurait pas été plus abracadabrant. L'abondance qui arrivait à cheval, dans une ruelle, depuis un paradis perdu, on a beau dire, ça impressionnait drôlement!

Ensuite, Jean-Jean et moi, on se rivait côte à côte sur le banc de quêteux de la cuisine, pour le regarder manger le goûter que sa fille avait préparé juste pour lui. Il mastiquait en silence. Ce mage venu d'ailleurs était notre grand-père. Tout comme ses prodigieux chevaux, il devait lui aussi refaire ses forces.

— C'est bon. Tes cretons sont toujours les meilleurs. Ta tarte à la farlouche aussi.

Le père et sa fille parlaient peu. Ils se regardaient. S'emplissaient les yeux l'un de l'autre comme pour s'assurer qu'ils étaient vraiment là, vivants, comme pour se rappeler qu'ils existaient bien dans le même espace-temps. Ils souriaient et riaient, tout entiers à ce moment, lui en mangeant et elle en se nourrissant de le voir manger. Elle baissait les yeux quand les siens à lui se posaient sur elle. Jean-Jean et moi, nous les regardions se regarder. Ce que le mot « respect », respect réciproque, recouvre et signifie se matérialisait sous nos yeux. Moi, je gravais cette scène au grand tableau de l'immortalité. L'odeur aussi s'imprégnait en moi. Mon grand-père sentait bon le cheval.

Après, ils prenaient le thé ensemble avant qu'il ne fasse un petit somme sur le divan et retourne vers sa campagne. Juste avant de partir, mon grand-père prenait sa fille par les épaules, lui souriait :

— Tu vas prendre soin de toi, Agnès, hein ?

— Oui. Ne vous inquiétez pas, ça va aller. Merci pâpâ. Bonne route de retour !

Ils ne s'embrassaient pas. On n'embrassait pas à cette époque. Il me tapotait la joue, serrait la main de Jean-Jean, d'homme à homme. Ma mère le suivait des yeux, radieuse, reconnaissante, jusqu'à ce qu'il disparaisse au tournant de la rue Saint-André.

— Heureusement qu'ils sont plus légers, maintenant ! Le retour sera plus facile et plus rapide pour les bêtes et le cocher, murmurait ma mère.

Rentrée dans son logement, elle ouvrait la glacière puis le garde-manger, admirait toutes ces succulentes denrées et se mettait à chanter en planifiant les plats qu'elle cuisinerait dans les prochains jours :

Mon père n'avait fille que moi
Mon père n'avait fille que moi
Marie-Madeleine ton p'tit jupon de laine
Ta p'tite robe carreautée
Ton p'tit jupon piqué...

La mauvaise

Mon grand-père Boisjoli avait une femme. Berthe, qu'elle s'appelait, cette épouse que nous n'aimions pas pour la raison toute simple qu'elle n'était pas aimable au plein sens du terme. Elle avait un regard dur, l'air méchant. Nous l'appelions mémère, mais elle n'était pas notre grand-mère biologique puisque la mère de ma maman, Délia, était morte lorsque celle-ci avait cinq ans, en accouchant de Marie-Louise, sa quatrième fille. Ma fausse grand-mère avait été une marâtre pour ma mère et mes tantes, les filles de mon grand-père, lorsqu'elles étaient toutes petites. Elle ne les avait pas battues, brûlées ou tuées, mais ce n'était pas faute d'avoir un peu essayé.

Un jour, ma mère, mon père et moi avons rendu visite à ma tante Éva, la deuxième sœur de ma mère, ainsi qu'à son mari Lucien. Pourquoi mes autres frères et sœurs ne nous accompagnaient-ils pas? Parce qu'ils n'étaient pas invités. En fait, nous n'étions jamais invités nulle part toute la famille ensemble, parce que trop nombreux. Tante Gisèle, la troisième sœur, était là aussi avec son Omer, et mon grand-père avec sa Berthe-la-marâtre. Celle-ci était malade. Elle devait avoir le début de la soixantaine mais paraissait aisément vingt ans de plus. Jamais je n'ai vu cette femme debout sur ses jambes. En réalité, je l'ai vue peu souvent et, chaque fois, elle était affalée dans un fauteuil roulant. Elle avait de petits yeux couleur pruneau délavé, durs. Peut-être en raison de sa maladie, elle avait un grain de peau grisâtre comme de la cendre. Elle était laide comme la méchanceté.

À cette époque, ignorant qu'elle et moi n'avions aucun lien génétique, je me demandais comment cette Carabosse pouvait être la mère de ma mère. C'était une étrangère, et ses quatre filles ne lui ressemblaient ni de corps ni d'esprit. Je n'ai pas souvenir de m'être approchée d'elle physiquement, de l'avoir touchée ni embrassée. Heureusement qu'on ne m'y obligeait pas, je n'aurais pas pu. Alors même que j'ignorais qu'elle avait été mauvaise, elle me rebutait. C'est seulement après sa mort que nous avons appris, sans surprise, la marâtre qu'elle avait été pour ses belles-filles, comme Marie-Anne Houde l'avait été pour la petite Aurore, l'enfant martyre.

Nous avions fini de manger et, je ne sais trop pourquoi, tout le monde avait quitté inopinément l'élégant salon. Même cousin Michel, fils prodige de nos hôtes, qui jusque-là jouait autour de moi avec son rutilant camion de pompier qu'il m'empêchait d'approcher, avait déserté la place.

— Les pompières, ça n'existe même pas! Tu devrais savoir ça!

S'il avait pu, il m'aurait carrément empêchée de le regarder, son camion! Comme si j'avais pu l'user juste en le regardant... «Tant pis, pensai-je. Puisque je suis seule avec mémère Berthe, je vais jouer avec elle.»

J'étais toute petite. Je me suis approchée du fauteuil dans lequel elle était clouée, me suis placée bien en face d'elle, mais pas trop près, ai planté mes yeux dans les siens et l'ai fixée longuement. Elle me fixait elle aussi, l'air de se demander ce que je lui voulais. J'ai soutenu son regard, curieuse, effrontée, impudique comme seule une enfant sait l'être. J'ai plongé dans ses prunelles glauques, écorniflant à ces fenêtres qui me donnaient largement accès à son intérieur. Je l'ai fouillée, longtemps. Clac! Brusquement, elle a baissé les yeux, comme on baisse le store ou ferme les volets, pour se cacher, et ne les a plus rouverts. J'avais eu amplement le temps de la voir à l'intérieur. Toute nue. Et elle le savait.

— Tu es laide et je ne t'aime pas, lui avais-je déclaré.

Elle s'était mise à gémir comme si je l'avais agressée physiquement alors que je ne l'avais pas même effleurée. Ameutées, mes tantes et ma mère s'étaient précipitées dans le salon. La vieille pointait vers moi son doigt gris à la peau translucide en geignant, laissant croire que je l'avais malmenée. Tout le monde me regardait comme si j'étais un monstre, une tortionnaire de vieillardes. Même mon pépère Boisjoli que je vénérais. Cela m'avait chagrinée et le chagrin, parfois, me faisait taper du pied.

— J'en ai assez d'être ici. Je veux retourner chez nous.

— Excusez la petite, avait dit ma mère, elle est fatiguée. Les voyages en autobus la rendent toujours malade. Il est sept heures. On va rentrer par le prochain autobus.

— Je ne suis pas fatiguée pantoute. Personne ne veut jouer avec moi. Fallait bien que je joue avec mémère. C'est plate à mourir dans cette maison.

Je n'avais plus bougé ni dit un mot jusqu'à ce qu'on parte. Cousin Michel le pompier m'appelait la boudeuse. Je ne boudais pas. Je réfléchissais. Allez donc savoir ce que mon beau et bon pépère Boisjoli avait trouvé à cette grosse Bertha, pour aller jusqu'à presque renier ses splendides filles au profit de cette harpie.

Mes tantes Éva et Gisèle, qui vivaient à Montréal, s'occupaient de leur belle-marâtre à l'occasion, pour soulager pâpâ. Elles avaient plus de temps libre et d'argent que nous, et leur mari avait une voiture. Le temps, l'argent et le moyen de se déplacer, ça facilite la générosité. Éva, qui n'avait qu'un enfant et un mari prospère, était une femme d'affaires. Elle acheta, rénova et revendit des maisons toute sa vie. Gisèle était elle aussi une femme d'affaires qui n'avait pas d'enfant et possédait quelques restaurants. J'ai entendu dire, à voix basse, qu'elle avait déjà tenu une maison de jeu. Peut-être que ça aussi, cela facilitait la générosité... Sans amour, sans affection, mes tantes soignaient leur belle-mère. Par devoir. Ou par intérêt, qui sait?

L'autre tante maternelle, Marie-Louise, avait comme ma mère sept fils et filles. Une ribambelle d'enfants, c'est le seul point commun qu'elle partageait avec Agnès, sa sœur aînée. Elle vivait sur une belle ferme à Varennes avec son mari, Gros-Jude. Étant donné que nous n'avions pas d'automobile pour aller leur rendre visite, nous les voyions rarement. Les trois tantes et leurs compagnons venaient parfois au 939 Collin pour nous montrer leur plus récente voiture ou des photos de leur nouvelle maison, de campagne ou de ville.

Je ne sais pas si nous les aurions fréquentés davantage si nous avions eu une voiture car, bien que nous ayons cinquante pour cent de sang Boisjoli, il me semblait que nous n'étions pas vraiment parents. Autant la famille carencée et exubérante de mon père me séduisait, autant celle de ma mère, distinguée et peu démonstrative, me laissait de glace. Toute ma vie, je serais bien plus attirée par les rebelles qui tentent par tous les moyens de vivre leur vie au détriment des conformistes soucieux d'assurer leur respectabilité. Exception faite de mon pépère, ma famille et moi avions bien plus en commun avec nos voisins de la ruelle qu'avec notre parenté Boisjoli.

De découvertes en déceptions

Par un bel après-midi de fin d'été, je jouais dans la ruelle avec Gaston, qui habitait au bout de celle-ci. Ça sentait bon. Le grand foin et les hautes mauvaises herbes couvraient l'odeur de pisse des ivrognes de passage. Il y avait toutes sortes de saloperies et de saletés dans notre arrière-cour à rats. Je l'avais bien compris lorsque j'avais ramené à ma mère une vieille capote usagée que je tenais au creux de ma petite main potelée. Elle avait hurlé et passé mes mains au javellisant, au savon Barsalou et à l'eau bouillante, directement du canard.

— Dis-moi que tu n'as pas mis ça dans ta bouche! qu'elle hurlait à fendre l'âme.

— Moi, non. J'ai juste essayé de l'emplir avec de l'eau. Mais Yvon, il a soufflé dedans pour faire un ballon...

— Oh mon Dieu! Quelle saloperie! Il faut que je prévienne sa mère. Tu ne touches plus jamais à ça, tu m'entends? JAMAIS!

Mais il y avait aussi, et plus encore, beaucoup de beauté et de poésie dans notre ruelle : des cordes à linge, des rayons de soleil aussi éblouissants que timides, de l'herbe aussi verte que mauvaise, des cris d'enfants, des cabanes fabriquées avec de vieux cartons et chiffons, des comptoirs à limonade, des billes, bref, tous les jouets du monde, tous les rêves du monde qui ne coûtent rien.

J'y retrouvais mes copains, que des garçons: Yvon Croteau, Simon Jolicœur et Gaston Blais. Les deux filles de mon âge, Dorothée O'Connor et Claudette Vandal, habitaient de l'autre côté de notre petite rue et, de ce fait, avaient leur propre ruelle arrière. À quatre ou cinq ans, dans le

Faubourg à m'lasse, on ne s'éloignait pas. Soit on se tenait devant la maison, sur le trottoir, avec interdiction de traverser de l'autre côté, soit on jouait derrière, dans la ruelle. Là était notre univers.

Ce jour-là, ça sentait la fin d'été et ma cour arrière sentait bon le Gaston du bout de la ruelle, avec sa maison sur la rue Saint-André. Je me souviens parfaitement de lui, même si je ne l'ai jamais revu après cet événement de l'été 1952. Il était tout blond, tout rose, avec la peau laiteuse. Ses yeux avaient des allures de caramel fondant, celui qui coulait sur nos *sundaes* certains dimanches après-midi plus fastes que d'autres. Nous étions cachés dans les hautes herbes, que nous avions transformées en jungle sauvage, et personne ne pouvait nous voir, du moins le pensions-nous, lorsque Gaston m'annonça qu'il devait courir d'urgence chez lui pour faire caca. Je ris.

— C'est bien trop loin, t'auras pas le temps de te rendre! que je lui dis, le voyant frétiller et se mettre la main au cul dans un mouvement pour retenir l'étron. Fais-le ici, ordonnai-je sur un ton ne supportant pas la discussion.

À ma grande surprise, il baissa ses bretelles et descendit sa culotte sur-le-champ, sans la moindre hésitation. J'eus même l'impression qu'il attendait que je lui ordonne de baisser sa culotte à manches courtes car, une fois son pantalon ravalé sur ses pieds et ses fesses au vent, son envie parut moins urgente. Nous étions accroupis. Son zizi fripon me narguait effrontément. Et moi, je le scrutais, le trouvais tristounet. Il était à peine plus long que large et d'un rose tendre. Un petit rose de fille, que je me dis en moi-même. Il se toucha en me regardant, tira sur la peau du bout d'un air invitant, avec des yeux de plus en plus caramel fondant.

Je le touchai et trouvai que cela était doux. Gaston était tout sourire.

— À toi maintenant!

Je pris peur, sentant que nous faisions des choses très, très graves. Mais plus j'avais peur, plus j'étais tentée. Transportés d'excitation nous étions, Tonton et moi. Alors, je baissai ma petite culotte et, du bout des doigts, j'écartai les portes de ma lune pour qu'il voie bien.

— Wowwww… fit-il, bouche bée, en tenant serré son petit moineau. C'est beau!

Et il fit glisser les doigts de sa main libre le long de ma fente humide.

Ce fut tout. Nous étions ravis. Rassasiés. Rassurés. J'avais constaté qu'il était un vrai garçon. Et il avait pu voir que j'étais, moi, une vraie fille.

Nous reprîmes le cours des choses là où nous l'avions laissé: le besoin numéro deux de mon copain. Il s'exécuta si aisément que je compris qu'il avait vraiment eu, tout ce temps, le cigare au bord des lèvres. J'admirai la facilité avec laquelle il livra la marchandise. Il resta en position, son cadeau bien en vue sous ses fesses. Et me demanda d'en faire autant. Je m'accroupis en position d'évacuation générale. Je forçai, ahanai. Rien n'y fit, pas le moindre crottin de lapin en vue. Je forçai plus fort encore, fixant le beau moulage de Gaston pour m'inspirer, le visage rouge comme les pivoines sur le balcon de madame Bonin. C'est à ce moment précis que ma mère nous repéra, petit couple bienheureux accroupi au-dessus de la crotte de mon ami.

Ma mère, que j'avais toujours crue si douce, tempêta:

— Qu'est-ce que vous faites là, espèces de petits cochons? Vous êtes vraiment dégoûtants. Attends que je prévienne tes parents, toi, Gaston Blais, tu vas en manger toute une! Et toi, vilaine, allez ouste à la maison, tout de suite! Si c'est pas effrayant! Qu'est-ce qu'on va pouvoir faire avec vous?

En criant ainsi, ma mère avait alerté toutes les commères de la ruelle qui, depuis leur galerie arrière, observaient la scène, scandalisées, sur le point de «tomber sur la connaissance» devant des petits enfants aussi sataniques. J'eus l'impression que ma mère en remettait, pour montrer aux saintes-nitouches qu'elle était une bonne mère et punissait sévèrement ce genre de comportements. Elle nous attrapa par le chignon du cou, nous souleva de terre, nous traîna jusque chez Gaston. Le pauvre bougre, en larmes, avait encore de la merde au cul. Elle remit le pécheur entre les mains de sa mère en lui racontant ce qu'elle venait de surprendre.

— Non mais, c'est-tu pas effrayant! Attends que ton père arrive, tu vas y goûter, sermonna la colosse madame Blais, en flanquant au blondinet quelques bonnes claques derrière la tête.

Pour ma part, je ne pleurai pas, mais je connus la honte pour la première fois. Une honte terrible dont je me souviendrais. Je ne savais pas pourquoi je devais me sentir fautive. Pourtant, ma mère ne me tapa pas; elle ne nous frappait jamais. Elle n'en parla ni à mon père, ni à mes sœurs et frères. Elle se contenta de me dire que ce que nous avions fait n'était pas si grave mais que, parce que tout le monde trouvait cela vraiment très laid et dramatique, je ne devais plus recommencer. Une journée banale, que j'aurais vite oubliée, s'était transformée en journée misérable et mémorable.

À partir de ce beau jour ensoleillé du mois d'août 1952, je ne revis plus jamais Gaston de près. Il lui était interdit de jouer avec moi. J'eus beaucoup de peine car il avait été mon grand copain de ruelle pendant des mois. Dans une vie d'enfant de quatre ans, des mois, ça compte autant que des années dans la vie du grand Jean-Jean! J'avais de la peine aussi parce que je n'avais plus le droit de jouer dans ma ruelle bien-aimée. Je ne sais trop lequel des deux manques me rendait le plus triste.

Mais je sais que ce jour-là, je commençai à souffrir de constipation.

Les jouets ont un sacré gros sexe

— La petite marche déjà sur ses cinq ans, disait ma mère.

Je me figurais le temps et les années comme un ruban par terre et moi qui pilais dessus. Tout compte fait, j'avais rapidement oublié Gaston et son zizi. Je m'ennuyais surtout, terriblement, de sa trottinette. Je ne me souviens pas si j'avais des poupées. Je jouais surtout avec un ballon, des blocs de bois et un ou deux puzzles que je refaisais infatigablement. Mes préférés: les blocs de bois avec lesquels je construisais des maisons. J'adorais cette activité.

Les jours de pluie, j'écoutais des *records* sur le *pick-up* de Pierre. J'en avais trois, qui étaient en plastique rigide: un rouge, un jaune et un vert. C'était des chansons criardes, en anglais. Je ne sais pas s'il existait des disques en français pour les enfants. Mais mon père, ça je le sais, était un colonisé qui tenait à ce que mon oreille se fasse à la langue du maître: l'anglais.

Le petit disque rouge crachait *Fire! Fire!*, la chanson-histoire d'un terrible incendie avec des pompiers héroïques.

J'adorais le son de la sirène. Le jaune balançait une mélodie sirupeuse, *Mary Had A Little Lamb*. Je ne me souviens plus de ce qui était enregistré sur le disque vert. Mais les pompiers et la bergère, je les ai écoutés inlassablement des centaines et des centaines de fois.

Mary had a little lamb,
Little lamb, little lamb,
Mary had a little lamb,
Whose fleece was white as snow.

And everywhere that Mary went,
Mary went, Mary went,
And everywhere that Mary went,
The lamb was sure to go[1]...

Les pompiers du disque rouge fouettaient mon courage et mon désir de me dépasser. La bergère du disque jaune m'endormait, m'engourdissait. J'aimais les deux, mais je rêvais d'être pompière et de laisser à d'autres le métier de bergère.

C'était le mois avril. Un avril précoce. Les trottoirs étaient libres de glace et de gadoue. Les garçons avaient sorti leurs vélo, wagonnette, tricycle, bicyclette ou trottinette. Je les enviais et méprisais Dorothée qui, sur le trottoir d'en face, poussait idiotement sa poussette avec dedans une poupée qui fermait bêtement les yeux dès qu'on la couchait.

---

1. Marie avait un p'tit mouton, p'tit mouton, p'tit mouton
   Marie avait un p'tit mouton au manteau blanc comme neige
   Et partout où allait Marie, allait Marie, allait Marie
   Et partout où allait Marie, le mouton allait aussi

Ça allait bientôt être mon anniversaire. J'aurais cinq ans le 27 avril 1953. Pierre, ce beau jeune homme qui me servait de parrain, me promettait depuis des semaines le cadeau de mes rêves. Je fantasmais sur un gros tricycle tout rouge, rutilant, avec un gros criard qui annoncerait mon arrivée jusqu'à l'autre bout de la ruelle. Et des serpentins multicolores aux poignées du guidon, comme j'en avais vu dans le catalogue de chez Dupuis Frères.

Tous les jours, je regardais la petite avenue sur laquelle nous habitions. Je me voyais la dévaler bientôt, à toute allure, bien en selle sur mon bolide. Je m'imaginais participant à des courses avec les copains. Et être première à la ligne d'arrivée, épuisée, rouge, essoufflée, fière et folle de joie. La nuit, je m'engouffrais dans des rêves de bonheur et de grandeur : moi, Gwendoline Dubois, comme un cow-boy sur son cheval, j'explorerais toutes les ruelles avec mon tricycle. Je pédalerais vite, toujours plus vite, loin, toujours plus loin. Une championne.

Le jour J, un lundi, arriva enfin. Je frétillais. Toute la famille me regardait, aussi excitée que moi, présente à ma félicité. Je déballai à pleines mains, le cœur prêt à éclater d'un indicible bonheur, l'immense boîte que j'avais convoitée dans le hangar ces derniers jours. Et je vis apparaître une roue, puis une autre, puis une autre encore et là, incrédulité, tristesse, désespoir, une quatrième roue ! Un cadre au-dessus duquel je découvris, ô horreur, une poussette rose. Une horrible, monstrueuse, insupportable, écœurante poussette rose ! Je ne sais pas comment j'ai fait pour ne pas m'écrouler.

J'entends encore la voix de mon parrain :

— Hein ? Tu voulais un tricycle ? Tu es trop petite, tu aurais pu te faire mal avec un engin semblable. Et puis, tu es bien trop mignonne pour jouer avec les garçons et pour faire cette moue.

Comment décrire ma peine et ma déception? Je ne saurais, pas plus aujourd'hui qu'alors, trouver les mots pour le faire. J'ai éprouvé une peine sèche, sans sanglots, bien pire que tous les chagrins mouillés de larmes. Une peine violente. J'étais une ruine. Le jour de mes cinq ans, j'ai compris que je serais un cow-boy sans cheval. J'ai cru que ma vie ne valait pas la peine d'être vécue. J'ai commencé à comprendre qu'aux yeux du monde, une fille n'avait pas les mêmes prérogatives qu'un garçon. Comment ces inconscients qui me servaient de parents et de famille pouvaient-ils ne pas comprendre que j'étais mignonne, mais pas fragile? Comment ma mère pouvait-elle laisser faire cela? Comment mes sœurs, Aimée, Blanche et Claire-Obscure, pouvaient-elles tolérer cela?

Il y avait, dans la poussette rose, une poupée de chiffon au visage en carton rigide. Je la soulevai, la regardai et la redéposai dans son écrin. Elle était anodine, insignifiante, et me laissait de marbre. Je la méprisai en prenant soin de lui dire qu'elle n'y était pour rien. Si j'avais pu l'amener avec moi en promenade et en expédition sur mon tricycle rouge, j'en aurais fait mon adjointe. Mon assistante. Mais la pousser béatement dans ce landau ridicule : jamais. Cela aurait été aussi insultant pour elle que pour moi.

Le lendemain, je fracassai sauvagement la poussette contre le mur de pierres de notre maison. J'épargnai la poupée que je rangeai sans plus jamais lui adresser la parole ni le moindre regard. Pas facile d'oublier le jouet rêvé quand on l'a sous le nez tous les jours, quand les copains te narguent en enfourchant leur monture pour partir à l'aventure. Je mis longtemps à pardonner à mon frère-parrain et à ma famille, complice de cet affront. Ils n'avaient rien compris. Pire, ils avaient craint que je sois un garçon manqué alors que j'étais une fille, fière, saine, qui avait soif d'aventures et envie de se dépenser physiquement.

Pépinot, Capucine, Simon et moi

Et puis vint Simon. Un grand de six ans et demi, aussi noir que Gaston était blond. Un pétard. Il faisait tout ce qu'il fallait pour m'impressionner et ça marchait. Nous venions d'avoir la télévision, une Corona de vingt et un pouces, se vantait mon père. Ça n'était pas rien. Nous étions désormais des stars. Pauvres comme Job, nous étions néanmoins les seuls de la rue à en avoir une, et tout le monde se massait dans notre salon et dehors devant la fenêtre pour la regarder, même lorsqu'il n'y avait que la grosse tête de sauvage immobile dedans. Parfois, même quand l'appareil était fermé, les curieux s'arrêtaient, éblouis par le monstre de l'autre côté de la vitre. C'était vite devenu infernal, car comme nous n'avions ni store ni draperies opaques dans le salon, nous n'avions plus d'intimité. Mon père s'en fichait. Il pavoisait. Je ne crois pas l'avoir vu plus heureux que lorsqu'il regardait sa grosse Corona. Nous ignorions encore qu'il allait passer le reste de sa vie devant le téléviseur.

Je me servis, moi, de notre Corona pour séduire le grand Simon. Avec la permission de ma mère, je l'invitai à venir regarder *Pépinot et Capucine* dans notre salon. Nous étions assis par terre, côte à côte. La magie opéra. C'était le paradis. Simon, Pépinot, Capucine et moi, ensemble dans ma maison. J'étais ensorcelée par ces marionnettes dans la petite boîte. Pour moi, c'étaient de vrais enfants. Surtout, j'étais émerveillée de l'émerveillement de Simon. Heureuse de le voir si radieux, grâce à Corona et à moi. Il se roulait par terre dès que le malfaisant Pan-Pan, éternel évadé de prison, affirmait :

— Pan-Pan, il est toujours le vainqueur !

Ou encore quand le fidèle ami l'Ours se faisait comprendre de ses amis en répliquant sempiternellement :

— Menoum menoum… Menoum menoum menoum…

Un jour, alors que nous étions près du hangar de son papa où celui-ci bricolait avec le mien, Simon voulut m'épater plus encore, m'en mettre plein la vue de sa force herculéenne. Il souleva, au bout de ses bras chétifs, puis d'une seule main, une énorme barre à clous qui me paraissait aussi grosse qu'un pylône électrique. J'étais ravie, béate d'admiration.

— Wow ! Tu es vraiment fort ! Moi aussi, je peux le faire, tu sais…

Mais Simon se mit à vaciller. Son petit bras droit commença à flancher et il eut beau essayer de rattraper la barre et de consolider sa poigne avec sa main gauche, il n'y arriva pas. L'énorme outil de fer s'écrasa sur mon front dans une sorte de bruit sourd, interne, un puissant « plouc ! » que moi seule entendis, à l'intérieur de ce qui me restait de tête. Simon, Simon, Simon… Je jure que depuis, au sens propre comme au sens figuré, jamais un homme ne me fit perdre si totalement la boule ni voir autant d'étoiles.

Épouvantail à la fenêtre

On me bassinait avec l'école que je devrais fréquenter l'année suivante, en septembre 1954. Je ne voulais pas y aller. J'avais peur de cette grosse baraque comme de la peste. Je ne me voyais pas quitter ma maison, mon trottoir, ma ruelle que je n'avais pas même le droit de traverser, pour aller m'aventurer si loin, parmi des inconnus. Quand on est le bébé d'une famille de sept grands enfants, qu'on n'a jamais été gardée par une personne qui ne soit pas le frère ou la sœur, qu'on n'a jamais été seule sans un membre du clan, qu'on a toujours été entourée, dorlotée, bécotée, portée, cajolée, bercée, tenue par la main, l'école c'est l'étranger, l'inconnu, le danger. Le monstre. M'envoyer à l'école, c'était comme m'expédier, seule, sur un autre continent.

C'était au temps du «maniaque au rasoir». Ce détraqué sévissait dans les tramways et les bus, où il attaquait les dames, coupant leurs cuisses ou leurs jambes à coups de lame de rasoir. Tout le monde en parlait. Les femmes ne voulaient plus prendre le tramway de peur de se faire taillader la chair. Même ma mère, une téméraire, une femme qui n'avait peur de rien, n'allait plus au théâtre. J'imaginais que le monstre m'attendrait à la sortie de l'école pour me dépecer et me manger, comme dans la terrible chanson *Ils étaient trois petits enfants qui s'en allaient glaner au champ*. Dans le refrain, les enfants s'égaraient et allaient frapper à la porte d'un boucher:

Boucher, voudrais-tu nous-ou-ou-ou loger?
Entrez, entrez petits enfants-an-an,
il y a de la place assurément

La suite est facile à deviner.

Ils n'étaient pas sitôt entrés-é-é
Que le boucher les a-a-a-a tués
Les a coupés en p'tits morceaux-eau-eau
Mis à rôtir dans son fourneau

J'avais beau être poltronne, je n'étais pas sourde. Toutes sortes d'histoires d'horreur s'étaient rendues jusqu'à mes oreilles : des hommes attendaient les plus petits à la sortie des classes, leur offraient des bonbons et des friandises pour mieux les kidnapper et on ne les revoyait plus jamais. D'autres s'adossaient aux bornes-fontaines et, faisant semblant d'uriner comme les chiens, ils ouvraient leur manteau pour exposer leur sexe aux enfants en salivant et en quémandant un câlin. Je le savais, j'en avais déjà vu un.

Un soir d'hiver, Jean-Jean et moi, nous jouions dans la cuisine avec une boulette légère que nous avions confectionnée avec de la colle et du papier journal. Le but était de toucher le fil au bout duquel pendait l'ampoule électrique en lançant la boule au plafond. Il n'y avait rien d'autre à gagner que la satisfaction d'avoir réussi. J'avais lancé tout de travers. Le projectile avait frappé la fenêtre donnant sur notre cour à rats et s'était coincé entre la chaise et le mur. D'un même élan, nous nous étions précipités, Jean-Jean et moi, pour le récupérer le premier. Nous étions arrivés en même temps face contre la fenêtre et avions aperçu un homme avec un grand manteau ouvert.

Sa grosse saucisse à l'air me regardait effrontément. J'avais très bien vu non pas l'homme, son visage étant bien trop haut, mais son organe, comme disait ma mère, qui, lui, était précisément à la hauteur de mes yeux. Nous avions crié très fort à l'unisson et toute la famille avait bondi : mon père et Jacques du salon, Pierre du trottoir où il faisait la causette avec la voisine, ma mère de la salle de bain et mes sœurs de quelque lieu interdit.

Jacques et Pierre étaient sortis en trombe, comme des furies, se lançant aux trousses du gros cochon pour lui démolir le portrait. Mes grands frères étaient de sacrés costauds, des hommes, des vrais. Ils ne l'auraient pas manqué. Mais le pervers s'était déjà évanoui dans les dédales du quartier. Pendant ce temps, ma mère avait appelé la police. Ben oui, nous avions le téléphone, notre numéro était Arbour 3238. Et voilà que nous devions répondre aux questions des agents de police après qu'ils eurent fait une ronde aux alentours.

— Il était grand comment, l'énergumène?

— Il était gros?

— Son manteau était comment? De quelle couleur?

— Portait-il des lunettes?

— Portait-il un chapeau ou non?

— Est-ce que vous le reconnaîtriez?

C'est Jean-Jean qui répondait. Moi, je n'avais rien vu. En fait si, j'avais vu l'essentiel de ce qu'il voulait bien que je voie: sa saucisse. Je n'avais vu que ça, ce gros œil de chair rouge qui me regardait, bien droit, en pleine face. Je ne comprenais pas pourquoi les policiers ne me posaient aucune question à ce sujet. J'aurais pu très bien décrire la chose, que j'avais perçue comme un animal vivant. Il me semblait que cela aurait aidé à identifier le coupable si jamais ils avaient mis la main dessus et que celui-ci avait nié. Mais bon, il faut croire qu'on ne regardait pas les suspects dans leur culotte lorsqu'on les appréhendait. Moi, je n'aurais jamais reconnu cet homme, c'est sûr, mais cette chose que j'avais vue, ça oui, j'en étais certaine. Enfin, presque certaine, parce que même si je vivais avec trois frères et un père, je n'avais jamais vu d'autres pénis. D'autres pénis de grands, évidemment.

Quand les policiers ont été partis, nous avons parlé de l'événement pendant un bon moment, excités comme des puces. Une fois mes sœurs calmées et le taux d'agressivité de mes frères revenu à la normale, ma mère me chanta une berceuse pour m'endormir. Elle était si contrariée par cet événement que sa voix m'énerva plutôt que de m'apaiser. Les mères ne devraient jamais chanter de berceuse lorsqu'elles sont ainsi sur les dents. Les pères non plus, j'imagine, mais des pères chanteurs de berceuses, je n'en connaissais guère. Le mien ne chantait que lorsqu'il était bien pompette, c'est-à-dire une fois par semaine au moins, ce qui était déjà bien trop souvent de l'avis de ma mère. Il fredonnait alors des chansons salées qui irritaient bien plus qu'elles ne calmaient. Même qu'il en inventait! Plus son niveau d'alcool grimpait, plus il était inspiré :

Oupelaille la pipe et la blague!
Oupelaille la pipe en l'air!

Inutile de préciser à quoi correspondent la blague à tabac et la pipe dans cette métaphore.

Finalement, je fis semblant de dormir pour que ma mère se taise et se calme un peu les nerfs. Je l'entendis dire à mon père :

— Il est grandement temps de déménager. Les guidounes, les robineux, les capotes sales dans la ruelle, les pégreux, les *pimps*, les maniaques sexuels, les exhibitionnistes, les voleurs… Je n'en peux plus de ce quartier malfamé!

Le tombeur de ces dames

Blanche, que nous surnommions Grosse-Blanche, allait sur ses dix-sept ans. Il lui arrivait d'aller garder la fille de madame Duval, Diane qu'elle s'appelait, qui avait le même âge que moi. Lorsque madame Duval avait téléphoné à ma mère pour demander si elle permettrait à Blanche de garder sa fille de temps à autre nous avions été bien excitées. Ma mère rosissait de fierté qu'une dame de la haute fasse ainsi confiance à sa grande fille. La première fois que ma sœur-marraine était allée garder la fillette, on avait tellement hâte qu'elle revienne et nous raconte comment c'était dans la maison qu'on ne tenait pas en place.

Il faut dire qu'à part ceux de quelques chaumières de la ruelle – encore que nous restions sur le pas de la porte et tentions furtivement de voir en dedans –, nous ne connaissions pas d'autres intérieurs. Jacques avait le rare privilège d'en apercevoir en livrant ses commandes d'épicerie et nous rapportait comment c'était.

Eh oui, Jacques avait suivi les traces de Pierre dans le domaine de la livraison et lui avait succédé chez l'épicier Deprater. Mais ce que le coquin nous racontait surtout, c'était des histoires grivoises dont on ne savait jamais si elles étaient vraies ou inventées. Il nous faisait le récit de femmes seules qui le recevaient en déshabillé vaporeux. Serviable et pas totalement désintéressé d'un généreux pourboire ou d'une douceur interdite, Jacques leur offrait gentiment d'aller ranger les lourdes provisions dans leurs armoires. Elles acceptaient... L'hiver, comme un brave, il affrontait la neige, le froid et les glaces, enfourchait son gros bicycle aux pneus balloune pour livrer aux princesses esseulées de quoi se sustenter. Il avait alors l'impression d'être le ravitailleur qui leur sauvait la vie.

— Que deviendriez-vous sans moi, belle dame ? leur demandait-il, candide et sans gêne, en s'avançant.

Comment ne pas inviter ce petit prince secouriste à entrer se réchauffer un peu, avant de reprendre sa route de livraisons? Il acceptait. Pas toujours, mais «des fois», qu'il disait. Cela dépendait. Du froid? De la dame? Du pourboire escompté? De toutes ces réponses? Il ne nous le dirait jamais et nous laisserait piaffer avec la folle du logis. Moi, j'imaginais qu'elles lui permettaient de se réchauffer les mains et les pieds sur la bavette du poêle en savourant un chocolat chaud bien sucré.

Je voyais bien que Pierre toisait son cadet d'un œil lubrique, aussi désapprobateur qu'envieux, lorsque ce dernier racontait ses aventures de livreur trop chrétien. Je me disais que ça devait être les douceurs chocolatées offertes à Jacques que Pierre jalousait. Mon parrain et mes parents présumaient vraisemblablement que Deuxième frère était le récipiendaire bienheureux d'un type de gâteries condamnables dont je ne soupçonnais pas même l'existence.

Jacques se moquait de tout cela. De scandaliser notre mère. De faire l'envie de son aîné. De confondre les autres membres du clan. Il était dans la vie pour s'amuser. S'amuser sérieusement, mais s'amuser. On ne sut jamais si Jacques avait été dépucelé en douce, mains, pieds, oreilles et nez dégelant et se liquéfiant indolemment au contact de chairs féminines, enflammées et enflammantes, affamées et affamantes, entre deux livraisons d'épicerie. Ce que l'on sait de façon certaine, c'est que monsieur Deprater, son patron et notre épicier, se plaignait que certaines livraisons lui prenaient beaucoup, beaucoup de temps. Et que, si ses clientes ne l'appréciaient pas autant, cela ferait belle lurette qu'il aurait congédié le lambin!

Il faut dire que Jacques était vraiment séduisant. Quinze ans, solide comme un lutteur et d'une sensualité si contagieuse qu'on avait toujours envie de l'embrasser et de le cajoler. Des yeux pers, espiègles, de grands cils noirs, des babines rouges comme des fraises bien mûres, un nez court, droit et viril, un sourire, mon Dieu, un sourire à faire chavirer le cœur. Et des bras! Et des épaules! À couper le souffle et à faire perdre aux filles toutes leurs inhibitions.

De plus, contrairement à Pierre, Jacques était absent de la maison lorsque la fée timidité était passée par là. Jacques plaisait. Pas du tout séducteur, purement séduisant. Il était sûr de lui, expansif, sans complexe. Pleinement charnel. Tout en lui était fluide et charmait: sa manière de parler, de rire, de bouger, de communiquer, d'entrer en relation avec les autres, de se faire des amis. Tout le monde disait qu'il aimait les gens et que les gens l'aimaient. Maman, elle, affirmait qu'il aimait surtout les filles et que les filles, et même leurs mères, dans certains cas, l'aimaient bien aussi. Cela faisait sourire mon père. Pas ma mère.

L'âme sœur

Les Duval, eux, ne faisaient pas partie des clients de Jacques et de l'épicier Deprater. Ils habitaient une grande maison de pierre gris-rose, sur l'imposante rue Sherbrooke. Madame Duval, autrefois mademoiselle Longtin, institutrice, était devenue neurasthénique depuis son mariage. Elle était toujours tirée à quatre épingles, très classe, et arborait un air triste comme si elle s'ennuyait en permanence. Quant au père Duval, on disait qu'il faisait des affaires. Je ne comprenais pas cette expression et j'imaginais qu'il faisait des choses pas très correctes. Il était souvent absent. Nous les croisions parfois à l'église, où ils avaient un banc réservé dans les premières rangées avec leur nom écrit dessus. Autrement, nous n'aurions pas su qu'ils existaient, tant nous ne logions pas à la même enseigne ni ne fréquentions les mêmes adresses. C'est quand même terrible que les riches, ces pauvres gens, soient obligés d'aller aux mêmes offices religieux que les nécessiteux parce qu'ils croient en Dieu.

— Voilà qui est démocratique, disait ma mère. Qui montre bien que Dieu n'a pas de classe!

— Tu parles, je l'ai toujours dit qu'il n'avait pas de classe, celui-là! rétorquait mon père qui ne ratait pas une occasion d'exécrer tout ce qui tournait autour de la foi religieuse.

Pour ma part, je trouvais étrange que les riches n'aient pas leurs propres messes, chantées juste pour eux. Et leurs églises. Bref, c'est ce que je me disais avant de découvrir qu'existaient des quartiers de riches. Des quartiers juste pour eux.

Un beau jour de printemps, madame Duval a proposé à Blanche de garder tout un samedi et de m'amener avec elle pour que nous puissions jouer ensemble, sa fille et moi. Nous avions le même âge et Diane serait ravie d'avoir une copine de jeu pour la journée, lui avait-elle dit. Je ne voulais pas y aller. Tout ce qui m'était étranger m'horripilait. Ma mère en fit tout un plat et me força:

— Tu dois y aller, voyons donc! Cela serait impoli de refuser une invitation aussi importante. Tu verras, ce sera amusant, tu découvriras une belle maison et la petite Diane a sûrement plein de beaux jouets à partager avec toi. Ouste! On va te faire belle et tu files avec ta marraine.

Je piétinai, rechignai et finis par me résigner lorsque mon père promit qu'il viendrait me chercher, lui ou un des grands frères, quand je le voudrais.

— Vos désirs seront des ordres, princesse Gwendoline. *As usual.* Blanche n'aura qu'à téléphoner.

Celle-ci me coiffa, me lava le bout du nez et les oreilles, me fit mettre des vêtements propres et nous partîmes à pied. Finalement, j'étais plutôt gaie. Je me sentais importante et j'avais hâte de voir comment c'était, dans une maison de riches. Surtout, je jubilais à l'idée qu'à la fin de cette journée, je connaîtrais des choses que ma mère ignorait. Pour une fois, c'est moi qui raconterais.

J'avais apporté un petit sac avec un livre à colorier tout neuf et de vieux crayons de couleur dont Aimée ne voulait plus. Sur la page couverture du livre, il y avait une fillette mignonne devant sa maison campagnarde, dans une prairie avec des animaux autour. Elle me faisait penser à la Diane Duval que je me fabriquais. C'est Jean-Jean qui m'avait offert ce cahier, sans doute volé juste pour moi, pour me faire plaisir. Jean-Jean, il n'y avait rien à son épreuve.

Nous arrivâmes à deux heures tapantes de l'après-midi. La grosse maison cossue impressionnait fortement Blanche. Pas moi. Les objets, biens et possessions ne m'ont jamais tellement épatée. Ce qui m'impressionnait, c'était qu'ils impressionnent autant. Très tôt, ce sont les différences et les écarts entre les personnes qui ont retenu mon attention. Entre les riches et les pauvres bien sûr, mais aussi entre les beaux et les laids, les brillants et les idiots, les sains et les malades, les croyants et les non-croyants, les cinglés et les sages, les bons et les méchants, les maîtres et les esclaves…

Madame Duval me souhaita la bienvenue avec un sourire las, un de ces sourires avec les coins de la bouche qui tombent vers le cou au lieu de remonter vers les oreilles. Elle était coiffée, maquillée, vêtue d'une jolie robe de tristesse.

Elle appela Diane puis son taxi, après avoir fait quelques recommandations à Blanche. Elle allait passer la journée auprès d'une cousine malade, rentrerait vers neuf heures du soir et nous renverrait chez nous en taxi, monsieur étant à l'extérieur par affaires pour toute la fin de semaine. Il y avait de la nourriture prête à servir au frigidaire mais nous pouvions aussi faire venir du poulet rôti de chez Saint-Hubert BBQ, ce nouveau restaurant de la rue Saint-Hubert qui faisait la livraison à domicile.

— Vous êtes sérieuse, madame? Se faire livrer du poulet ici? s'était émerveillée Blanche.

— Bien sûr. Vous déciderez ce qui vous fait envie. Il y a de l'argent sur le comptoir de la cuisine, avait-elle dit nonchalamment.

Sitôt entrée, j'eus un choc. Un triple choc: culturel, linguistique et économique. Chez nous, nous en étions encore à la grosse glacière drabe dans laquelle nous mettions chaque jour un énorme bloc de glace que le bonhomme-à-la-glace nous livrait à cheval. Nous avions une *pantry* mais pas de comptoir. Et sur notre *pantry*, j'avais tout vu, même des bestioles, mais jamais de l'argent. J'étais surexcitée et ravie à l'idée de manger du poulet rôti de chez Saint-Hubert BBQ. Nous en avions entendu parler comme d'un banquet inaccessible. En fait, j'avais déjà mangé du poulet, mais du poulet BBQ, jamais. Et du poulet doré, livré tout chaud depuis un restaurant jusqu'à la maison, j'avais peine à y croire.

Deux choses me frappèrent d'emblée: l'odeur de la maison et son silence. Comment un tel silence pouvait-il survivre dans un logis habité? Et comment cette odeur de vide était-elle possible dans un lieu où vivaient des êtres humains? Cela me plut. Diane, ravie d'avoir la compagnie d'une fille du bas de la ville, me célébra comme si j'étais le père Noël et la Fée des étoiles réunis. Elle était la chatte de race et moi, la chatte de ruelle. Tout sourire, elle leva mes bras en l'air pour me regarder sous toutes mes coutures, me fit tourner pour mieux m'examiner encore, me dit que j'étais vraiment trop jolie. Elle me prit par la main, me fit virevolter tout autour de la maison où je craignis de m'égarer tellement les pièces étaient nombreuses et troublantes de quiétude. Elle me traita un peu comme si j'étais une nouvelle bébelle, sa chose.

Elle était captivante, la Diane. Sa peau était d'une belle teinte de chocolat au lait, mate, ses cheveux très bruns et ses yeux, noirs comme du charbon. Des yeux sales, aurait dit mon père, admiratif. Chez nous, nous étions neuf avec des yeux dans les tons bleu-vert. Pierre avait des yeux de chat, gris-vert, tigrés. Ceux de Blanche, pers, tiraient sur le doré. Jacques avait des yeux de la forme de ceux de ma mère mais de la couleur de ceux de mon père : des yeux père-vert, changeants. Claire-Obscure les avait bleus comme celui, sans tache, de ma mère. Les yeux d'Aimée étaient vert émeraude, ceux de Jean-Jean bleu azuré et les miens turquoise. Moi qui étais habituée à voir la vie en bleu et en vert, à plonger dans des regards de mer, les billes noires de Diane Duval m'ensorcelaient. Vraiment, cette enfant m'épatait : elle me regardait et j'étais hypnotisée par ses braises de charbon.

Elle m'amena dans sa chambre. Évidemment, les enfants uniques ont non seulement leur propre armoire pour ranger leur linge, ils ont même leur propre chambre avec du rangement pour tout : vêtements, jouets, livres, poupées, *records*... Moi qui n'avais ni chambre, ni bureau, ni lit à moi, à peine un tiroir où mettre mes choses dans le meuble de la salle à manger, je n'en revenais pas. Éblouie, j'étais. Tant d'espace pour une si petite fille. Je pensai à ma mère qui souhaitait tellement avoir un peu plus de place. Personnellement, je m'en fichais. Je crois même que j'aimais bien que nous soyons empilés les uns sur les autres. Je trouvais cela douillet. Confortable. Rassurant. Animal. Il faut dire que je ne connaissais rien d'autre.

Diane me montra ses poupées, oursons, tutus, poussettes, autres dentelles rose bonbon et jouets de future femme d'intérieur. Rien pour m'emballer. Impossible d'écouter des chansons, l'aiguille de son *pick-up* avait rendu l'âme et nous ne savions pas comment utiliser le gros meuble stéréo qui trônait au salon. J'aurais aimé aller jouer dans sa cour arrière, grimper à l'arbre, me balancer sur la balancelle et enfourcher son tricycle mais Blanche refusa, prétextant que le temps était à la pluie. Diane me proposa toutes sortes de jeux qui ne m'intéressaient pas.

— Tu sais lire? Écrire? que je lui demandai.

— Non. Je ne vais pas encore à l'école. Et toi?

— Non plus. Mais je connais toutes mes lettres. Et je sais compter jusqu'à cent. Chez moi, j'ai compté les couteaux, les fourchettes, les cuillères. J'en ai compté cent et il en restait. Tu connais la chanson *Marlbrough s'en va-t-en guerre*?

Je chantai:

Marlbrough s'en va-t-en guerre
Des couteaux, des fourchettes, des cuillères
Marlbrough s'en va-t-en guerre
Ne sait quand mangera
Ne sait quand mangera
Ne sait quand mangera

Elle rit de bon cœur.

Cela me déçut qu'elle ne sache pas écrire. Apparemment, la richesse ne rendait pas précocement intelligent ou cultivé. Mais elle n'était pas sotte et comprit ce qui m'intéressait. Elle me proposa de regarder de grands livres d'images qu'elle avait sur une étagère. Nous nous y sommes engouffrées, collées l'une contre l'autre. Je montrais les images avec mon doigt et elle racontait les aventures de personnages et d'animaux exotiques dans des paysages étrangers. Elle savait des choses que j'ignorais. J'étais enchantée. Subjuguée.

Après, elle voulut voir ce que contenait mon sac. Je sortis mon livre à colorier. Sympathique menteuse, elle s'écria n'en avoir jamais vu d'aussi beau et courut chercher une boîte de crayons de couleur Prismacolor, plus grosse encore que celle qu'Aimée avait mis des mois à se payer. Elle les aiguisa, sans ménagement, avec un taille-crayon d'école, un vrai de vrai, vissé au mur.

— Hé! Un peu de retenue. Tu vas les user à les effiler ainsi!

Nous avons choisi une double page et colorié en silence, chacune de son côté, épiant sans cesse le travail de l'autre. J'observai qu'elle sortait la langue en s'appliquant. Comme moi. Cela me fit plaisir que nous ayons en commun cette langue de concentration et de délectation. Je notai aussi qu'elle était meilleure que moi au coloriage. Elle ne dépassait pas. C'était dans l'ordre des choses: dans cette maison, rien ne dépassait. Chaque chose avait sa place et chaque place, sa chose. Chez nous, tout dépassait, tout débordait. C'est fou comme on peut donner dans l'excès et le débordement quand on est privé de tout.

Je ne sais plus ce que nous avons fait encore après le coloriage, langue pendante. Je me souviens seulement que nous avons mangé du poulet BBQ, avec de la sauce et des patates frites. Avec Blanche la gloutonne, l'offre de madame Duval n'était pas tombée dans l'oreille d'une sourde. Nous nous sommes empiffrées à nous en lécher les doigts, Blanche et moi. Diane, je pense qu'elle a perdu l'appétit juste à nous voir manger. Je ne crois pas avoir jamais mangé de poulet rôti Saint-Hubert BBQ par la suite sans repenser à Diane Duval.

Après avoir cuvé notre sauce, nous n'avons plus joué à rien. C'est souvent dans l'inaction, quand il ne se passe plus rien, que tout se passe. J'étais en contemplation. Je voulais juste regarder. La regarder elle, si belle, si brune dans son univers blanc, pastel, son univers de princesse. M'imprégner. Elle me tint la main dans le silence. Nous étions ensemble, bien, très bien, dans une espèce de torpeur, de contentement de notre affection naissante. Chacune de mes cellules photographiait ce que je découvrais.

Madame Duval est rentrée à l'heure dite. Nous n'avons pas pris de taxi pour revenir ruelle Collin. Pierre est venu nous chercher. Diane ne voulait pas que je parte; moi, si. C'était assez. J'avais besoin de me retrouver, de me reposer. C'était beaucoup pour une seule journée, la première passée dans une maison qui n'était pas la mienne. Bien sûr, j'étais déjà allée en visite chez mes tantes et oncles, en famille. Mais cette sortie-là ne concernait que moi. Diane Duval avait voulu que j'aille chez elle, que je passe la journée avec elle, moi, et seulement moi. Blanche n'avait été qu'une gardienne, rien de plus qu'un accessoire. Ce qui comptait, c'était notre amitié toute neuve, à Diane Duval et à moi, Gwendoline Dubois.

Nous sommes revenus chez nous à pied, Pierre, Blanche et moi. Ce n'était pas très loin, en redescendant vers le sud. Chemin faisant, Pierre me porta car je tombais de fatigue. Je n'arrivais plus à mettre un pied devant l'autre. La nouveauté séduit mais elle épuise aussi. Il me demanda, tout bas, si j'avais aimé ma journée et ce que je pensais de mon amie.

— Si j'étais un garçon, elle serait mon amoureuse, marmonnai-je.

Égarements

J'ai tant pleuré pour ne pas aller à cette maudite école. Des torrents de larmes. J'ai tout essayé : le chantage, les cauchemars, la maladie, les récidives eczémateuses, la menace de fugue… Fuguer, moi ! A-t-on déjà vu un poisson fuguer hors de son bocal ? J'avais peur du nouveau. De l'inconnu. De mon ombre. Ma mère disait que c'était parce qu'on m'avait perdue deux fois.

La première fois est brumeuse et vague. J'avais deux ans, peut-être trois. J'avançais, seule, sur un sentier de l'île Sainte-Hélène où nous passions le dimanche en famille. Je voyais le fleuve devant et des arbres gigantesques bruissaient tout autour de moi. Je ne sais pas ce qui s'est passé ni comment, mais d'un coup sec, pouf ! J'avais perdu ma famille de vue. Je ne m'énervai pas tout de suite. C'était déjà arrivé avant et, le temps de constater ma solitude, j'avais déjà repéré un membre de la tribu.

Quand plusieurs adultes s'occupent d'un enfant, aucun ne se croit personnellement responsable de lui.

— Robert, t'as vu la petite?

— Non, je la croyais avec toi.

— Aimée? Gwen est avec vous?

— Non, je l'ai vue il y a quelques minutes avec Jean-Jean.

— Jean-Jean! Jean-Jean! s'affola ma mère en courant vers mon frère qui jouait au ballon. Tu as vu Gwen? Elle n'est pas avec toi?

— Elle nous regardait jouer il y a une minute. On lui a dit de s'éloigner de crainte de la blesser. Elle ne doit pas être bien loin.

Cette fois-ci, c'était différent: je m'étais éloignée et ça durait. Les secondes passèrent et je ne repérai pas de visage familier. La lumière déclinait. Je compris que c'était la fin de l'après-midi en voyant les gens remballer leur cantine mobile et se préparer à quitter l'île. Sans doute étions-nous en train de tout ramasser pour rentrer lorsque je me suis éclipsée, sans m'en rendre compte. Je vagabondai un moment comme peut vagabonder un bébé découvreur, une exploratrice errante, jusqu'à ce que je réalise que j'étais vraiment seule, que ni mère, ni père, ni frères, ni sœurs, ni visage familier n'étaient visibles autour. Alors, j'ai craqué. D'un coup sec, ce fut le tsunami. La nuit noire. Je fondis, que dis-je, je fissurai, j'explosai en larmes. Je n'avais aucune idée de l'endroit où j'étais et on ne m'avait jamais dit ce que je devais faire en pareilles circonstances. J'étais une petite chose toute nouée de détresse.

Des gens, des grands, venaient me parler. Ils voulaient m'aider mais ils me faisaient peur et, lorsqu'ils m'abordaient, je hurlais de plus belle. Une dame s'approcha doucement et ne me quitta plus. J'étais si étouffée de sanglots et de morve gluante que ses paroles me parvenaient comme de la friture, de la bouillie. Elle me prit la main doucement :

— Ne bougeons plus, restons ici pour que ta maman ou ton papa te retrouvent. Ils viendront, c'est sûr. Si tu continues de te déplacer, ils ne te retrouveront jamais. Je vais les attendre avec toi, d'accord ? Tu n'es pas seule.

Je me demandai si je pouvais lui faire confiance et il me sembla que oui. Elle invita l'homme qui l'accompagnait à aller faire une petite tournée, au cas où il tomberait sur des parents éplorés ou contents de s'être débarrassés de leur bébé fille. Nous nous tenions à côté d'une fontaine. Un lieu dégarni, passant, où les gens s'arrêtaient pour boire. Elle était douce, la dame.

— Tes parents doivent être en train de te chercher. Ils te retrouveront bien plus aisément ici que dans les boisés. Tu comprends ?

Je pleurais sans arrêt, de plus en plus, à fendre l'âme. Rien ne pouvait me consoler. Pas même le super suçon que me donna un jeune garçon, le fils de ma secouriste, me sembla-t-il. Quelle bêtise de croire qu'une friandise peut consoler une enfant arrachée, d'un seul coup, à sa famille ! Et puis, qui me disait qu'il n'était pas empoisonné, ce bonbon ? Je tins quand même la sucrerie bien serrée dans ma petite main sale. Comme quoi, dès la petite enfance, une fille peut faire plusieurs choses extrêmes en même temps : hurler de désespoir, penser ne plus jamais revoir sa maman et espérer manger bientôt un suçon.

Je me rendis compte qu'un attroupement s'était formé autour de moi. Les adultes sont assurément stupides : comment mes parents pourraient-ils m'apercevoir, me retrouver, si l'on dressait une muraille humaine autour de moi ? D'un coup sec et fort, je libérai ma main de celle de la charmante dame et tentai une évasion en fonçant dans le tas. J'eus bien raison. Aussitôt franchie la masse de badauds, je tombai sur mon père qui, au bord de la crise de nerfs, s'approchait du groupe accompagné d'un policier. Il était seul. Le reste de la famille s'était dispersé dans l'île, à ma recherche.

Dès que ses bras se refermèrent sur moi, plus de temps à perdre : j'engloutis le suçon et, la bouche pleine, je dis à mon père de cesser de m'étouffer ! Le policier me sermonna ; peine perdue, je ne l'écoutais pas. C'est à mes parents qu'il devait faire des remontrances. Moi, je n'avais fait que vivre ma vie d'enfant en explorant et en partant à l'aventure. Je ne le ferais plus jamais.

Mon second traumatisme d'égarée vive est survenu un vendredi automnal. Celui-là est gravé dans ma mémoire. J'avais trois ans et des poussières. Il faisait déjà nuit. Aimée et Anita Dupilo, sa meilleure et seule amie, m'avaient amenée chez Dupuis Frères. Elles avaient quelques sous et des bricoles à acheter. J'avais entendu mon père leur recommander de ne pas me quitter d'un pouce, de ne pas lâcher ma main.

Elles lui avaient obéi et j'avais trottiné entre elles deux. Nous fouinions dans les rangées du grand magasin. Il y avait du monde autour, beaucoup de monde. Puis, l'air s'est tout à coup chargé de tension. J'ai senti Aimée nerveuse, fébrile. Une bousculade. J'ai échappé la main de ma sœur. Je ne voyais plus Anita non plus. Ça parlait fort. Des dames encerclaient Aimée, des vendeuses je crois, la poussaient vers l'arrière du grand magasin. J'étais entourée de grandes personnes qui chuchotaient. Je n'en connaissais aucune.

Elles regardaient en direction d'Aimée, du moins de l'endroit où était Aimée il y avait un court instant. Un bruit de fond, sourd, m'étourdissait, me faisait peur. J'étais pétrifiée.

J'entendais ma sœur vociférer. Sa voix me semblait venir de très, très loin, du bout du monde.

— Laissez-moi! Ma petite sœur! J'ai perdu ma petite sœur! Il faut que je la retrouve. Elle ne sait pas comment rentrer à la maison. C'est un bébé. Laissez-moi la retrouver! Je vous en prie, je vais me faire tuer. Elle va s'aventurer dans la rue, se faire écraser. Ce sera votre faute. Je vais vous le rendre, s'il vous plaît, laissez-moi! Je vous en supplie! Si ma petite sœur se fait frapper, je me tue. Vous comprenez? Vous aurez deux mortes sur la conscience!

Aimée criait à tue-tête, une vraie furie. Elle eut toute sa vie le sens du drame. Quant à Anita Dupilo, elle s'était volatilisée.

— Calmez-vous, mademoiselle! ordonna une voix ferme.

Je devinai qu'Aimée bûchait la vendeuse, crachait, donnait des coups de pied. On ne la croyait pas. On pensait qu'elle s'inventait une petite sœur pour s'en tirer et filer en douce. J'entendais ses cris sans jamais l'apercevoir: j'étais haute comme quatre pommes. Sa complainte me parvenait de plus en plus faiblement. J'émergeai de ma paralysie et fus envahie par un sentiment de panique totale: sans réfléchir, je fonçai vers la sortie que je repérai en voyant le haut des grandes portes tournantes et profitai de la poussée d'un grand garçon sur celles-ci. Sans lui, je ne serais jamais arrivée à les faire tourner. Parvenue sur le trottoir, je sentis confusément que les passants me regardaient, stupéfaits de voir une enfant de trois ans seule dans la nuit. Personne ne m'intercepta. Quand le mystère est trop grand, on fige.

Par chance et par pur hasard, j'avais pris la sortie rue Saint-André, la seule qui débouchait sur un décor connu, faisant face presque directement à la sombre ruelle Collin. Je chargeai, tête baissée, comme un orignal, traversai la rue sans regarder de chaque côté. Tant pis si je me faisais écrapoutir. Ça leur apprendrait à me montrer à faire les choses au lieu de tout faire pour moi! J'entendis des cris de grandes personnes, des freins de voiture au moment où je m'engageai dans ma ruelle, à l'épouvante.

Quel soulagement de reconnaître nos murs gris, malgré la noirceur, de distinguer la rampe au bout qui fermait la ruelle. À cet endroit, les chevaux du livreur de glace peinaient tant à tourner que leur gros museau caressait la fenêtre de notre salon au passage. J'arrivai devant notre portillon sur lequel je vis le numéro 939, non pas que je connaissais mes chiffres, mais je reconnaissais leurs formes rondes, collées sur ma porte.

La sonnette était trop haute; même sur le bout des pieds, je ne parvenais pas à l'atteindre. Je frappai, piochai, pleurai, criai, m'égosillai. De toutes mes forces. Mon père ouvrit, catastrophé. Je tombai à ses pieds, en catalepsie. Il me secoua, m'abîma de questions. La peur avait avalé ma langue. Il appela la police. Imagina Aimée disparue, kidnappée, enlevée. Morte. Si les ravisseurs demandaient une rançon, nous étions perdus.

Blanche me donna un bain chaud, me berça. Je basculai dans un sommeil agité. Deux agents de police arrivèrent peu de temps après, à pied, entourant Aimée. Mon père était tellement heureux de la voir, vivante et intacte, qu'il ne la disputa même pas. Et elle, elle était tellement soulagée de me voir à la maison, de me savoir vivante et intacte, qu'elle sauta au cou du plus mignon des deux bœufs. C'est ainsi que, dans ma ruelle, on nommait les policiers : les bœufs. Dans mon sommeil, je tanguais, folle de joie de la revoir et folle de rage qu'elle m'ait ainsi égarée.

Ma sœur Aimée, la bigote de la famille, s'était fait prendre à piquer ! Un chapelet ! Les policiers ont-ils été sensibles au fait qu'elle volait pour mieux prier ? Pour mieux se sanctifier ? Pour une cause divine ? Pour mieux sauver leur âme ? Ils ont passé l'éponge et ne lui ont pas fait de dossier criminel. Pieuse et pauvre Aimée qu'on avait apostrophée la main dans le sac. Dans le saint sac. Sa copine Anita, voleuse plus futée, s'était esquivée avec son butin, une barrette à cheveux.

En réalité, Aimée s'était fait prendre parce qu'elle ne s'était pas sauvée à toutes jambes comme son amie. Et si elle n'avait pas déguerpi comme une voleuse, c'était à cause de moi, pour ne pas m'abandonner. Cela ne servit à rien mais l'intention était là. Elle me l'expliqua, je lui pardonnai. Toutefois, le mal était fait : je voudrais désormais élire à jamais domicile dans les jupons de ma mère. Quant à Anita, jamais Aimée ne mentionna son nom aux policiers. Nous ne sommes ni ne serons jamais des délateurs, chez les Dubois.

Chagrins d'école

Ces mésaventures me terrifièrent au point de m'enlever toute envie de m'éloigner de chez moi, ne serait-ce que pour aller à l'école. D'ailleurs, je ne comprenais pas pourquoi j'étais obligée d'y aller. Je pouvais très bien apprendre à lire et à compter à la maison. Je connaissais déjà mon alphabet et savais compter jusqu'à cent. N'était-ce pas suffisant?

Plus petite, j'avais adoré les lettres sur mes gros blocs de bois colorés. J'aimais la soupe aux alphabets précisément pour les lettres que j'avalais après avoir bien joué avec elles, à pleines mains. Je croyais que toutes ces lettres se donnaient la main dans mon ventre, fabriquaient des mots, des phrases, des histoires… Pierre me fournissait des bâtons de craie avec lesquels je barbouillais des lettres sur le grand mur de brique de la maison, dans la ruelle. Jouer avec les lettres était mon passe-temps favori.

Chacune représentait pour moi un personnage. Il y avait des lettres hommes et des lettres femmes, des lettres enfants, garçons ou filles, des lettres jeunes et de vieilles lettres. Il y avait des lettres sérieuses et des lettres folichonnes, des gentilles et des méchantes, des belles et des laides, des riches et des pauvres, des maigres et des grosses, des sexy et des sèches. Chacune avait son histoire, ses relations avec les autres lettres. Plus tard, j'apprendrais que les unes se tenaient par la main alors que les autres gardaient leurs distances.

Le jour redouté arriva. C'est comme ça: tant qu'on est vivant, notre avenir finit toujours par nous rattraper. Par malheur, mon avenir, c'était l'école. J'irais à l'école Marguerite-Lemoyne, rue Saint-André, la même où allait Jean-Jean. Cette école était en fait une annexe de l'école Garneau que fréquentaient mes sœurs, rue de la Visitation. Jean-Jean fut chargé d'accompagner et de venir chercher le midi l'agnelle qu'on envoyait à l'abattoir: moi. Du moins, c'est ainsi que je me percevais.

À mon tout premier jour d'école, il faisait beau temps. Le soleil le plus sombre de mon existence. J'étais vêtue d'une horrible robe noire en grosse toile avec un collet rond et blanc. C'était le costume obligatoire. J'avais l'air déguisée en curé. Nous sommes entrés dans l'école, Jean-Jean et moi. Ses murs me rappelaient étrangement l'hôpital où mon frère avait séjourné il n'y avait pas si longtemps. Nous avons monté un escalier vers le deuxième étage. Je pleurais et Jean-Jean me consolait de son mieux. Puis, il me poussa dans la classe où un grand nombre d'inconnus, des garçons et des filles de mon âge, étaient sagement assis à des pupitres de bois, et il disparut. Je notai que les garçons, eux, n'étaient pas déguisés en curés. Moi qui avais l'habitude d'être le centre de l'univers, de mon univers, personne pour m'accueillir !

J'ai vu une place libre au fond à gauche et suis allée m'y effondrer. Je ne me souviens plus du tout comment se passèrent les heures suivantes. J'entendais des voix, floues, étouffées, comme dans un brouillard épais. Puis, à un moment donné, plus personne. Ni enfants, ni maîtresse. J'étais seule au fond d'une salle, pétrifiée, comme dans un cauchemar. Je ne savais pas comment sortir de là, comment retrouver la sortie, comment rentrer chez moi. J'avais six ans et demi et n'avais jamais marché seule dans une rue ou sur un trottoir, sauf la fois où j'avais été forcée de le faire à cause d'Aimée-la-voleuse. Je n'avais jamais traversé une rue sans tenir la main d'un adulte. J'étais effarée, clouée sur ma chaise, pas même capable de regarder par la fenêtre pour voir si je reconnaîtrais les alentours. La peur paralyse. Elle empêche d'être pleinement vivant. Je passerais le reste de ma vie à le dire.

J'étais sur le point de me noyer dans mes larmes lorsque Jean-Jean surgit en trombe.

— Mais qu'est-ce que tu fais là, espèce de tarlaise? Ça fait vingt minutes que je t'attends en bas!

Mon cœur était au bord de la rupture. J'eus le réflexe de me jeter dans ses bras mais je modérai mes transports. J'avais trop honte. Je venais de me rendre compte que j'étais vraiment un poisson incapable de respirer en dehors de son bocal. Même pas capable de faire, à rebours, le chemin pour me rendre à la sortie de cette damnée bâtisse: la porte de classe, à droite, l'escalier, puis à gauche et encore à gauche et j'aurais été dehors. Tous les enfants avaient été capables de faire cela, sauf moi. J'ignorais alors qu'ils avaient suivi la maîtresse qui m'avait simplement oubliée là.

Nous sommes rentrés à la maison. J'étais inconsolable. Jean-Jean raconta à ma mère ce qui s'était passé. Expliqua que personne ne s'était préoccupé de moi. Ma mère passa des coups de fil, puis m'annonça que je ne retournerais pas à cet endroit. J'étais folle de joie jusqu'à ce qu'elle ajoute que j'irais, à compter du lundi suivant, à l'école Garneau, un peu plus loin de chez nous, celle où allaient mes grandes sœurs. Mon bonheur retomba à plat comme une crêpe. Cette nouvelle gâcha les quelques jours de félicité que j'avais devant moi avant le retour en enfer. J'étais effarouchée à l'idée de regagner le monde. Je voulais passer le reste de mon existence avec ma mère dans la cuisine de notre ruelle Collin, attachée à la patte du gros poêle à bois.

Fatalement, le jour maudit de ma seconde rentrée scolaire se pointa. Ma mère me fit des boudins et me rappela que j'étais vraiment jolie avec mes yeux de mer.

— Regarde comme cet uniforme scolaire te va bien. Il est bien mieux que l'autre, non?

— Il est tout aussi laid. Encore plus laid.

Je ne le pensais pas. Il faisait vraiment moins dur. À cette école, on devait porter une tunique bleu marine, à plis, avec une encolure carrée, sur une blouse blanche. Ma mère me l'avait fabriquée en catastrophe à partir d'un vieil uniforme d'une des jumelles.

— Tu vas faire l'envie des autres enfants avec ce beau coffre à crayons tout neuf que je t'ai acheté. T'as vu comme il est mignon? Tu sais comment l'ouvrir?

Ratoureuse, elle tentait vainement de me faire oublier mon sort de suppliciée avec ses compliments et minauderies. Elle me tendit mon sac d'école qui contenait de beaux cahiers, une règle, un aiguisoir et des crayons tout neufs dans un coffret en bois avec un portillon coulissant sur le dessus. Elle s'était ruinée pour m'acheter cet étui, espérant que cela mettrait du baume sur mon chagrin d'école. Ces objets m'auraient comblée de bonheur s'ils m'avaient été offerts pour jouer à la maison. Naturellement, ce furent les jumelles, Aimée et Claire-Obscure, qui me traînèrent, littéralement, vers l'école, une de chaque côté comme des gardes du corps, chacune de mes mains dans l'une des leurs. Aimée portait mon sac d'école, en plus du sien. Mes pieds flottaient au-dessus du sol. Je chialais comme une brebis qu'on égorge.

Dans la classe, cette fois-ci, on m'accueillit. Cela me remplit d'un mélange de je ne sais quoi, à mi-chemin entre la joie honteuse et la honte joyeuse. La maîtresse, mademoiselle Brouillette, avait été prévenue de ma détresse. Je sentais que je comptais à ses yeux. J'imaginais qu'elle avait noté en rouge, dans son cahier des élèves, que j'étais un bébé-lala-à-sa-môman, oublié au fond d'une classe comme un vieux chausson…

Elle me reçut donc, tout miel, comme si j'étais une belle au bois dormant réveillée en plein cauchemar ou une princesse expropriée de son royaume. Elle me demanda de dire au revoir à Aimée qui reviendrait me chercher dans quelques heures et invita celle-ci à quitter la classe. Claire-Obscure, quant à elle, m'avait reniée aussitôt franchie la grille de la cour d'école, en chialant qu'elle en avait assez de moi et qu'Aimée pouvait bien me laisser, au passage, dans la grande benne à ordures.

Mademoiselle Brouillette m'indiqua mon pupitre. Je fus rassurée de constater, en me traînant les pieds vers celui-ci, qu'il n'y avait que des filles dans cette classe. Et là, ô enchantement, je découvris que j'étais assise juste à côté de Diane Duval. Diane Duval, la seule enfant que je connaissais dans cette salle, la fillette la plus aimable et la plus exquise au monde, celle qu'en ce moment j'aimais gros comme l'univers visible et invisible, et fort comme les millions de milliards de tempêtes des tropiques!

Ma maîtresse m'aida à placer mes effets scolaires en me félicitant de les voir si jolis et si bien rangés dans mon sac. Puis elle demanda aux amies de me dire un beau bonjour de bienvenue toutes en chœur:

— Bonnnnnjouuuur, aaaaamiiiiie Gwennnnnndooooooliiiiiine!

Et elle se dirigea vers le tableau noir, prit une longue baguette qu'elle pointa, au-dessus du tableau, sur des lettres géantes de toutes les couleurs. Ce fut l'éblouissement.

Lorsqu'elle demanda si l'une d'entre nous connaissait le nom de ces lettres, je me dépêchai de sécher mes larmes d'une main et de lever l'autre timidement.

— Allez-y, Dubois, dites-nous.

Je m'exécutai, surprise qu'elle me vouvoie en m'appelant Dubois, moi qui croyais que seuls les garçons se faisaient interpeller aussi familièrement par leur nom de famille.

— Aaaaa, eeeee, iiiii, ooooo, uuuuu... articulai-je fièrement en laissant traîner ma voix.

Devant le regard admiratif que les fillettes me portaient, je pensai que mademoiselle Brouillette aurait pu m'appeler n'importe comment.

— Très, très bien. On répète toutes ensemble: a, e, i, o, u.

Je ne me souviens plus si j'ai mangé le midi mais je me rappelle être sortie de l'école indemne, vers trois heures et demie, pour reprendre le chemin de la maison avec Aimée et Claire-Obscure. Les rues à traverser me parurent moins effrayantes, les trottoirs moins sales, les bâtisses moins énormes et moins grises, le ciel moins lourd. J'avais découvert qu'il existait un monde pas trop menaçant en dehors de mon minuscule univers. Un monde où je pouvais m'aventurer, seule, sans mère, ni père, ni frères, ni sœurs. Un monde où je nouerais d'autres liens. L'idée que je retournerais à l'école le lendemain, que je retrouverais Diane Duval assise à ma gauche me fit plaisir tout en m'inspirant encore un soupçon de trac.

Fin d'un monde

Depuis quelques semaines, je filais un bonheur presque parfait avec mademoiselle Brouillette, mes camarades de classe et la sublime Diane Duval, qui était devenue mon amie. Ma meilleure et mon unique amie.

C'était un dimanche midi gris souris. Ma mère nous avait convoqués solennellement à une réunion de famille autour d'un gros jambon dont la couenne épaisse suintait le gras et la cassonade.

— Pendant que tout le monde est là, profitons-en. Que pas un ne s'échappe avant que je ne vous aie parlé!

Il était de plus en plus rare que toute la meute se retrouve à la maison en même temps. Pierre, dix-neuf ans, sortait souvent et participait à des tournois de fers. Il faisait aussi de la musculation avec ses copains. Jacques, dix-sept ans, courait beaucoup les filles avec son ami le beau Dédé, et leur territoire de conquêtes s'agrandissait de jour en jour. Blanche, dix-huit ans, était toujours très occupée avec son amie Rolande-aux-gros-lolos et mettait toutes ses énergies soit à digérer les tonnes de chocolat qu'elle avalait en cachette, soit à tenter de séduire Fernand Croteau, soit à péter les boutons qui lui couvraient le visage. Claire-Obscure, quinze ans, ne portait plus à terre depuis qu'elle sortait avec Denis Croteau – le frère du précédent –, le plus beau gars du coin, qui se serait fait teindre en blond si elle le lui avait demandé. Elle vieillissait en beauté et en «insupportabilité».

Quant à Aimée, sa jumelle, elle passait pour le «bas bleu» de la famille parce qu'elle aimait l'école, la lecture, l'écriture et la prière. Depuis qu'elle s'était fait prendre à voler chez Dupuis Frères, elle avait décidé de devenir une sainte et passait beaucoup de temps avec sa maîtresse d'école, mademoiselle Lafond, après la classe. Cette dernière lui conseillait des lectures, lui prêtait des livres, lui répétait qu'elle avait beaucoup de talent, l'encourageait à poursuivre des études plutôt qu'à quitter l'école pour travailler comme l'avaient fait ses frères et sœurs aînés avant elle. Mon père voyait d'un mauvais œil cette relation privilégiée entre ma sœur Aimée et son enseignante, une vieille fille, mais une vieille fille attrayante d'environ trente-cinq ans. Et ma mère, de toute évidence, suivait l'affaire de près.

Enfin, Jean-Jean, mon idole de presque treize ans, avait commencé sa carrière de délinquant : il « foxait » l'école un jour sur deux, traînait dans les rues et ruelles, volait, fumait en cachette… On l'avait même vu pendant l'hiver aux nouvelles, oui, oui, on l'avait bien reconnu dans la tévé, alors qu'il était accroché au pare-chocs arrière d'un autobus, se faisant tirer, à trente milles à l'heure, en glissade sur la chaussée glacée. Ce sport interdit et dangereux avait fait quelques victimes, au point de faire la une des journaux. Jean-Jean était l'expert de ce que nous appelions le *swingnage*. Il donnait même des leçons, arguant qu'il s'agissait tout simplement d'un moyen de transport rapide et économique pour se rendre d'un point à un autre. Jean-Jean, mon héros. Mon truand.

J'avais souvenir d'une seule fois auparavant où ma mère avait pris un ton aussi officiel en nous convoquant, droite et magistrale. C'était l'année précédente, pour nous dire que Jean-Jean, que nous avions vu partir pour l'hôpital en ambulance, était en danger de mort. Les médecins ne savaient pas s'il allait s'en sortir ni, s'il y arrivait, dans quel état il serait. Nous n'avions pas soupçonné, en le voyant partir pour Sainte-Justine, délirant et brûlant de fièvre, que sa vie était en danger. Lorsque mes parents avaient appris, quelques jours plus tard, qu'il faisait une double pneumonie et une méningite, ma mère nous avait mandés pour nous dire ce qu'il en était et nous conjurer de prier très fort, tous ensemble.

— Oui, ensemble, avait-elle exigé. Même vous deux, Claire et Aimée. Jean-Jean est dans un état grave. Vous comprenez ce que ça veut dire ?

— À la pital, ils ont fait ce qu'ils ont pu, avait ajouté mon père. Le reste, c'est à nous de le faire. C'est à nous de nous battre avec lui. Pas question de le laisser partir. Pas question de le laisser se défiler. On s'ennuierait bien trop de ses singeries !

Les semaines durant lesquelles Jean-Jean s'était débattu entre la vie et la mort puis entre le retour à la normale ou l'anormal – le plus prévisible, selon les médecins, étant un retour à l'anormal –, nous avons vécu l'inimaginable : notre logis, ordinairement sombre, pouvait l'être encore bien plus. Il n'était plus qu'un ventre de ténèbres. Plus personne ne riait, ne se chamaillait, ne jouait, ne dansait, n'écoutait de musique… Les visites à l'hôpital étaient devenues nos uniques sorties. Ma mère faisait des neuvaines à l'oratoire Saint-Joseph. Mon père s'éteignait devant sa Corona allumée.

Les soupers en famille eurent des airs de veillées funèbres jusqu'à ce qu'on apprenne, un beau jour, que saint Joseph et le frère André, saint portier de l'Oratoire, sous les menaces d'Agnès Dubois, s'étaient mis à deux pour tirer Jean-Jean de la tombe où il avait déjà un pied. Ça, c'était la version « miraculeuse » de ma mère. Celle des médecins était que les traitements avaient enfin agi. Et que le miracle – car il y avait miracle – était que Jean-Jean ne garderait aucune séquelle de sa maladie. Ce que nous eûmes tôt fait de constater quand il revint à la maison, plus espiègle et rétif que jamais ! Nous lui fîmes, malgré ses mauvais coups récurrents, malgré la facture d'hôpital que mes parents mettraient des années à payer, un accueil royal et délirant. Le ventre des ténèbres n'avait pas tardé à redevenir une lumineuse bedaine.

Avec, en mémoire, le souvenir de cette éprouvante convocation au sommet, le ton cérémonieux de ma mère me faisait très peur. Je me demandais quel malheur nous tombait encore dessus et j'avais bien hâte que tout le monde se retrouve autour du jambon pour en finir avec ce suspens. Tous les sept, nous savions sans l'ombre d'un doute que si nos parents étaient solennels, c'est que c'était du solide, du sérieux, du grave. Leur habituel était de prendre la vie du bon côté : lui, un pince-sans-rire blagueur et bluffeur, elle, une amoureuse de la vie, gaie, toujours à voir le verre à moitié plein même quand il était complètement vide.

Ma mère, en se raclant la gorge, rompit le silence de plomb qui régnait autour de la table.

— Voilà. On nous a annoncé que notre maison allait être démolie. Vous vous souvenez, on avait entendu des rumeurs à ce sujet. Eh bien, ce sera fait. Pas juste la nôtre ; toutes les habitations de la ruelle Collin, d'un bout à l'autre, sans exception, des deux côtés, seront rasées. Notre avenue va disparaître et il paraît qu'à la place, on va construire un grand stationnement, déclina ma mère d'une traite, avec un sanglot frileux dans la voix.

Depuis leur mariage d'amour en 1934, Robert le diable et Agnès la sainte avaient toujours habité dans la ruelle Collin. D'abord au 920, dans un quatre-pièces, puis ici, au 939 dans un grand cinq et demie, au rez-de-chaussée. Depuis plus de vingt ans, c'est ici qu'ils avaient vécu leur histoire, ici qu'ils avaient traversé le temps, ici qu'ils avaient mis au monde leurs sept enfants. C'était chez eux, ici. Comment feraient-ils, comment ferions-nous pour vivre sans nos Dupuis Frères, Omer DeSerres, Sarrazin Choquette, l'épicier Deprater, la grande cour du NG Valiquette où nous lancions les balles au mur, le Woolworth, le restaurant Laura, le Kresge, le Grover, le cordonnier sourd-muet et mémère-cinq-cennes qui, depuis des lustres, quêtait au coin de notre ruelle Collin et de la rue Saint-André?

Nous étions bouche bée. Mes frères et sœurs aînés avaient l'air particulièrement inquiet. Pierre, Blanche et Jacques travaillaient déjà. Les deux garçons et mon père étaient maintenant tous les trois chez JB Lefebvre, dans les chaussures, tout près, rue Sainte-Catherine. Hasard de complémentarité, Blanche s'esquintait dans une usine de sacoches où son amie Rolande Cartier l'avait fait entrer. Avec des salaires de famine, on a avantage à travailler pas trop loin de la maison.

Je regardais Jean-Jean pour voir ses réactions, prête à calquer, comme toujours, les miennes sur les siennes. Il semblait s'en ficher éperdument. En apparence, Jean-Jean se fichait souvent de tout. Et moi? Eh bien, moi j'étais chavirée par cette nouvelle. Je venais de comprendre que je devrais quitter mon école, ma classe, cet univers que je venais à peine d'apprivoiser et de commencer à aimer. Pourquoi mes parents m'avaient-ils fait subir le supplice de deux écoles en septembre si je devais déménager et en apprivoiser une troisième en octobre? Pourquoi m'avoir laissée découvrir l'affection de Diane Duval si c'était pour m'en sevrer aussitôt? J'étais une martyre. Je me prenais à rêver que là où nous irions, les écoles n'existeraient pas. Que la mère de Diane Duval allait m'adopter. Que non seulement notre quartier ne serait pas démoli mais qu'il serait rénové et fleuri. Que j'étais en train de vivre un cauchemar et que j'allais me réveiller…

— Comme notre bail sera cassé, poursuivit ma mère, nous nous retrouverons à la rue et nous serons dédommagés. Les Couturier, en face, déménagent à New Croydon, une banlieue campagnarde qu'ils ont découverte de l'autre bord du pont Jacques-Cartier. Plus loin que Montréal-Sud et Longueuil, dans l'arrière-pays de Saint-Hubert, mais pas si loin de Boucherville où pâpâ a sa ferme. Ils sont allés voir des maisons flambant neuves à vendre. Et en ont acheté une. Il y en a une autre, en face de la leur, toute prête à habiter, non vendue. Nous irons avec eux en fin de semaine prochaine voir si on pourrait pas acheter nous aussi, dit-elle tout bas, la voix hachurée, craintive que le rêve s'évanouisse en le nommant. Nous serions chez nous, soupira-t-elle. Fini la ruelle sombre, les rats, les quêteux et les robineux. Maintenant, avec les trois plus vieux qui travaillent et paient pension, on pourrait peut-être arriver… Qu'en pensez-vous? Bonne ou mauvaise idée?

Branle-bas général. Tout le monde s'énervait, riait, s'attristait, parlait, questionnait, criait, s'inquiétait, se réjouissait. Une grosse secousse chez les Dubois.

— Comment on fera pour aller travailler? On n'a pas de char…

— On s'est informés, répondit mon père. Il y a un train qui passe au coin de la rue. Il met cinquante minutes à nous amener à la gare Windsor.

— Et nos amis? Madame Bonin, madame Gélinas? Les O'Connor? On ne les verra plus jamais? Et mon amie Anita? pleurait Aimée.

— Et moi, mon amoureux Denis? se lamentait Claire-Obscure.

— Et mémère-cinq-cennes? Et la police pas de cuisses numéro trente-six les oreilles pleines de pisse? Moi, je les aime bien, renchérit Jean-Jean.

— Et ils te le rendent bien, blagua Jacques.

— Ça, c'est le plus triste, leur accorda ma mère. Mais comme les deux rangées de maisons seront démolies, tout le monde va quitter, chacun son tour, pour ailleurs. On en reverra certains, New Croydon, c'est quand même pas à l'autre bout de la planète. Et, encore une fois, il y a le train, matin et soir. Monsieur Couturier dit qu'il y a aussi les autobus de la compagnie Chambly Transport qui font le trajet depuis le bout de la rue que nous habiterions jusqu'en ville, au coin des rues Papineau et Sainte-Catherine.

Jean-Jean et moi, on avait le bec cloué bien raide. On se regardait d'un air incrédule, de plus en plus jubilatoire. Comme si on venait d'apercevoir la campagne bucolique! La lumière! Le foin! Le bois, peut-être! L'espace! On était fous comme de la marde. Moi, juste à entendre le nom, New Croydon, les genoux me flanchaient. J'applaudissais. Je sautais de joie. Vous imaginez, une banlieue si neuve, si propre, si nouvelle qu'elle s'appelle New quelque chose? New comme New York. Et Croydon, mon Dieu, Croydon, j'avais le sentiment que j'allais habiter dans un roman, chez les riches, les nantis, les *boss*, les Anglais.

Je ne tenais plus en place. J'abandonnai mon jambon dans son assiette et décampai dehors, sur le trottoir du 939 Collin, pour parler toute seule. Jean-Jean me suivit. J'aurais voulu avoir un porte-voix. J'interceptai les filles Gélinas, Brandon et Dorothée O'Connor pour leur annoncer qu'on allait déménager sur une ferme, qu'on aurait une maison avec une clôture blanche, des fleurs, du gazon, des vaches, des pommiers, un chien, des chevaux…

Jean-Jean m'attrapa.

— Tais-toi, espèce de petite tête heureuse! Calme-toi. D'abord, un petit bungalow, c'est pas une ferme. Et puis, ça ne marchera peut-être même pas. Elle n'est pas achetée, la maison, encore. Arrête de faire l'idiote, tu m'énerves!

Quel rabat-joie, ce Jean-Jean! Maintenant que j'en rêvais, j'avais peur que ça ne marche pas. Et maintenant que je sentais que ça marcherait, j'étais triste de quitter ma vie de ruelle.

Un aller simple

Aidé de Pierre et de Jacques, un gros bonhomme chargeait un énorme camion de tous nos meubles et vieilleries. Je n'avais jamais vu un si gros *truck*. Il faut dire qu'il se préparait à avaler tout notre bataclan ainsi que celui des Couturier. Eh oui, mes parents avaient acheté la maison. Nous étions propriétaires. Ils avaient payé sept mille cinq cents dollars et avaient pu donner le *cash* de cinq cents dollars grâce au dédommagement qui nous avait été versé. Tout s'était fait très vite. On n'a pas de temps à perdre quand on est neuf sur le pavé. Deux maisonnettes étaient encore à vendre, presque finies de construire, prêtes à habiter. Mes parents avaient acheté la bleue et blanc parce qu'elle comptait trois chambres à coucher. L'autre, la rose qui serait achetée plus tard par les Dallaire et leurs neuf enfants – neuf au moment de l'achat, trois autres suivraient –, ne comptait que deux chambres à coucher.

Nous nous préparions à partir vers NOTRE palace champêtre que personne n'avait encore vu, sauf les parents. Nous savions seulement qu'il y avait une grande chambre rose, la chambre des quatre filles, une chambre bleu garçon évidemment, une chambre d'un vert parental, un salon incolore d'un gris éteignoir, une cuisine jaune d'œuf et une *shed* drabe. Je n'ai jamais trop compris pourquoi on avait peinturé ce hangar brun-beige plutôt que bleu et blanc comme notre maisonnette. Encore moins pourquoi mes parents s'entêtaient à le repeindre de cette même sale couleur, année après année. Comme si un hangar devait forcément être de la couleur des cochonneries qu'on y rangeait! Tout ça bien campé sur un terrain de cinquante pieds sur cinquante pieds, borné derrière, plus loin, par un attrayant petit bois.

Mon père, ma mère et moi faisions le voyage avec monsieur et madame Couturier, dans leur automobile. Les Couturier, qui devaient avoir la mi-quarantaine comme mes parents, n'avaient pas d'enfants. C'était très rare dans notre milieu, si bien qu'on les trouvait un peu anormaux. J'avais fait mon petit bagage personnel, presque rien, des babioles.

Jean-Jean, lui, était dans la boîte du camion de déménagement, dans la noirceur, avec nos meubles et fantômes, avec le barda et les fantômes étrangers des Couturier en plus! J'aurais aimé qu'il soit avec nous dans la voiture couturière mais le monsieur du même nom avait tranché: pas de place. Il s'en fichait, Jean-Jean. Toujours un peu bizarre et intrépide, il envisageait ce voyage dans le noir comme un défi à relever, comme une autre manière de mettre sa bravoure à l'épreuve. Et s'il avait à combattre quelque monstre mobilier menaçant de l'écraser, cela lui ferait une autre folle aventure à raconter. Le cœur me serrait en pensant à lui. Je ne savais trop pourquoi, il m'attendrissait tout le temps. Il était toujours à part des autres. Un marginal. Toute ma vie, mon cœur se serrerait en voyant Jean-Jean ou même juste en pensant à lui.

Pierre, Blanche, Jacques et les jumelles s'empilaient dans la belle automobile de Claude, le plus vieux de la famille Gélinas. On se demandait bien comment il se l'était payée d'ailleurs, sa grosse bagnole, une Cadillac neuve, jaune, décapotable qui valait une fortune. On ignorait comment il gagnait sa vie et on ne lui posait aucune question : ça nous évitait de recevoir une réponse qui n'aurait pas fait notre affaire. Peu importe s'il gravitait dans le sillage des Vanetto, ces pégreux notoires ; il était gentil, Claude. Il avait toujours été attentionné avec nous, serviable, un gentleman avec mes sœurs, et avait rendu d'innombrables services à ma mère, la plupart du temps sans même qu'elle ait eu à demander. C'était la première fois qu'on le voyait si triste de nous aider, lui qui l'avait toujours fait si joyeusement. En fait, tous les occupants de la ruelle Collin avaient le cœur dans la flotte et jouaient les durs comme des vrais du Faubourg à m'lasse, en sanglotant à l'intérieur.

Aujourd'hui, Claude avait généreusement offert d'amener la famille dans son nouveau royaume, à New Croydon. Il avait refusé que mes parents lui remboursent son gaz et avait payé les hot dogs à tout le groupe chez Laura, avant de filer vers la rive Sud. Il y avait convié, en surprise, sur son bras, tous les autres copains des environs. Une vingtaine ils étaient, garçons et filles entre quinze et vingt ans, à cette cérémonie des adieux qui scellait les années qu'ils avaient coulées ensemble, la plupart depuis leur naissance, à faire la pluie et le beau temps. J'aurais aimé être avec eux. Ce fut le dernier lunch de cette bande d'indécrottables amis qui avaient tout appris ensemble : à se battre et à se débattre, à jouer aux fers, au hockey, au baseball, à embrasser et à repousser, à se défendre, parfois les uns les autres, parfois les uns contre les autres, à aimer et à haïr, à faire les quatre cents coups...

J'enviais mes frères et sœurs qui arriveraient à notre nouvelle demeure en Cadillac, comme des gros riches. J'enviais Jean-Jean qui affrontait l'obscurité et le grincement des meubles dans la boîte du camion, seul, comme un homme, un vrai. Moi, j'étais assise sur la banquette arrière du char rouge vin des Couturier, entre mon père, Robert le diable, et ma mère, Agnès la sainte. C'était la première fois que je montais dans cette voiture. Et peut-être la troisième ou quatrième fois que je montais dans une voiture tout court. J'avais peur d'avoir mal au cœur. Depuis toute petite, d'abord en tramway puis en autobus, j'avais toujours eu mal au cœur, au point de vomir parfois.

Le temps était doux et il tombait une fine pluie au moment du grand départ. La ruelle Collin semblait plus triste et plus sépulcrale que jamais : un cul-de-sac aux couleurs de cendres mouillées. En fait, elle avait l'air d'un gros rat. Elle avait fini par ressembler à ses principaux et innombrables habitants et se préparait à mourir. On la ferait disparaître et on nous chassait comme on chasse les rats lorsqu'on dératise un quartier.

Ma mère était allée saluer ces femmes qui avaient été si importantes dans sa vie ces vingt dernières années, et qui n'avaient pas encore déserté les lieux : la veuve Bonin, notre voisine d'en haut qui l'avait si souvent secourue et dépannée, matante Gilberte, la sage-femme qui nous avait réceptionnés tous les sept au moment de notre naissance, madame Gélinas la commère qui, au final, était tendre comme de la mie de pain, et même madame Beausoleil, la faiseuse d'anges. Ensuite, elle et Jeanne Couturier avaient fait un dernier état des lieux de leur chaumière respective, leur avaient dit adieu et, qui sait, merci.

Une maison, pour une «femme à la maison», c'est un être vivant, l'enfant en plus que l'on nettoie, soigne, dorlote et qu'on met beau. Un témoin de toutes les petites joies et misères. Les hommes, eux, avaient d'autres lieux témoins des hauts et des bas de leur vie : la taverne, le bar, la table à cartes, la job, la rue, le club de nuit et, pour certains plus téméraires, l'arène de combat, de boxe ou de lutte, la maison de jeu et le tripot… Les femmes, à l'époque, avaient leur foyer. Point.

— On peut y aller! dirent Agnès et Jeanne à l'unisson.

Personne dans cette voiture ne s'est retourné pour regarder une dernière fois notre impasse, notre maison, nos traces, qui allaient bientôt être pulvérisées sous le pic des démolisseurs. Jamais nous ne pourrions revenir vers elles dans une sorte de pèlerinage. Plus jamais nous ne reverrions la maison de notre enfance sauf dans nos rêves, dans nos souvenirs, embellie par nos fantasmes.

Je suis la seule de l'équipée à avoir jeté un coup d'œil par la lunette arrière lorsque l'automobile a viré à gauche, rue Saint-André. La ruelle Collin s'évanouissait, et avec elle un pan court, et combien dense, de mon existence.

Je crus apercevoir des échafaudages qui s'envolaient en bruine légère. Mais non, je rêvais. Là s'étaient jetées les fondations de la petite fille que j'étais, de la grande fille que je deviendrais. Elle, elle ne disparaissait pas. Elle, elle prenait le large.

DEUXIÈME PARTIE :
NEW CROYDON

Et la lumière fut !

Il pleuvait des seaux sur New Croydon à notre arrivée. Notre misérable hameau de banlieue ressemblait bien plus à un champ de bouette qu'à une campagne bucolique. Pas de chevaux, de fleurs, de gazon à l'horizon. Ni trottoir, ni asphalte, ni égouts. Tandis que nous longions la voie ferrée, une école drabe, perdue dans une prairie dénudée, triste comme un jour de corvée, me nargua : «Tu ne perds rien pour attendre!» Pas même un seul arbre dans cette cour d'école. Si j'avais su lire, j'aurais vu qu'elle portait un nom anglais et que c'était une école protestante. J'aurais contredit ma mère qui affirmait qu'elle était très bien pour moi, cette école, à dix minutes de marche du 20, rue Saint-Michel, notre nouvelle adresse.

Nous avons tourné à droite sur une rue qui ressemblait à un rang terreux avec cinq ou six maisonnettes de chaque côté, aussi fragiles et flambant neuves les unes que les autres, ces cabanes à moineaux de toutes les couleurs. Si identiques que sans la couleur pour les différencier, le risque aurait été grand de s'y méprendre et d'entrer chez le voisin. Timides, modestes et chancelantes sous l'orage, elles étaient attendrissantes; on aurait dit des petits oiseaux perchés sur un cordon de boue.

Notre venelle malfamée était figée dans la gadoue. On aurait juré qu'il n'y avait là nulle âme qui vive. De notre côté de rue, il y avait une maison jaune, une verte, une rose et la nôtre, d'un beau bleu Québec. De l'autre, en diagonale de chez nous, il y avait celle des Couturier, rouge bourgogne. Je me demandai si nos voisins avaient choisi leur maison pour aller avec leur voiture de la même teinte. De plus, madame Couturier avait une tache lie de vin, octogonale, sur la joue droite. Peut-être croyait-elle qu'une fois assise dans son automobile rouge vin ou affairée dans sa maison rouge vin, sa tache de vin se perdrait de vue.

Le voyage en auto, l'odeur d'essence mêlée à celle de vieux tabac de cigare dont était imprégnée la voiture des Couturier m'avaient barbouillé l'estomac. Les voisins et mon père avaient fumé pendant tout le trajet et je n'avais pas eu le droit d'ouvrir la fenêtre à cause de la pluie. Je vis bientôt arriver le gros camion de déménagement dont la gueule carrée ne put retenir Jean-Jean bien longtemps. Il avait la tête de quelqu'un qui a passé la nuit chez les vampires, mais il était sain et sauf!

— Je sors des entrailles des ténèbres! dit-il en écarquillant, plissant puis frottant ses yeux. Comment faites-vous pour supporter autant de clarté? se lamenta-t-il en levant la tête vers le ciel lourd comme une tombe.

— Tu as fait bon voyage? lui demandai-je.

— T'as pas idée. La causeuse de madame Couturier m'a conté sa vie. Elle ne m'a pas laissé placer un mot!

— T'es fou, Jean-Jean Dubois.

La grosse Cadillac jaune de Claude Gélinas avec sa joyeuse équipée suivit rapidement, en même temps que cessa la pluie. Les grands bols d'air que je respirai goulûment, assise sur les marches de notre galerie gris souris, me ravigotèrent.

En passant la porte de notre demeure toute neuve, je fus éberluée de constater qu'elle soit si claire en cette fin d'octobre lugubre et humide. Nos vieilleries furent promptement trimballées du camion à la maison, et notre brigade de déménageurs put donner un coup de main aux Couturier. Le temps de crier lapin, le camion était vide et son chauffeur, payé à l'heure, remercié. Les gars installaient leur chambre de gars, les filles leur chambre de filles et ma mère, sa cuisine de mère. Mon père cherchait LA place idéale pour poser amoureusement sa grosse Corona. Moi, je n'avais qu'à ranger mes effets personnels dans le tiroir de l'armoire verte de la cuisine.

Je tombai endormie au beau milieu des murmures et de la frénésie générale, dans un lit de fortune oublié dans le couloir menant du salon à la cuisine, l'endroit le plus passant de la maison, là où on installerait bientôt la fournaise à charbon. J'adorais m'endormir dans le bruit et le brouhaha de notre routine familiale. Cela m'apaisait. Ma mère ordonna qu'on ne me dérange pas :

— La petite est épuisée et un peu fiévreuse. Baissez le ton.

Je l'entendis ensuite demander à voix basse :

— Jacques, Gwendoline s'est endormie dans ton lit, je préférerais qu'on ne la réveille pas. Tu veux bien dormir sur le divan pour ce soir ?

Le lendemain, un rayon de soleil me tira du sommeil au beau milieu de notre campement sommaire. Aveuglée, je me crus d'abord en enfer à cause de la chaleur, et ensuite au ciel à cause de la clarté. J'étais couchée franc est, face à la fenêtre de la cuisine qui surplombait un petit évier carré de porcelaine. Je n'avais jamais vu le soleil au réveil, jamais vu le soleil éclairer si violemment l'intérieur d'un logis. En fait, c'était la première fois de ma vie que la lumière s'invitait chez moi, comme une intruse, une effrontée venue m'éclabousser d'or jusque dans mon lit. Je pensai vraiment que pour baigner ainsi dans une telle luminosité, je devais être morte et rendue au paradis.

La trouille me prit. Le gris familier et réconfortant de notre vieux logement de la ruelle Collin me manqua presque. Pierre dut sentir mon désarroi. Il vint vers moi, m'amena sur la galerie arrière donnant sur le hangar, les champs et le boisé. À environ six cents pieds, l'eau dévalait comme un torrent dans un large fossé, creusé par Dieu sait qui pour Dieu sait quoi. J'en fis instantanément mon ruisseau, ma rivière. La nature avait décidé de nous souhaiter la bienvenue en grand, de nous en mettre plein la vue. Au cœur de l'automne funeste s'annonçait une suave journée d'été indien. L'air était doux, embaumant, caressant, l'herbe mouillée, les champs détrempés. Une fée parfumeuse distillait des arômes inattendus qui, un à un, se frayaient un chemin jusqu'à mes narines grandes ouvertes, jusque dans mon cerveau. Ça sentait la terre, la mauvaise herbe humide, la bouette, la sciure de bois.

— Va mettre des chaussures. Ou des bottes, ce que tu trouveras. Tu vois cet arbre au fond ?

C'était difficile de le rater, il n'y en avait qu'un. Un gros arbre pansu, à moitié mort, avec deux imposantes ramures qui tombaient comme de grandes jambes, et deux autres qui montaient comme de larges bras. Je le surnommai d'emblée l'arbre-bonhomme. C'était rase campagne partout autour et lui, esseulé, semblait avoir été abandonné là.

— On va installer une corde à linge. Maman va être contente, il y a des tonnes de vêtements mouillés à l'intérieur. Avec ce soleil et ce petit vent doux, ce sera sec en un clin d'œil! Ouste! Dans tes bottines.

Je courus à l'intérieur, folle de bonheur. Gonflée à bloc. Nous allions installer une corde à linge! Nos vêtements flotteraient en plein soleil, dans le vent! Nos vêtements sentiraient bon, l'air pur, l'air de la campagne. NOTRE corde à linge. Dans NOTRE cour. La cour de NOTRE maison. NOTRE soleil. NOTRE vent. Pendant que nous besognions pour dénicher marteau, clous, poulie et cordage dans ce bardi-barda, ma mère ordonnait à Robert le diable de mettre la table à cartes dehors, en bas dans la fardoche ; à Jacques et à Jean-Jean de chercher et de trouver les ustensiles de cuisine ; à Claire-Obscure et à Aimée de préparer le thé, le pain grillé et le beurre de pinotte. Nous allions déjeuner dehors, faire un pique-nique, comme à l'île Sainte-Hélène. Encore une première! Un pique-nique chez nous, dans notre cour, en plein automne!

— Ce premier matin à New Croydon sera un matin de fête ou ne sera pas! proclama notre mère.

Pour moi, des dés venaient d'être jetés : il n'y aurait jamais de bonheur complet sans corde à linge et sans table dans l'herbe.

Jamais trois sans quatre...

Dès le lundi 25 octobre 1954, l'été indien était retourné chez les Indiens. Il faisait un froid de canard, le ciel ressemblait au couvercle d'un cercueil. L'école m'attendait avec, j'en étais certaine, une brique et un fanal. Ma mère m'aida à enfiler une belle blouse blanche impeccablement repassée, ma tunique d'école bleu marine, à plis et encolure carrée, des bas longs beiges pas encore picotés de charpie, ainsi que mes chaussures brunes bien cirées et bien lacées.

— Espérons que cette tunique fera l'affaire. Sinon, on a la robe noire. On verra bien. Mais croisons-nous les doigts pour ne pas avoir à acheter un autre uniforme scolaire !

— En tout cas, pas question que je m'accoutre encore d'une soutane de curé !

Pas de lunch pour midi. L'école était tout près et je viendrais manger à la maison avec ma mère. C'était la seule perspective réjouissante de cette journée : être seule avec ma mère dans le silence, quelques minutes. Cette fois, j'avais prévu le coup : je savais exactement comment revenir à mon nouveau chez-moi si j'étais en danger. Jean-Jean m'avait montré le trajet en le faisant avec moi. Simple comme bonjour : d'abord marcher vers le petit pont qui surplombait la voie ferrée. Facile, on l'apercevait depuis l'école. Puis, continuer jusqu'à ma rue, c'était la deuxième, et prendre celle-ci du seul côté possible, l'autre étant le chemin de fer. La cinquième maison à bâbord était la nôtre. Entre l'école et ma rue : rien.

C'est mon père qui m'accompagna, ou plutôt qui me tira, vers la terne bâtisse. Il devait m'y déposer et aller prendre son autobus numéro 8 en direction de Montréal. Je marchais comme une condamnée aux travaux forcés. Tout était grisailleux. Pire que dans la ruelle Collin.

— Grouille-toi un peu ! J'ai déjà raté mon train à cause de toi. Et si je rate le bus de huit heures et quart, je serai vraiment en retard. Tu veux que le *boss* me montre la porte ?

Moi, j'aurais bien aimé que l'école me montre la porte.

Je traînais de l'arrière, j'échappais mon sac d'école, me penchais pour relacer ma chaussure, me plaignais de la soif, de la faim, de la chaleur, du mal de ventre... Plus on approchait, plus le péril me guettait. J'apercevais maintenant la cour d'école bourdonnante, j'entendais les cris des enfants qui se chamaillaient. Leurs voix montaient, leurs paroles étranges, indéchiffrables, s'entremêlaient dans un baragouinage rebutant.

En m'approchant de cette rumeur, je glissai dans un rêve éveillé : il me fallait attraper un train menant à l'école, c'était le dernier train, le dernier départ. Non pas pour la journée, mais pour la vie. C'était ma dernière chance d'aller à l'école et... je ratais ce train.

J'en étais là dans mon cinéma intérieur lorsque nous sommes arrivés devant la grille ouverte.

— On se quitte ici. Je suis vraiment en retard. Il faut que je me grouille. Maman viendra te chercher pour manger à la maison ce midi. Ça va aller ?

— Non, dis-je, au bord des larmes.

— Ben oui, ça va aller. Tu vas tous les mettre dans ta poche. Écoute-moi bien : ne t'inquiète pas. Tu vas te faire des amies. Au début, ce sera difficile, ils se connaissent entre eux et toi, tu es nouvelle et différente, mais tu vas y arriver. Ne te décourage pas. Surtout, ne te laisse pas piler sur les pieds. Du bois dur, nous sommes. Du bois noble.

Mon père faisait toujours référence aux bois nobles, le chêne, l'ébène, le frêne, l'acajou, lorsqu'il voulait gonfler l'estime Dubois. Il tapota ma joue tremblotante et fila. Pourquoi ce charabia ? Pourquoi me dire que j'étais différente ? Je me retrouvai comme un petit poulet dans cette basse-cour tonitruante, complètement perdue. Les enfants étaient habillés n'importe comment, des habits différents, de toutes les couleurs. Les filles portaient des jupes courtes, à carreaux, des pulls, des chemisiers de toutes les couleurs aussi, des bas blancs, courts, dans des chaussures bleues et blanches que je leur enviai. Certaines étaient en pantalon! Même chose pour les garçons: pas d'habit scolaire, on se serait cru à la Société des Nations. Je détonnais avec mon accoutrement!

Si mes yeux étaient choqués, mes oreilles, elles, étaient déconcertées. Les enfants autour de moi beuglaient dans un étrange jargon. Une fillette s'approcha de moi, le visage tout garni de taches de rousseur. Je n'en avais jamais vu autant. Si je n'avais pas été aussi pétrifiée, je lui aurais demandé de me laisser les compter. Elle inspecta ma tenue et s'en amusa, fit signe à d'autres enfants de s'approcher. Ils se parlaient entre eux. Riaient. Avaient l'air dégoûté de moi.

— *Look at this little funny girl. What's her name?* nasilla un garçon.

— *Never saw her before…* répondit une fillette très blonde.

— *Maybe a little French pea soup*[2], trancha un gros gars aux cheveux taillés en brosse.

Ils se sauvèrent en courant et en gloussant.

La rousselée s'attarda.

— *What's your name? I'm Valery, and you*[3]?

Puis elle épela et articula, fort comme si elle s'adressait à une sourde ou à une arriérée:

---

2.   Regardez cette curieuse petite fille. Quel est son nom?
     Jamais vue auparavant.
     C'est peut-être une petite «*pea soup*» francophone?
3.   Comment t'appelles-tu? Je m'appelle Valery, et toi?

— *Watt… iz… yourrrrrr… nêêêêm?*

Lorsqu'elle répéta «*Aille am Valery*» en pianotant des doigts sur sa poitrine, je saisis qu'elle me demandait mon nom. Je m'apprêtais à lui répondre en mohawk : «Moi être Gwen-do-li-ne. Gwen-do-li-ne Dou-bou-as», mais elle était déjà repartie vers d'autres camarades plus excitants que la petite idiote en uniforme bleu et bas épais que j'étais.

Comme je n'avais encore jamais entendu parler, en vrai, une autre langue que le français, je me dis que peut-être, à New Croydon, la langue française n'existait pas. J'errai comme une âme en peine, à distance des autres. Je longeai la clôture, prête à grimper et à sauter par-dessus. J'enregistrai bien où et comment était la porte en souhaitant que personne ne la referme, ni ne la verrouille au cas où je déciderais de m'enfuir. Le grillage faisait au moins six pieds mais je serais capable de l'escalader pour passer en zone libre si j'y étais obligée. Pourquoi mes parents m'avaient-ils abandonnée là, à mon sort ?

Un tintamarre se fit entendre. La marmaille se calma sans se taire complètement et s'agglutina près des deux grandes portes d'entrée de l'école. Je suivis le troupeau, en retrait, comme une brebis galeuse et effarouchée. Normal, le mouton était le symbole de la race canadienne-française.

Une dame au large sourire, avec des dents comme je n'en avais jamais vu (chez nous, la dentition adulte était rare, cariée ou carrément absente), me parla. Je ne compris strictement rien de ce qu'elle cherchait à me dire. Elle m'amena dans un bureau sur la porte duquel il y avait ces lettres : *Principal*[4]. Un homme s'y trouvait. La dame à la dentition

---

4. Directeur.

chevaline ouvrit mon sac d'école, lut mon nom, bien écrit sur mes cahiers de l'école Garneau.

— *Gwendôleen Doubouâ, hum... First grade.*

— *She's French?*

— *Yes. It's all in French in her exercise book[5].*

Et le monsieur, s'adressant à moi :

— *Do you understand English, Gwendoleen[6]?*

La dame me conduisit dans une classe du rez-de-chaussée, grouillante de garçons et de filles aux habits multicolores. Ils avaient presque tous la peau pâlotte, étaient presque tous blonds ou roux avec des yeux bleus, verts, parfois rougeâtres. Une autre dame, ma maîtresse je crois, m'accueillit en souriant ou en riant de moi, que sais-je, et me montra une petite table de travail fatiguée près de la fenêtre. Je me dirigeai vers celle-ci, la tête basse et le dos voûté. Ouf! Au moins, la fenêtre donnait du côté de chez nous. J'y jetai un coup d'œil pour vérifier si je saurais l'ouvrir. Cela me rassura un brin de constater que si je sautais par la fenêtre, j'atterrirais du bon côté des choses. Et comme ça n'était pas très haut, j'en sortirais probablement vivante.

Une éternité de quatre-vingt-dix minutes m'avala. Je flottais, comme un ovni dans une galaxie bien loin de chez lui. Il y avait bien des lettres sur le mur, des lettres que je reconnaissais mais que les enfants lisaient et prononçaient autrement. Ces lettres, associées à d'autres, composaient des sons insolites. Pas de la-le-li-lo-lu. Pas de ba-be-bi-bo-bu. Pas de d, o, do, d, o, do : dodo. Beaucoup de h et de w. Je ne comprenais rien. L'enseignante s'adressa à moi. Je le sus par son

---

5.　Gwendoline Dubois, hum... Première année. Elle est francophone? Oui, tout est en français dans son cahier d'exercices.

6.　Est-ce que tu comprends l'anglais, Gwendoline?

sourire et sa tête doucement penchée sur la gauche, mais elle-même semblait se demander ce que je faisais dans sa classe. Avec son air gentil et ses «*okay*», je déduisis qu'elle me disait que tout irait bien.

Une cloche annonça la récréation. Tous les enfants se mirent à chahuter. La maîtresse m'intercepta quand je voulus passer la porte. En langage des signes, elle me fit comprendre de ne pas bouger, de l'attendre, qu'elle reviendrait tout de suite. J'acquiesçai mais dès qu'elle eut disparu, j'attrapai mon sac d'école qui était resté bien fermé, puis sortis en catastrophe et pris mes jambes à mon cou.

Je traversai la cour d'école comme une pouliche à l'épouvante. Mes gros souliers bruns lacés effleuraient à peine le gravier. Je m'apprêtais à escalader la clôture et à me casser la gueule en sang quand j'aperçus, par miracle, un grand attardé d'une douzaine d'années qui franchissait l'enceinte grillagée. Je fonçai vers lui.

— *Thank you very much*[7] !

Il me fallait bien le remercier d'ouvrir la porte de ma prison.

Je courus si vite sur la rue Vermount en direction du 20, rue Saint-Michel, que j'eus l'impression de glisser sur un coussin d'air. Je m'affalai sur le perron en voyant ma mère à l'intérieur, affairée à organiser son nouveau royaume.

— Mais qu'est-ce que tu fais là, pour l'amour de Dieu? s'exclama-t-elle en m'apercevant.

J'étais transformée en statue de sel. C'était ma troisième école, mon troisième premier jour d'école en un mois et demi. J'aurais dû commencer à m'habituer, mais non! On

---

7.   Merci beaucoup!

aurait voulu me traumatiser à vie qu'on ne s'y serait pas mieux pris. Mes mâchoires mirent quelques heures à se déverrouiller. Je n'y étais pour rien, elles s'étaient barrées à double tour et j'avais perdu la clé pour les débloquer. Ma mère pensait à tort que je boudais. Ça n'est qu'au souper que mes mandibules se décoincèrent pour manger de la saucisse en coiffe avec du ketchup et des patates pilées. Du coup, je retrouvai l'usage de la parole. Bien plus souvent que l'appétit, ce sont les mots qui viennent en mangeant...

— À l'école Royal Charles School, ça parlait pas comme nous. Les enfants étaient habillés n'importe comment. Et je n'ai vu aucune statue de la Sainte Vierge, que je racontai, la bouche pleine. Comment avez-vous pu me domper là?

— Évidemment, qu'il n'y avait pas de statue de la Vierge Marie, se scandalisa ma mère, c'est une école anglaise, et protestante par-dessus le marché! Quelle méprise de notre part! gronda-t-elle en regardant mon père, Robert le diable, comme si elle le soupçonnait de l'avoir fait exprès, d'avoir voulu me débaucher de la religion catholique et me convertir à la langue du maître.

Lorsque Jean-Jean était revenu de son école à lui, l'école Saint-Thomas-de-Villeneuve, la même que celle des jumelles, à un mille et demi de chez nous, elle l'avait envoyé s'informer chez la dame qui tenait une épicerie de fortune de l'autre côté du chemin de fer. Madame Campbell, qu'elle s'appelait, n'était pas, à ma grande déception, la madame Campbell de la soupe. À certains égards, mes parents bien-aimants étaient de parfaits incapables. Il leur arrivait d'agir comme ça, comme des imbéciles heureux. Une école primaire traînait par là, tout près de chez nous, on m'y avait déposée comme on glisse une lettre à la poste, sans plus se poser de questions. Peut-être y a-t-il toujours une ambivalence de comportements à l'égard d'une enfant qu'on a fini par aimer sans l'avoir désirée ou qu'on a mise au monde alors qu'on était trop vieux? On aime cette enfant, on y tient tout en ayant inconsciemment envie de la perdre dans la nature ou de l'oublier dans un train.

Je ferais donc mentir le proverbe «jamais deux sans trois». Pour moi, ce serait «jamais trois sans quatre». Dès le lendemain, ma mère allait faire ce qu'elle aurait dû faire avant: trouver une école française et catholique et m'y inscrire, s'informer pour savoir si je pouvais fréquenter celle des jumelles, qu'elle trouvait bien loin pour une petite bonne femme comme moi.

Il me paraissait de plus en plus évident qu'il n'y avait de place dans aucune école pour la Gwendoline Dubois de ce monde. Et comme les enfants étaient obligés de s'instruire, mes parents devraient me cacher, m'élever au fond de la cave de terre qui faisait à peine trois pieds. Finalement, je ne savais plus si je préférais qu'on trouve ou qu'on ne trouve pas une école digne de me recevoir.

Je m'endormis ce soir-là en faisant des cauchemars: des écoles monstrueuses avec des barreaux aux fenêtres, peuplées d'enfants laids et de maîtresses repoussantes, étaient prêtes à m'accueillir, alors que d'autres écoles sympathiques avec des voiles blanches aux fenêtres, remplies de beaux enfants, n'avaient pas de place pour moi. Je me réveillai le matin en me promettant que si la prochaine école n'était pas la bonne, je me tuerais. Et que si c'était la bonne mais que je ne parvenais pas à y être heureuse, je me jetterais devant le train de marchandises qui passait à toute allure au bout de notre nouvelle rue, devant les yeux ahuris de madame Campbell pas-pleine-de-soupe. Il n'y avait pas de troisième voie.

L'école comme novembre

La semaine suivante, lundi 1er novembre, c'était l'anniversaire de Jean-Jean. Je fis une crise, prétextant que ce jour aurait dû être férié. Rien n'y fit: on m'expédia, avec mes sœurs, vers ma quatrième première école, Saint-Thomas-de-Villeveuve. Je ne saurais dire dans quel état j'étais: résignée, hagarde, suicidaire ou relativement sereine. Il neigeait, ventait, faisait un froid de loup. Je n'avais pas de bottes, ma mère ne m'en avait pas encore commandé dans le catalogue de Dupuis Frères. Mes chaussures étaient humides, mes pieds glacés. J'avais l'impression que nous marchions depuis des heures et que nous n'en finissions pas de ne pas arriver. C'était si loin et il y avait tant de virages d'un bord et de l'autre pour se rendre à cette damnée école que jamais je n'aurais su revenir à la maison toute seule, si ma vie s'était encore une fois révélée en danger.

Nous vîmes enfin poindre la bâtisse. Sa cheminée fumait. Elle était rouge brique, bien petite en comparaison de la grosse école Garneau que j'avais fréquentée quelques semaines à Montréal. Un gigantesque saule pleureur, frileux, tout nu, veillait sur elle. La vue de la cour, entièrement déserte, me sembla un mauvais présage: tout le monde, élèves et maîtresses, était sans doute mort. Mais non. Mes sœurs n'ayant pas prévu que nous mettrions beaucoup plus longtemps à nous rendre avec moi qui marchais comme une tortue, nous étions en retard. Moi qui voulais plus que tout au monde passer inaperçue, c'était mal parti.

Aimée me conduisit jusqu'à ma salle de classe. Claire-Obscure s'était évaporée. Comme toujours elle avait honte de nous. Elle ne savait pas, l'idiote, que lorsqu'on a honte de sa famille, c'est de soi-même qu'on a honte. Aimée frappa délicatement à la porte de la classe. Une minuscule petite fille ouvrit et une vingtaine d'enfants, déjà enrégimentés, se levèrent d'un bloc pour nous saluer. Aimée présenta ses excuses pour notre retard. Moi, résignée et courageuse jusque-là, je craquai et me mis à gémir, m'accrochant à la tunique de ma sœur. Puis, je me jetai sur la porte et, constatant que j'étais incapable de l'ouvrir, me crus séquestrée.

— Mais qu'est-ce que cette petite sauvageonne ? Allez, on ne va pas vous manger, venez par ici, ordonna une voix cassante sortant d'un amas de chiffon noir.

Aveuglée par mes larmes et par ma tuque, qui me bouchait la vue, je ne distinguais pas de visage dans la grosse boule sombre qui tanguait comme un bateau ivre en s'adressant à moi. Pas de jambes ni de bras non plus. J'eus plus peur encore quand, de la masse de tissu noir, surgit une main d'une blancheur cadavérique, sorte de patte d'oiseau décharnée, qui tenta de se poser sur mon épaule. C'était trop. Ma dernière maîtresse, jolie, parlait un jargon de Martien, et celle que j'avais devant moi était une corneille géante qui avait appris ma langue. Je me jetai par terre et martelai le sol à grands coups de pied et de poing. Malgré mon état de panique, l'odeur de bois ciré du parquet se fraya un chemin jusqu'à ma conscience. J'aimais tant cette senteur qu'il m'arrivait, à la maison, de mettre mon doigt dans la boîte et de m'en frotter derrière les oreilles. Ce parfum familier et inattendu dans cet univers hostile m'apporta un souffle de réconfort.

Aimée essaya de me relever. Je réussis presque à la faire basculer avec moi avant qu'elle puisse m'agripper solidement entre ses bras.

— Chut… chut… N'aie pas peur. C'est sœur Saint-Damasse. C'est ta maîtresse. Les religieuses s'habillent ainsi mais elles ne sont pas méchantes. Regarde les autres enfants, ils n'ont pas peur…

Je regardai les enfants qui, au contraire, me parurent terrifiés. Je ne compris pas que c'est moi, la furibonde, qui les effrayais. J'étais agrippée à Aimée et la grosse boule noire était tout près. Je sentais son haleine. Je l'entendais respirer. Elle était à la hauteur de mon visage, prête à m'absorber. Aimée tenta de me calmer.

— Cesse de pleurer, il faut que je rejoigne ma classe. Elle est au deuxième étage, juste au-dessus de la tienne. Je ne serai pas loin. Et je viendrai te voir tantôt, murmura Aimée.

— Bon. Ça suffit maintenant. Dans votre classe, mademoiselle Aimée. Je vais m'arranger avec votre charmante petite sœur, trancha Boule noire.

— Ma sœur, soyez compréhensive, s'il vous plaît. Là où on habitait, elle est déjà passée par deux écoles, car on s'était trompés la première fois. On a répété l'erreur en arrivant ici : la semaine dernière, on l'a mise par mégarde dans une école anglaise et protestante. On serait bouleversé pour moins que ça.

Je ne comprenais pas pourquoi ma sœur appelait cette créature « sa sœur ». C'était moi, sa sœur ! La mention de mon passage chez les Anglais protestants fit toutefois un effet bœuf. Il n'en fallut pas plus pour émouvoir, que dis-je, pour bouleverser Boule noire. Elle avait devant elle une enfant qui avait séjourné chez Satan. Il fallait s'en occuper, la récupérer, la ramener chez les justes, dans la bonne voie. Elle ne fut plus que douceur et miel.

— Comment vous appelez-vous, mademoiselle Dubois ? Quel est votre petit nom ? roucoula-t-elle.

J'essuyai mes larmes et ma morve dans les cheveux d'Aimée qui était penchée sur moi et j'ouvris lentement les yeux. J'aperçus droit devant moi, tout près, des petits yeux ronds et noirs, un nez droit, une bouche fine avec autour de la peau sèche, grisâtre, et quelques poils. Une petite face de rat, bien enchâssée dans une cornette blanche et rigide. J'eus un mouvement de recul qui fit, à son tour, reculer Aimée d'un pas. Ce qui me permit de distinguer un gros crucifix, bien allongé sur une poitrine plate, et plus bas, à droite, un chapelet gigantesque fait de gros grains noirs qui me rappelèrent ces bonbons à la réglisse dont je raffolais et qu'on appelait des boules noires. Je venais de faire connaissance avec une religieuse. Une sœur de Saint-Joseph.

— Elle s'appelle Gwen... tenta Aimée.

— Silence, mademoiselle Aimée. Je ne vous ai pas adressé la parole. Je m'adresse à votre petite sœur, ma nouvelle élève, et c'est de sa bouche que j'attends une réponse. Alors, le chat vous a mangé la langue? me dit-elle en me fixant. Je vous ai demandé comment vous vous appelez, répéta-t-elle en commandant à ma sœur, d'un hochement de cornette, de nous laisser et de prendre la porte.

— Je n'ai même pas de chat. Et les chats ne mangent pas les langues des enfants!

Je sentis que je faisais de l'effet au troupeau. De toute évidence, personne ici n'avait jamais osé dire à Boule noire qu'elle proférait des absurdités.

— Elle réplique, en plus. Ça promet! Écoutez-moi bien, mademoiselle Dubois: ici, on répond aux questions seulement. Pour la troisième et dernière fois: quel est votre prénom?

Aimée me fit au revoir de la main en chuchotant du bout des lèvres et en langue des sourds-muets que nous mangerions notre goûter du midi ensemble dans la grande salle, qu'elle viendrait me retrouver ici. Elle quitta discrètement la pièce. Aimée marchait toujours sur la pointe des pieds, à petits pas, comme une souris.

— Je m'appelle Gwendoline. Gwendoline Dubois, dis-je avec aplomb en regardant Boule noire droit dans ses petites billes noires.

Ce qui devait arriver arriva : toute la classe pouffa de rire.

— Silence ! vociféra sœur Saint-Damasse. Un peu de respect pour cette pauvre petite complètement effarée. Elle revient de l'enfer, murmura-t-elle, apitoyée. Et si j'étais vous, Desneiges Desmarais, je ne me moquerais pas du nom des autres ! ajouta-t-elle, véhémente. En tout cas, avec un prénom pareil, ma chère enfant, on ne risque pas de vous confondre : vous serez la seule dans toute l'école. Heureusement, car des Dubois, il y en a autant que d'arbres dans nos belles forêts canadiennes. Maintenant, suivez-moi, Gwendoline, je vais vous montrer votre place. Juste ici en avant, tout près de notre ami Germain.

Elle posa délicatement sa main sur mon épaule.

— Oui, répondis-je, penaude.

— Il faut apprendre à faire des phrases complètes, Gwendoline. Il faut dire : «Oui, ma sœur» et «merci, ma sœur». Compris ?

— Oui, ma sœur. Merci, ma sœur.

— Voilà. Nous allons bien nous entendre, vous et moi, vous verrez.

Je m'assis en écoutant distraitement sœur Saint-Damasse qui marmonna qu'à la récréation, elle regarderait mes livres et cahiers pour voir ce qu'il me manquait. À travers mes larmes qui se tarissaient lentement, je notai la forme étrange de mon bureau, tout d'une pièce, avec le tiroir sous le côté gauche, et une ouverture où on se coulissait pour s'asseoir. Je l'aimai. J'observai aussi qu'il n'y avait que deux garçons dans cette classe et que j'étais assise entre les deux. Cela me plut. Les pupitres étaient groupés deux à deux, le mien près de celui de Germain, à ma gauche. À ma droite, l'allée pour circuler, puis une autre rangée de doublés de pupitres, dont le plus proche était occupé par l'autre garçon, une sorte d'ange au visage de fille.

La rareté donne de la valeur. Il y aurait eu, dans cette salle, autant de garçons que de filles qu'on ne les aurait pas remarqués. Mais le fait qu'ils étaient deux sur une vingtaine en faisait des spécimens de prix, malgré leur insignifiance flagrante. Je me perçus comme la princesse des lieux, encadrée par ses preux chevaliers.

Le carnet bleu

J'avais un peu plus de huit ans et demi lorsque ma sœur Aimée m'offrit un petit carnet bleu à l'occasion de Noël.

— Pour écrire des choses dedans, maintenant que tu sais écrire. C'est un journal. Ce sera TON journal.

En guise de remerciement, je lui sautai au cou. Je me hâtai de fuir avec mon trésor et d'y écrire, sur la première page, en grosses lettres carrées : *Le journal de Gwendoline Dubois, 8 ans.*

Sur la couverture du calepin, il y avait une petite fille blonde assise sur une balançoire. Potelée, avec ses boucles frisées, elle ressemblait à s'y méprendre aux petits anges vêtus d'ailes bleu pastel, rose tendre ou jaune soleil que les institutrices collaient dans nos cahiers. Ils étaient drôles, ces chérubins, sans corps et sans sexe, composés strictement d'une belle grosse tête, toujours bouclée, coincée entre deux larges ailes. Comme ces images n'étaient pas autocollantes, la pauvre maîtresse d'école devait lécher beaucoup de derrières, si angéliques fussent-ils, quand elle avait l'heureux malheur d'être tombée sur une classe douée!

La chérubine de mon carnet, elle, avait tous ses membres. Elle portait une robe rouge très courte et son jupon soulevé par le vent laissait apercevoir la dentelle de sa petite culotte blanche. S'il fallait qu'une sœur de Saint-Joseph tombe sur mon journal! Sûr que cette bambine impudique me vaudrait une visite chez la sœur supérieure. Un beau matin, je remarquai qu'elle ressemblait à la blondinette qui trônait sur la boîte de céréales Rice Krispies. J'osai ma première chronique.

Jeudi, 27 décembre
Les céréales Rice Krispies, ma mère, elle appelle cela du « riz crispé ». Ce matin, mon frère Jacques s'est encore moqué d'elle:
— Mom, j'mangerais bien du riz crispé! Il me semble que ça me détendrait...
Je n'ai rien compris de ce qu'il voulait dire. Ni pourquoi c'était drôle.
Ma mère achète nos riz crispés chez Stènebeurje. Mon père lui répète: «Agnès, on prononce Steinberg, Stein-Beurgue gue gue gue.» Mais elle est incapable de dire le «gue gue gue». Et elle continue à faire ses emplettes chez Stènebeurje. C'est tout ce que j'ai à dire.

Encore jeudi 27 décembre
*C'est les vacances. Mon père, il n'est pas en vacances, il est en
chômage. Nous avons joué au Monopoly. Mon père gagne tout
le temps. Au Monopoly, mon père, il est riche à craquer. Et il est
content.*

Vendredi 28 décembre
*J'ai appris aujourd'hui qu'il y a des années de 366 jours. Que
ça arrive une fois par quatre ans. Cela s'appelle une année bissex-
tile. Mon père a dit à Claire-Obscure qu'il lui restait trois jours
pour demander son cavalier en mariage parce que c'est juste les
années bissextiles que les filles ont le droit de le faire. J'ai appris
aussi que Blanche et moi, nous sommes nées une année avec un
29 février. Je me demande si cela veut dire qu'elle et moi, on peut
à l'année longue demander les garçons en mariage.*

Je racontais toutes sortes de choses à mon carnet bleu.
Que je n'avais reçu à Noël que des cadeaux utiles, comme
disait ma mère : un manteau d'hiver, des bottes, un bonnet
et des mitaines rouges. Et que je m'inventerais des cadeaux
inutiles, bien emballés, pour avoir l'air comme les fortunées
de la classe lorsque je recommencerais l'école. Je lui confiais
que je n'avais jamais cru au père Noël même si j'adorais le
voir se parader rue Sainte-Catherine et faire son entrée
triomphale chez Dupuis Frères. Je l'ai toujours perçu
comme un gros clown. Jamais je ne me serais assise sur ses
genoux pour lui commander les bébelles dont je rêvais. Ça
ne m'empêchait pas d'être en contemplation devant la Fée
des étoiles et de rêver de rennes venus du pôle Nord.
    Le carnet bleu que m'avait offert Aimée était pour moi la
septième merveille du monde. Je le rangeais précieusement

entre mes petites culottes et mes camisoles dans mon tiroir du buffet vert de la cuisine, à côté du poêle. C'était bon, quand je coulissais ma main entre mes sous-vêtements bien pliés, de sentir la couverture toute chaude de mon journal. Cette chaleur rendait vivant tout ce qui était écrit dedans. Surtout les matins où des glaçons pendaient au plafond parce que le poêle à bois s'était éteint durant la nuit.

Quand je commençais à écrire dans mon journal, j'avais chaque fois le réflexe d'inscrire JMJ à gauche. À l'école, on écrivait toujours ces trois lettres au crayon rouge, dans la marge, avant de commencer un exercice. C'était obligatoire et si on l'oubliait, ça pouvait nous valoir un zéro, même si on avait tout bon dans notre dictée, exercice de grammaire ou calcul arithmétique. JMJ voulait dire «Jésus Marie Joseph». La sainte famille présidait chacune de nos pages. Une famille modeste et pauvre, apprenait-on dans le Nouveau Testament, ce qui n'était pas sans m'étonner puisque toutes les familles pauvres que je connaissais comptaient les enfants à la douzaine. Mon père, qui ne mettait jamais les pieds à l'église, blasphémait et exécrait les prêtres, trouvait aberrante cette obligation. Un jour qu'il fulminait, je voulus le calmer et le réconforter un peu:

— T'en fais pas, p'pa! Pour moi, JMJ c'est nos voisins, John, Margaret et Junior.

Nous avions en effet de nouveaux voisins, les Dickson. Lui, John, elle, Margaret, et fiston dont j'ignorais le nom et que je venais de baptiser Junior pour les besoins de mon exercice de séduction. Mon père avait ri de ma répartie parce qu'il vénérait tout ce qui était anglais.

Plus tard, alors que ma mère signait fièrement mon bulletin *Madame Robert Dubois*, il avait fait mine d'y jeter un coup d'œil. Ça m'avait gênée, et lui encore davantage, que je me rende compte qu'il s'intéressait à mes performances scolaires. Il nous aurait annoncé qu'il rentrait chez les moines qu'on n'aurait pas été plus surprises, ma mère et moi.

— *How are John, Margaret and Junior*[8] ? m'avait-il lancé, montrant ainsi à ma mère, qui ne comprenait pas sa question, son intérêt pour mon cheminement scolaire et, par ricochet, notre complicité à lui et moi.

Je n'ai pas trop compris moi non plus et j'ai improvisé une réponse :

— Ils sont montés au ciel retrouver les trois autres. Ils y jouent aux cartes tous les six. Jouer au black jack et au poker à six, c'est le paradis, non ?

N'importe quoi ! Je disais n'importe quoi qui soit susceptible d'intéresser mon père, de retenir son attention. J'étais capable de tout pour ça. Il m'avait regardée en silence, éberlué et fier. De son côté, il ne faisait pas grand-chose pour que je sois fière de lui aux yeux des autres.

— P'pa, s'il te plaît, viens donc à la messe de minuit avec nous.

— T'es malade, marcher un mille dans ce froid, en pleine nuit. Jamais de la vie !

— S'il te plaît, dis oui. On va bien s'habiller.

— Des plans pour attraper votre coup de mort !

Ma mère s'en était mêlée :

— Fais donc un effort, Robert. Ça te ferait du bien de prier un peu. T'en mourras pas. Tu vois bien que ça ferait plaisir à la petite.

_____

8. Comment vont John, Margaret et Junior ?

— J'ai dit non, pis c'est non. Achalez-moi pas avec vos maudites niaiseries de bondieuseries!

En fait, c'est en étant différent de tous les autres pères qu'il me faisait honte. Quand on est une enfant, on a besoin d'être comme tout le monde, d'avoir des parents qui sont comme tout le monde. Mon père, qui buvait, sacrait, refusait d'aller à l'église et chômait plus souvent qu'autrement, était un mouton noir parmi un troupeau de moutons blancs. Et comme j'aimais ce mouton noir, voilà que j'avais honte d'avoir honte. Et ça, j'étais gênée même de l'écrire dans mon carnet bleu…

Un jour, en revenant de l'école, j'avais raconté fièrement à Janine Vallée que je tenais mon journal et que j'aimais ça.

— Ouache! T'es donc bien pas normale, toi! Tu trouves pas qu'on a assez d'écrire à l'école puis de faire des dictées, sans écrire en plus pour rien dans un carnet?

— Non. Quand je serai grande, je veux être journaliste. Je vais écrire tout le temps. Je vais même écrire des livres.

Elle était restée si estomaquée que j'avais craint qu'elle ne tombe en catalepsie.

— Eille! Ça ne se peut même pas, avait-elle tranché d'un ton catégorique en retrouvant ses esprits.

Et en me clouant, d'un seul coup, et le bec et le rêve de célébrité.

Fée marraine et son prince charmé

Un lendemain de jour de l'An et de liesse, ma Blanche marraine décida d'aller patiner avec Manuel, son amoureux qui travaillait sur les trains au Canadien National. «Il est *car-*

man!» qu'elle disait fièrement comme si elle avait dit: «Il est ministre des Transports.» C'était un patinage anniversaire, car c'est sur cet étang gelé qu'ils s'étaient connus un an plus tôt. En allée patiner avec Fernand, son cavalier de la ruelle Collin qui avait continué à lui faire assidûment la cour depuis notre déménagement, elle était revenue, toute chose, avec Manuel, son nouveau soupirant. Elle avait du culot, quand même, ma marraine! Pas tout à fait ce qu'on peut appeler une oie blanche, nonobstant son prénom.

— Qu'as-tu fait de Fernand? lui avait-on demandé à tour de rôle. Où est-il passé?

Mystère et boule de neige. À part nous dire que Fernand n'aimait pas vraiment patiner et qu'il s'était sauvé sans même lui dire *bye bye*, Blanche la mystérieuse ne répondrait jamais à nos questions et n'en reparlerait plus jamais. Cette année-là, les feux de l'amour avaient fait fondre la banquise prématurément, en même temps que le pauvre Fernand.

Derrière chez nous, une gouille serpentait jusqu'à mon école. Ce ruisseau nauséabond, alimenté par le surplus d'eau des bois et par les terres environnantes qui s'y drainaient, était notre rond à patiner hivernal. J'accompagnai les tourtereaux en chaussant les vieux patins d'Aimée, bien trop grands pour moi.

— Ne la quittez pas des yeux! avait tonné ma mère. Elle ne sait pas patiner et elle se croit championne. Rien de tel pour se casser la margoulette.

J'avais beau être le bébé de la famille, il n'était pas dans ma nature de jouer le pot de colle ou le chaperon de service.

— Hé, les amoureux! Je vais vous laisser en paix et pratiquer mon patin de fantaisie plus loin. Vous êtes toujours dans mon chemin. Vous me dérangez!

Aveugles et seuls au monde, ils eurent tôt fait de m'oublier, tout empêtrés qu'ils étaient dans leur désir charnel et leurs grosses mitaines. Je filai sur le serpentin glacé en faisant semblant de disparaître. Je les épiais de loin, un peu en retrait du ruban à patiner. C'était plus fort que moi. C'était la première histoire d'amour que j'avais vue naître et grandir sous mes yeux et cela me captivait. La manière dont ils se regardaient et se souriaient n'avait rien à voir avec la manière dont ils regardaient et souriaient au reste de l'univers. Ils susurraient dans l'oreille l'un de l'autre alors qu'il n'y avait personne pour les entendre ; ils s'embrassaient à n'en plus finir. Je me disais que ça devait être drôlement bon pour qu'ils recommencent sans arrêt, sans se tanner ! Je revins vers eux par derrière, en longeant les arbustes qui bordaient l'étang. Ils ne m'entendirent pas. Je les surpris qui s'embrassaient la bouche ouverte, qui passaient leur langue dans la bouche de l'autre.

— Beurk ! Qu'est-ce que vous faites là, avec vos langues ? Vous vous prenez pour des chats ? C'est donc bien répugnant !

Ils étaient mal à l'aise mais Blanche retomba vite sur ses patins, depuis son septième ciel.

— Tu changeras bien d'idée un jour, quand tu seras grande et qu'un garçon te plaira.

— Jamais je ne ferai ça. Vous me donnez mal au cœur, dis-je avec une moue dégoûtée.

À peine s'étaient-ils connus que Blanche et Manu étaient déjà fiancés. Ils s'étaient trouvés et n'avaient pas de temps à perdre en longues et chastes fréquentations. Mon futur beau-frère était une sorte d'intellectuel très instruit qui était allé à l'école jusqu'en douzième année. Douze ans d'école, c'était plus que mon père et ma mère réunis. Je trouvais Blanche bien chanceuse d'être aimée de lui. Parce que Blanche, elle avait de jolis traits mais elle était grosse, avait des lunettes qui lui faisaient des yeux comme des trous de suce et les joues un peu grêlées.

Pour mes frères et sœurs, Blanche, c'était «la Grosse». Elle méritait un peu son surnom, mais elle méritait aussi d'avoir un amoureux, car elle était gentille, sérieuse et généreuse à sa manière. Elle avait commencé à travailler à treize ans dans les sacoches, pour aider financièrement. Moi, je ne l'appelais jamais «la Grosse». Des fois, Grosse-Blanche. C'est moins pire quand même. Vraiment, c'était beau de voir comme Manuel était fou d'elle. Il faut dire que Blanche, elle avait une très grosse poitrine.

— C'est pas l'amour qui aveugle ton Manuel, c'est tes gros lolos. On ne voit qu'eux! plaisantaient bêtement mes frères à tour de rôle.

— Vous allez cesser vos méchancetés et laisser votre sœur tranquille! les chicanait ma mère.

— Non mais m'man, avoue, on ne peut même pas la croiser dans le passage sans s'accrocher dans sa laiterie.

— Vous vous taisez ou je sors le manche à balai, grondait-elle.

Blanche continuait à sourire. Elle regardait ses frères de haut, comme s'ils étaient des attardés. Elle semblait inatteignable. Blanche était sans complexes, sûre d'elle-même : elle était fière de sa poitrine opulente, confortable avec ses quelques livres en trop, heureuse que ses lunettes lui permettent de voir les beaux yeux de son cavalier. Elle n'enviait personne, était heureuse d'être dans sa peau. Elle était Blanche et fière de l'être. Plus encore depuis que le beau Manuel la voyait dans sa soupe.

Moi aussi, j'aimais beaucoup Manuel. Je sentais que c'était réciproque. Peut-être son affection pour moi lui venait-elle du fait qu'il avait grandi et vécu entouré de garçons. Il roulait sur un splendide bicycle à gazoline sur lequel je me baladais, avec lui et Blanche, assise devant sur le réservoir à essence, cheveux au vent. Blanche avait toujours été maternelle. Elle devait se dire que si Manuel aimait ainsi sa filleule, cela promettait. Il aimerait la demi-douzaine d'enfants qu'ils feraient ensemble, il serait un bon père.

Manuel lisait des romans et parfois il allait au théâtre. Il était cultivé. Un jour, il avait appris à sa fiancée qu'il connaissait une autre Blanche Dubois et qu'il allait la lui présenter le moment venu. On n'en revenait pas ! Et on espérait bien la connaître, nous aussi, cette copieuse de nom ! Pour la préparer à cette rencontre, il lui avait offert, à son anniversaire, un livre intitulé *Un tramway nommé désir* qu'elle n'avait pas encore trouvé le temps de lire. Le jour de la rencontre était enfin arrivé et Blanche s'en allait, pour la première fois de sa vie, au théâtre avec Manuel.

— L'autre Blanche Dubois sera au théâtre, elle aussi, avait murmuré Manuel, énigmatique.

Les filles de la famille étaient folles d'inquiétude. S'il fallait que Manuel aime l'autre Blanche ? S'il fallait qu'elle soit pourvue, elle aussi, de seins aveuglants mais qu'elle n'ait ni boutons, ni lunettes ? S'il fallait que ma sœur et son amoureux se défiancent ? Claire et Aimée seraient bien découragées, elles qui rêvaient d'une chambre rose à trois plutôt qu'à quatre. Je me faisais du souci pour ma marraine, j'imaginais Blanche seule, vieille, immense, aveugle, de plus en plus boutonneuse, mangeant du chocolat Laura Secord dans la chambre rose jusqu'à la fin de ses jours. Mon père, qui trouvait cette histoire burlesque, et les Pierre-Jean-Jacques, qui avaient d'autres chattes à fouetter, se désintéressaient de la question. Dès son retour du théâtre, ma mère, les jumelles et moi nous sommes jetées sur elle :

— Alors ? Tu l'as vue ?

— Elle te ressemble ?

— Vas-tu enfin nous dire comment était l'autre Blanche Dubois ?

Après nous avoir laissées nous morfondre, notre Blanche, un peu cérémonieuse, finit par daigner nous parler :

— Eh bien oui, je l'ai vue, de mes yeux vue…

— Et puis ?

— Elle est magnifique. Très sexy…

— Pas comme toi ! coupa Claire-Obscure.

— Ta gueule ! Laisse-la donc parler, que je la rabrouai.

— Eh bien, imaginez donc que Blanche Dubois numéro deux est le personnage féminin principal de la pièce de théâtre que nous venons de voir. À part notre nom et la cigarette, dit-elle en aspirant une longue bouffée de sa cigarette Matinée, nous n'avons rien en commun. C'est une institutrice un peu bizarre, partie rendre visite à sa sœur dans une autre ville, et qui a eu bien des problèmes avec le mari de celle-ci.

Bien dis donc ! Tout ce mystère pour si peu, que je pensai en moi-même.

— Tu es bien chanceuse d'être allée au théâtre. Tu as aimé ça ? demanda Aimée.

— J'ai adoré. C'était merveilleux ! dit-elle, évasive, en faisant des ronds avec la fumée de sa cigarette.

Pour ma part, je n'ai rien compris à ce titre, *Un tramway nommé désir*. J'ai soupçonné Manuel d'aimer cette pièce parce qu'on y parle de tramways et que lui était dans les trains. La parenté, quoi. Grosse-Blanche, après avoir vu une vraie pièce avec des vrais acteurs, sembla transfigurée. On aurait dit qu'elle avait découvert un monde qu'elle ne pouvait partager avec nous et donnait l'impression de péter de la broue. Elle n'avait rien de snob pourtant, notre Blanche. À partir de son baptême théâtral, elle se glorifia de s'appeler Blanche alors qu'avant, elle pestait contre son prénom jugé poussiéreux.

J'avais très hâte que ma marraine se marie, l'été suivant. Ce serait mon premier mariage. J'avais hâte aussi de prendre sa place dans le grand lit de la chambre rose. J'aurais fini de coucher dans les chaises. À neuf ans, il était temps! Mais rien n'était parfait puisque j'allais devoir partager ce lit avec Claire-Obscure qui, tous les soirs, se tartinait le visage de crème Noxzema dont l'odeur m'écœurait.

— M'man, c'est Aimée et moi qui devrions dormir dans le grand lit quand Blanche sera partie! Et Claire qui devrait coucher dans le lit pliant derrière la porte.

— Tu sais bien qu'Aimée a un sommeil agité et qu'elle parle en dormant… Elle t'empêcherait de dormir. Il est préférable pour vous trois qu'Aimée dorme seule dans son lit.

— Aimée, m'empêcher de dormir? Voyons donc! C'est pas quelques rêves à voix haute qui me troubleraient! La seule trouble-fête et trouble-rêve, c'est Claire!

Mon plaidoyer ne tint pas la route. Et à l'avance, je pressentais que la chambre rose serait bien grande avec le départ de Grosse-Blanche…

Pêches miraculeuses

Mon père avait trois passions auxquelles il vouait un culte jamais démenti : les émissions de télévision américaines, les cartes et la pêche. Dénominateur commun principal entre ses objets de dévotion : le silence. Il ne fallait pas parler quand on regardait la tévé ; il ne fallait pas parler quand on jouait aux cartes, sauf minimalement, pour gager et relancer – un geste de la main indiquait qu'on suivait ou se couchait ; il ne fallait pas parler à la pêche. La solitude était la seconde caractéristique de ses hobbies privilégiés. Même aux cartes, Robert le diable était un loup solitaire. Il faisait cavalier seul.

Mon père n'avait pas d'ennemis. On ne lui connaissait pas d'amis non plus. Sauf Freddy, le fou de la rue qui, à quarante ans, jouait dans un carré de sable et adorait faire des bulles avec du savon. Quand il apercevait mon père fumant une Player's sur la galerie, Freddy s'amenait en courant, tout content, à bout de souffle. Son entrée en matière ne variait jamais :

— *Hi ! Mister Doubouas, you have a smoke for me*[9] *?*

Mon père lui donnait une *smoke* et ils fumaient ensemble dans une sorte de communion. Pendant des heures, Freddy parlait, parlait, parlait en anglais et en français, et *Mister Doubouas* écoutait inlassablement.

Personne ne comprenait cette camaraderie car mon père, tout le monde le savait, était absent du berceau lorsque les fées Patience et Philanthropie étaient passées par là. C'est grâce à Freddy que j'ai compris que mon père s'intéressait

---

9. Bonjour ! Monsieur Dubois, auriez-vous une cigarette pour moi ?

presque exclusivement aux gens qui n'intéressaient personne. Les deux larrons avaient un point en commun : soit ils portaient des salopettes à bretelles, soit ils portaient des bretelles pour tenir leur pantalon. On ne sut jamais si les bretelles n'avaient pas été l'objet de leur reconnaissance mutuelle, le liant premier de leurs cordiales relations. Cela dit, leur camaraderie se limitait au soliloque du fou sur notre balcon.

— *Mister Doubouas, let's play horseshoes together, ok?*

— *No.*

— *Mister Doubouas, I'd like so much to go fishing with you.*

— *No, no, Freddy, it's impossible.*

— *Mister Doubouas, could you help me build a soap box?*

— *No, no, no, Freddy*[10].

De toute évidence, mon père aimait Freddy bien scotché au sol, avec rien dans les mains.

Mon père allait à la pêche, des fois avec son frère Stan, d'autres fois avec son fils Jacques. Parfois, plus tard, il irait aussi avec Manuel et Roger, ses gendres. Pierre n'aimait pas la pêche et Jean-Jean avait trop la bougeotte pour tenir en place dans une chaloupe. Il faut dire qu'en vieillissant, Jean-Jean et Robert le diable avaient de moins en moins d'atomes crochus. Quant aux trois grâces, mes sœurs, elles n'ont jamais eu le moindre intérêt pour la chose. Lorsqu'il partait pêcher avec un larron-pêcheur, le départ se faisait en fin

---

10. Monsieur Dubois, et si on jouait une partie de fers ? Non.
Monsieur Dubois, j'aimerais tellement aller à la pêche avec vous. Non, non, Freddy, c'est impossible.
Monsieur Dubois, pourriez-vous m'aider à construire une boîte à savon ? Non, non, non, Freddy.

d'après-midi pour jeter la ligne à l'eau avant le coucher du soleil. Les aventuriers somnolaient un peu durant la nuit et taquinaient à nouveau le poisson à l'aube. Mon père affirmait que le lever et le coucher du soleil étaient les moments les plus propices à la morsure du poisson.

Le plus clair du temps, il ferrait le poisson en solitaire. Jusqu'à ce que, autour de dix ans, je propose de l'accompagner. La tête qu'il avait faite la première fois que je lui fis cette offre! Un mélange d'étonnement et de ravissement. Je lui aurais annoncé que j'étais entrée chez les prêtres et que j'avais aussitôt défroqué qu'il n'aurait pas été plus surpris, ni plus content. En aucun cas il n'aurait imaginé qu'une de ses filles s'intéresserait à la pêche. Encore moins qu'elle puisse souhaiter passer douze heures avec lui, immobile et muette dans une chaloupe.

— T'es certaine que tu sais dans quoi tu t'embarques? me demanda-t-il la première fois que je l'accompagnai.

— Oui, oui. Tu sais, la fois que nous sommes allés te conduire à Chambly avec Jacques? Lorsque tu es parti sur l'eau à la barre du jour, j'ai regretté de ne pas y être allée avec toi.

À partir de ce moment, je fis d'innombrables voyages de pêche avec mon père. D'une expédition à l'autre, soit c'est moi qui demandais si je pouvais être de la partie, soit c'est lui qui proposait. Chaque fois, j'étais tout à la joie de voir la sienne, de joie, qui sublimait son visage de gros bêta. Il était content, cela se voyait. Chaque fois, il faisait l'étonné que je puisse avoir envie d'une journée de cloître aquatique en sa compagnie. Il m'est arrivé de me demander si c'était l'activité de pêche qui me réjouissait tant, ou si ce n'était pas plutôt l'enchantement que je lisais sur sa bouille taciturne.

À part jouer aux cartes et regarder la télé, aller à la pêche est probablement la seule chose que j'aie jamais faite seule avec mon père. De ces trois activités, c'était la plus importante, la plus cérémonieuse. Le rituel accompagnant cette aventure me grisait!

D'abord, il fallait se lever avec l'aurore pour être dans la chaloupe sur la Richelieu, à Chambly, à cinq heures trente du matin. La veille, mon père avait téléphoné à monsieur Léveillée pour réserver une barque, la plus large possible, ainsi qu'une canne de gros vers de terre lorsque nous n'avions pas le temps de tourner la terre dans le jardin pour en ramasser. Ensuite, il appelait Nick, notre ami chauffeur de taxi, pour qu'il vienne nous cueillir à cinq heures pile. Il préparait nos trois repas: le déjeuner vers sept heures, le dîner à midi et le souper avant notre dernière pêche, vers cinq heures et demie. Des sandwichs, des boissons gazeuses, des fruits, des gâteaux, un thermos de café, un autre de thé. Parfois, des chips et du chocolat. Jamais de bière, dont il était pourtant friand. Même lorsqu'il partait à la pêche avec des hommes, bière et alcool étaient strictement interdits. Il avait des principes, mon père: l'alcool et la pêche ne faisaient pas bon ménage. Surtout en chaloupe, sans gilet de sauvetage, avec un pêcheur qui ne sait pas nager.

Toujours la veille, il rassemblait l'attirail: deux cannes à pêche pour lui, une pour moi, les moulinets, des leurres, coussins, couteaux, chapeaux de paille et tout le tralala. Il me rappelait comment tout cela fonctionnait, pour ne pas avoir à me l'expliquer sur place puisque les poissons avaient horreur des explications et fuyaient lorsqu'ils en entendaient.

— Tu sauras appâter? Enfiler le ver sur l'hameçon?

— Évidemment, tu me prends pour qui?

— Et décrocher toi-même tes prises de l'hameçon sans te plaindre? Sans m'achaler?

— C't'affaire!

— Tu penses à tes choses personnelles : ton imperméable au cas où, un gilet chaud, il peut y avoir de la fraîche sur l'eau même si la météo annonce beau. Costume de bain, lecture, cartes pour faire ton jeu de patience, souriait-il à moitié. Si tu es tannée, je ne veux pas t'entendre pleurnicher pour rentrer, tu sais ça?

— Tu chialeras pour rentrer avant moi! que je lui répondais invariablement. Comme d'habitude, une prise n'attendra pas l'autre dans mon panier et tu crèveras de jalousie…

J'adorais ces petits matins. Il venait me réveiller à quatre heures trente dans le grand lit de la chambre rose où Claire-Obscure dormait à poings fermés.

— Tu es toujours partante? C'est l'heure, chuchotait-il.

Je ne crois pas avoir jamais changé d'avis au dernier moment. Sauf la fois où je m'étais réveillée la peau couverte de fleurs rouges. Ma mère avait diagnostiqué une roséole et m'avait forcée à rester au lit pour quelques jours.

Tout notre bagage et équipement était prêt, bien cordé près de la porte. Ma mère, comme toujours, s'était levée avant nous pour préparer un premier déjeuner et assister à notre départ. Sur six épaisses tranches d'une fesse de pain de ménage bien blanc, elle avait étalé une bonne couche de beurre d'arachide : quatre tranches pour son mari, deux tranches pour moi. Nous rajoutions du beurre par-dessus, beaucoup de beurre, repliions nos tranches en rouleau et les trempions dans un grand bol de thé au lait bien sucré. Nous avalions ce délicieux mastic, côte à côte, à moitié endormis.

Ce fut, pendant toutes les années de mon enfance, mon repas matinal préféré.

— Bonne pêche! Soyez prudents! chuchotait ma mère du bout des lèvres en nous envoyant la main depuis la galerie, alors que nous montions à cinq heures tapantes dans le taxi de Nick.

Elle ne voulait pas réveiller toute la maisonnée.

Mon père s'asseyait devant. Je m'écrasais derrière. Parfois, je me demandais, pour l'amour du ciel, ce que je faisais là avec mon vieux père, pourquoi je n'étais pas dans la chaleur douillette de mon lit et de quelle journée je me privais avec mes amies! Je fermais les yeux en me disant que j'étais une parfaite idiote et me rendormais aussitôt, pour me réveiller, éblouie par le scintillement de la rivière Richelieu, parfois sous un reflet de lune. Ce tableau mystérieux, au carrefour de la nuit et du jour, me transportait.

La grosse barque grise nous attendait. On savait que c'était la nôtre grâce au carton sur lequel il était écrit «Réservé/ Monsieur Dubois». Quand mon père voyait l'étiquette avec son nom dessus, il esquissait un sourire de félicité. Tout le monde pouvait lire qu'il était, pour la journée, propriétaire de ce navire. Tout y était: contenant de vers, seau de ménés, larges rames, ancre. Nous réglerions avec monsieur Léveillée à notre retour. Ça sentait bon l'eau poissonneuse et la rosée du petit matin.

Nous embarquions sans perdre de temps pour voguer vers les zones que mon père estimait fécondes, selon la température ambiante et d'autres facteurs météorologiques. Pas de moteur, que des rames. De grosses palettes, larges comme des queues de castor.

— Je veux ramer.

— Pas question. Il faut faire vite, tu rameras au retour, tranchait-il.

— C'est ça, tu veux me faire pagayer quand nous pèserons une tonne avec tous les poissons que j'aurai pris.

Il aimait mon optimisme et se moquait de moi :

— Au contraire, nous serons délestés de tout ce que tu auras bu et mangé !

Les journées de pêche se déclinaient toujours pareil. D'abord, nous établissions nos territoires respectifs dans la barque. Puis, nous faisions un classement ordonné et minutieux de nos agrès, chaudières et équipement. Ensuite, nous nous vissions l'un et l'autre à notre emplacement pour filer vers le lieu de prédilection pressenti par le maître-pêcheur, lequel pouvait se trouver à une distance allant jusqu'à un mille et demi. Là, mise à l'eau de nos trois cannes et premier repas. Il y avait à peine trois heures que nous avions engouffré nos tartines au beurre d'arachide que notre estomac sportif en redemandait ! Ensuite, pêche en silence pendant quelques heures et, avant le repas de midi, je me jetais à l'eau et pataugeais autour de la chaloupe. Il n'y avait pas d'échelle et remonter à bord était une manœuvre périlleuse. Lorsque cela était possible, mon père s'arrangeait pour jeter l'ancre près d'un caillou plat sur lequel je pouvais me hisser pour enjamber le côté de la chaloupe.

Combien de fois j'ai failli faire chavirer l'embarcation ! Je nageais, mais pas très bien, et mon père, pas du tout. Nous ne portions pas de gilet de sécurité, et rien à bord ne ressemblait à un quelconque instrument de secours. Nous ne pensions pas à cela. Les locateurs d'embarcations non plus, semble-t-il. Lorsqu'on entendait des histoires de pêcheurs noyés, on ne se sentait même pas concernés. Notre témérité n'avait d'égale que l'épaisseur de notre pensée magique.

Après le repas du midi, le soleil nous brûlait et ça ne mordait pas. Soit nous nous approchions d'un rivage pour trouver un peu d'ombre et nous reposer, soit nous en étions trop éloignés et restions sous le feu de Galarneau, mon père bien protégé par son grand chapeau de paille et ses habits, moi en maillot de bain à me faire griller la couenne. Je prenais de grands coups de soleil et j'adorais ça. Au milieu de l'été, ma peau était caramélisée et j'avais des allures de fille qui aurait passé ses vacances dans des lieux de villégiature exotiques.

Pendant ces quelques heures, nos lignes flottaient paresseusement au cas où un poisson égaré serait passé par là, mais nous nous occupions autrement: mon père réparait quelque filet ou moulinet, et moi, je lisais. À l'occasion, nous faisions une partie de cartes, bataille ou paquet voleur. Et on s'y remettait vers quatre heures jusqu'au moment du retour. Cette dernière étape constituait notre sprint final. Si nous étions bredouilles jusque-là, il fallait que ça morde! Nous nous appliquions et si la fringale nous prenait, nous mangions en pêchant. Nous faisions des incantations, un gros ver ou un méné dans une main, un sandwich dans l'autre. À huit heures et demie, avant la noirceur, nous devions avoir tout rangé et être sur le quai où Nick-Taxi nous attendait. Dieu sait pourquoi, c'est presque toujours durant notre sprint de fin de journée que nous faisions nos plus belles captures.

Je me souviens d'un maskinongé, long comme la moitié de la chaloupe, qui s'était pris à ma ligne mais que j'avais été incapable de sortir de l'eau. Il avait mordu, non pas à mon leurre, mais au petit poisson qui, lui, s'était embroché à l'énorme hameçon que j'avais mis au bout de mon fil pour rire, en espérant, avais-je dit à mon père, aguicher une baleine. Nous avions besogné durant une grosse heure pour arriver à le hisser dans l'embarcation. Nous l'échappions puis le rattrapions avec le grand filet, tentions de le glisser en tirant sur le manche, manquions de tomber à l'eau.

— Ça y est! Il a la tête dans la puise. Ne te décourage pas. On va en venir à bout. Je vais essayer de l'assommer.

— Dix-quatre, capitaine! Je vais rester agrippée solidement au manche de la puise. Dis-moi quelle manœuvre je dois faire.

— Lâche pas. Tu fais exactement ce qu'il faut. On va l'avoir. Il faut qu'on y arrive.

— J'en peux plus… ahanai-je.

Je revois mon père assommer le monstre d'un solide coup d'ancre à la tête, en même temps qu'il gardait le pied sur le manche de la grosse puise. Pendant ce temps, j'étais étendue de tout mon poids sur ce même manche pour empêcher le grand brochet qui battait de la queue de basculer à l'eau et nous avec lui. Mon père réussit finalement à hisser le mastodonte à bord. Quand il fut enfin allongé au fond de la barque, d'un bout à l'autre entre mon père et moi, nous étions en nage et couverts d'un mélange de sang de poisson et de notre propre sang de prédateurs. Épuisés, fatigués, nous riions comme des fous. Tellement que j'ai pu apercevoir, cette fois-là, les quelques dents de mon père.

Robert le diable n'a jamais été aussi fier de moi! On avait bien failli y rester et je crois toujours, lorsque j'y pense, qu'un miracle a permis que nous ne versions pas. Mon père a raconté cette aventure des centaines de fois. Il a montré, jusqu'à la fin de sa vie, une vingtaine d'années après cette épopée, la photographie que monsieur Léveillée avait prise de la bête une fois sur la terre ferme. Il était fier de moi – sans raison d'ailleurs, puisque je n'y étais pour rien –, répétait qu'il n'aurait jamais cru avoir une fille de onze ans aussi forte.

— Jamais je n'aurais pu sortir ce monstre de l'eau tout seul. Sans Gwen, c'est clair que je n'y arrivais pas! Une vraie pro!, répétait-il en exhibant inlassablement la photographie nous montrant, tenant le maskinongé à bras le corps.

Et moi d'ironiser:

— Tu sais, je n'y serais probablement pas arrivée sans toi non plus!

Je badinais, mais cela me gonflait de fierté que nous ayons fait équipe, mon père et moi, lors de cette époustouflante et véridique histoire de pêche.

Généralement, nous rentrions avec une récolte de perchaudes, brochets, crapets-soleils, barbottes, anguilles et, les jours fastes, dorés. Tout le peloton était soit préparé, écaillé et évidé par ma mère, aidée d'un frère ou d'une sœur, dès notre arrivée, soit conservé dans l'eau froide jusqu'au lendemain matin. Dans ce dernier cas, les parents faisaient le travail ensemble. C'était tout un labeur! Il y avait parfois cinquante à soixante-quinze perchaudes à évider. C'était elle, la perchaude, qui avec le doré était notre chair blanche préférée, et ma mère les effilait admirablement, mieux qu'une poissonnière. Par chance, nous étions neuf à aimer le poisson. Nous en mangions tellement, tout l'été durant, que je me demandais s'il n'allait pas finir par nous pousser des nageoires! Mon père pavanait, heureux de nourrir sa famille, de compenser pour ses longues périodes de chômage.

Il arriva souvent, plus tard, que mes frères et sœurs s'étonnent des choses que je savais au sujet de notre père et qu'eux ignoraient. Je me souviens par exemple d'avoir raconté à Jean-Jean et Aimée que notre père avait été violenté par les religieux lors de son séjour chez les frères de Saint-Gabriel.

— Tu es le bébé de la famille, comment peux-tu savoir cela et pas nous? Pourquoi t'aurait-il raconté cela à toi et pas à nous?

— Ouin, où donc es-tu allée pêcher toutes ces choses et ces renseignements? ajoutait Jean-Jean.

Dans la question de Jean-Jean, il y avait la réponse. J'étais allée «pêcher» mon savoir sur mon père dans une barque tôt le matin. Silencieusement, dans son vieux gilet rabougri, mon père m'avait révélé au fil de l'eau plus qu'il n'aura jamais livré en paroles. Il y a des mots et des paroles vides qui ne disent rien. Il y a des eaux qui consolent et des silences qui parlent.

Madame Grodeau

Entre l'âge de neuf et onze ans, nous avons formé, Vévette, Bibi et moi, un trio amical tricoté serré. Nous fréquentions la nouvelle école Saint-Joseph, réservée aux filles, dont la construction avait été terminée l'année précédente, juste avant la rentrée des classes. C'était un bel édifice en L, que nous trouvions majestueux en comparaison de la petite école Saint-Thomas, désormais réservée aux garçons.

Était-ce le fait des hormones qui s'activaient en nous sans que cela se voie encore sur nos corps ou l'effet de cette séparation sexuelle ? Les garçons occupaient toutes nos pensées, toutes nos conversations, et les histoires d'amour inventées nous excitaient.

Notre nouvelle école prenait place au coin de la rue Domville et de la 3e Avenue, juste devant la petite église Saint-Thomas-de-Villeveuve, du nom de notre paroisse. Le midi, l'hiver, je mangeais à l'école. Ma mère payait un dollar par semaine pour que la soupe des sœurs mette un peu de chaleur dans ma journée et pour que je boive un lait au chocolat à la collation du matin. Deux autres filles et moi étions responsables d'installer les tables et les chaises pour transformer la grande salle en cantine. Elles étaient empilées le long du mur. Quand nous les sortions ou les rangions en les emboîtant les unes sur les autres, cela faisait un fracas qui tranchait avec la tranquillité des lieux. Je crois bien que, sans nous concerter, nous le faisions un peu exprès de faire du tapage pour tromper le silence monastique dans lequel fondaient nos journées. Les seuls moments où nous pouvions parler, rire et nous démener étaient les récréations du matin et de l'après-midi, ainsi que celle plus longue du midi.

Dans le réfectoire où nous avalions nos sandwichs au Paris Pâté m'incombait aussi l'importante tâche de distribuer les soupes de Saint-Joseph aux élèves qui les avaient payées. Des soupes à l'eau, qui ne goûtaient rien, qui n'avaient rien à voir avec celles, épaisses et viandeuses, pleines de petits yeux gras, de ma mère. Au moins, le bouillon tiède aidait à avaler le pain de mie lourd, qui se transformait en mastic aussitôt mouillé de salive. Ma fonction de soupière me permettait, lorsque j'allais chercher et rapporter les grands plateaux, de reluquer du côté des appartements des religieuses, juste après le parloir et la petite chapelle, à gauche de l'entrée principale.

J'adorais l'odeur de la maison des sœurs. En passant le seuil, je fermais les yeux et prenais de grandes inspirations. Plus fort encore que dans le reste de l'école, ça sentait le catholicisme et la sainteté, un mélange de fumet de cire d'abeille, de bouillon de poulet maigre et de cierges consumés. La vie religieuse me troublait, m'attirait. J'enviais ce silence occulte, ce calme, ce bourdonnement constant d'abeilles en prière, ces pas feutrés, le cliquetis des chapelets, ces longues robes noires qui virevoltaient lorsque les sœurs se pressaient. Indiscrète, j'essayais toujours de glisser mon regard à l'intérieur des chambrettes minuscules, de m'en approcher.

— Que scènez-vous là, Gwendoline Dubois? m'avait un jour apostrophée la sœur cuisinière.

— Heu… Excusez-moi, ma sœur. Je voulais juste voir un peu à quoi ressemble une chambre de sœur.

— C'est un vrai péché d'être aussi curieuse. Vous êtes contente maintenant que vous avez vu? Je passe l'éponge sur votre indiscrétion pour cette fois-ci. Si je vous y reprends, je le signalerai à la supérieure et vous perdrez votre fonction de soupière!

C'est sur cette toile de fond à l'eau bénite que s'est scellée notre amitié, à Vévette, Bibi et moi, un après-midi de printemps, alors que nous étions en troisième année avec madame Grodeau, une excellente et flamboyante enseignante.

Toujours élégante, bien habillée, bien coiffée, elle faisait la classe avec classe. Je la trouvais immensément belle avec ses cheveux auburn coupés court, ses taches de rousseur, son rouge à lèvres très rouge, ses robes taillées sur mesure et bien ajustées. Grande, fière, elle marchait droit, la tête haute. Elle avait un sacré panache, madame Grodeau. De plus, elle me témoignait de l'attention, me disait des choses que j'aimais entendre, des choses qui faisaient grimper le thermomètre de mon estime personnelle : «Tu es pleine de talents et de ressources. Tu iras loin si tu le veux.»

C'était rafraîchissant d'avoir une femme laïque comme institutrice plutôt qu'une capine (ainsi désignions-nous les religieuses). Moins branchée sur la sainte Église, elle ne s'en remettait pas toujours à la Bible, à l'histoire sainte, au catéchisme, aux dix commandements de Dieu ou de l'Église pour expliquer le monde. Elle nous parlait lecture, théâtre, histoire et géographie et aussi de ses enfants, Michel et Louise, qui avaient à peu près notre âge. Elle avait un mari. Tout petit. Aussi petit qu'elle était grandiose, en largeur et en hauteur. Il m'arrivait de les voir ensemble à la messe du dimanche. Je les trouvais beaux et je trouvais qu'ils avaient l'air amoureux, ce qui n'était pas si fréquent.

Madame Grodeau habitait une jolie maison blanche toute neuve juste en face de l'école. Elle n'avait qu'à traverser la rue pour aller travailler, mangeait chez elle le midi, était rentrée à la maison à quatre heures moins quart. Chez elle, il y avait plein de fleurs l'été, des arbres, une clôture blanche, un grand chien blanc, Blanchon. Dans l'allée, une belle voiture rouge. Près du garage, tout blanc lui aussi, de jolis vélos, un rouge et un bleu. La vie de madame Grodeau me semblait une vie de rêve. Quand je regardais chez elle, j'imaginais la vie de sa famille comme un téléroman que j'aurais intitulé *La famille idéale*. Je voulais être comme elle. J'admirais son savoir, son indépendance, son intelligence. J'aimais même sa voix, percutante et puissante. Cette femme était mon modèle.

Un jour que je rentrais de l'école avec les sœurs Langlois, Ginette et Nicole, nous parlions de madame Grodeau que celles-ci n'affectionnaient pas du tout. Elles la traitaient de grosse vache, de chipie, de fraîche, et racontaient qu'elle menait son petit mari par le bout du nez, qu'elle le battait même. Elles allèrent jusqu'à dire que madame Grodeau haïssait toutes les élèves et détestait nous enseigner parce que nous n'étions pas à son goût, pas à sa hauteur. Je n'étais pas trop d'accord, mais je ne pouvais quand même pas leur dire que moi, j'aimais bien notre enseignante. De quoi j'aurais eu l'air, d'une licheuse? Il me fallait bien être un peu solidaire de ces deux terreurs de la classe.

— Moi, ce qui m'énerve un peu, c'est qu'elle cite toujours ses enfants comme s'ils étaient la perfection incarnée. Michel par-ci, Louise par-là. Il est donc intelligent! Elle est donc bonne au piano, dis-je en imitant les gestes et la voix de madame Grodeau. Dans ses exemples au tableau, en arithmétique ou en français, les enfants s'appellent toujours Louise et Michel: «À la ferme, Michel a compté 6 douzaines d'œufs. Il a cassé 5 œufs en les échappant et en a donné une douzaine et demie à Louise. Combien lui en reste-t-il pour faire son omelette?» poursuivis-je, moqueuse.

— Ha! ha! ha! Le gros plein de marde de Michel, ça lui ferait une omelette à sa mesure! À part Ti-père, ils doivent manger comme des porcs, dans cette famille, pour être tous aussi gros! ajouta Ginette en riant aux éclats.

Encouragée par l'effet hilarant que je produisais, je continuai, baguettes en l'air, ma parodie de madame Grodeau écrivant au tableau de sa grosse main potelée :

« Ce mois-ci, Louise a eu 90 % dans son bulletin et est arrivée première de sa classe. Elle est très fière, pour une fois, d'avoir obtenu une meilleure note que son frère Michel, qui est un éternel premier de classe. »

— Pouahaha ! pouffa Nicole. La sainte-nitouche de Louise-à-sa-grosse-torche-de-mère est encore plus péteuse de broue que sa mouman ! Et Michel le nono a dû pisser au lit de rage de se faire devancer par sa nounoune de sœur.

Je voulais faire rire avec mes imitations ; c'était réussi. Et je n'avais rien inventé, ni proféré de médisances ou de calomnies. C'était vrai que dans les histoires, métaphores et exemples cités par notre institutrice, les bons et les gentilles s'appelaient toujours Michel et Louise. Et puis après ? Elle avait bien le droit d'illustrer ses dictées avec les prénoms de ses enfants. Moi, si j'avais été l'enfant d'une institutrice qui se serait servie de moi comme modèle, j'en aurais été très fière.

Je rentrai à la maison et oubliai nos folichonneries. Je fis minutieusement mes devoirs et étudiai mes leçons, comme d'habitude, et passai une soirée paisible à regarder un film de cow-boys à la télé, en anglais, avec Jean-Jean et notre père. Puis, je dormis du sommeil de la juste dans mes chaises-lit que j'affectionnais particulièrement depuis que je savais que notre histoire tirait à sa fin.

Le lendemain, un vendredi, je n'allai pas à l'école. Mémère Berthe, ma fausse grand-mère maternelle, était morte, et je devais aller lui faire mes adieux au salon funéraire. C'était la première fois que j'allais voir une morte, pas question de manquer ça! Son décès ne me faisait pas un pli. J'étais même plutôt excitée à l'idée de visiter un endroit nouveau et, surtout, d'y rencontrer des cousins et cousines.

Je n'avais pas de robe foncée et l'époque voulait que même les enfants portent le deuil aux cérémonies funèbres. Comme je refusais de porter ma tunique d'école, telle une pauvresse qui n'a rien à se mettre sur le dos, ma mère avait teint en bleu marine ma robe de première communiante. Elle sortit du bain de teinture d'un beau bleu royal. Je la trouvai magnifique même si j'avais tant grandi en deux ans qu'elle m'allait désormais à peine plus bas que les fesses. Le décès de mémère Berthe-la-marâtre me valait le rare privilège d'un vendredi de congé à faire du cousinage. Je ne manquai pas de l'en remercier, en priant devant son cercueil.

Le lundi suivant, il faisait un grand soleil. C'était le mois de mai. J'étais aux anges de pédaler vers l'école avec mon vélo bleu tout neuf, espéré et convoité depuis tant d'années et que je venais de recevoir, le mois précédent, pour mes neuf ans. En passant la porte de la classe, j'eus le sentiment que madame Grodeau me regardait de travers, sourcils froncés et lippe grimaçante. Lorsque je la saluai avec un large sourire, toute à ma joie de la retrouver, elle ne me rendit pas mon sourire. Je crus qu'elle ne me trouvait pas assez triste d'avoir perdu ma grand-mère et je m'efforçai d'avoir l'air affligé en me fabriquant une moue de circonstance et des yeux tombants. Après tout, madame Grodeau ne pouvait pas deviner que mon aïeule avait été un loup déguisé en mère-grand.

Il y avait un bouquet de lilas sur son bureau qui embaumait toute la classe. Je m'assis à ma place. Il y avait de l'électricité dans l'air. Quelque chose me concernant s'était produit depuis ma dernière présence en classe le jeudi précédent, j'en étais certaine. Mais quoi? Une fois toutes les élèves assises à leur place, silencieuses, madame Grodeau se leva et annonça lentement, presque solennellement, que nous allions faire une courte dictée. Décidément, le mystère s'épaississait : nous ne faisions jamais de dictée le lundi matin en rentrant. Elle commença sa lecture :

— « Calomnies et méchanceté. Les parents de Louise et Michel sont tristes *virgule*, très tristes *point*. Ils sont aussi en colère *point*. Leur maman *virgule*, surtout *virgule*, est très en colère *point*. Pourquoi *point d'interrogation*? Parce qu'une fillette a dit des méchancetés à leur sujet *point*. Le plus triste, c'est qu'ils aimaient beaucoup cette fillette *virgule*, et jamais ils n'auraient cru qu'elle puisse raconter des choses aussi affreuses et mensongères sur eux *point*. Elle a colporté que madame Grodeau était méchante *virgule*, qu'elle battait son mari et haïssait ses élèves *point*. Elle a aussi dit des choses très blessantes sur ses enfants Louise et Michel *virgule*, des choses qui font mal *virgule*, et qu'il ne vaut pas la peine de répéter tant elles sont laides *point final*. »

J'écoutai, complètement décontenancée, affolée. Je cherchai du regard les sœurs Langlois. Ces méchancetés leur appartenaient à elles, pas à moi. Jamais je n'aurais soupçonné qu'elles puissent crever de cruauté et de jalousie au point de m'attribuer leurs propres saletés calomniatrices. Ce coup bas ne pouvait venir de personne d'autre. La noire et la blonde avaient la tête enfoncée dans leur cahier et évitaient les couteaux effilés de mes yeux.

— Gwendoline, relis la dictée lentement avec les marques de ponctuation pour les camarades, ordonna froidement madame Grodeau.

Toute nouée de peur, je lis en bafouillant, moi qui lisais habituellement très bien. Après le point final, je voulus expliquer avant qu'on ne m'accuse, dire que ça n'était pas moi, que j'étais victime d'un complot. Madame Grodeau me fit taire. Je n'en revenais pas, mais je n'étais pas au bout de ma peine et de ma surprise. La voix rageuse, madame Grodeau m'enjoignit de venir en avant. Je m'exécutai, mon cahier de dictées en main, espérant encore, malgré mon appréhension, que j'allais écrire le texte au tableau et, comme à l'habitude, corriger les fautes des élèves. Madame Grodeau me somma :

— Laisse ton cahier à ta place. Tu n'en auras pas besoin.

Ça tourbillonnait dans ma tête et dans mon cœur. Mes jambes flageolaient. J'avançai devant la classe comme une condamnée monte à l'échafaud sans avoir eu de procès.

Elle vint vers moi, me fit face, elle dos à la porte d'entrée de la classe, moi dos aux fenêtres, toutes deux offrant notre profil au groupe d'élèves. Il ne manquait que des câbles et on se serait crues dans un ring de boxe. J'avais le visage à la hauteur de son opulente poitrine et devais pencher la tête vers l'arrière pour la regarder dans les yeux. Son parfum que j'aimais tant, mêlé à l'odeur des lilas, commençait à me donner le tournis lorsqu'elle hurla :

— Qu'es-tu allée raconter partout à mon sujet ? Au sujet de ma famille et de mes enfants ?

— Mais rien. Rien du tout, répondis-je du bout des lèvres. J'ai juste… Heu…

Je tournai la tête vers la classe et cherchai la sale gueule des renégates Langlois. Les traîtresses menteuses léchaient le plancher des yeux.

— Je vais vous expliquer. J'ai juste plaisanté avec Nicole et…

Madame Grodeau ne me laissa pas poursuivre et, de ses deux mains, ramena durement mon visage face au sien. Cela me fit si mal dans le cou que je crus qu'elle venait de me le casser. Elle répéta, en postillonnant et en hachurant chaque syllabe :

— Tu vas répéter ici, devant moi, ce que tu penses de moi, ton institutrice, de mes enfants, de ma famille et de mon mari !

Je tentai encore de clarifier cette grossière méprise, d'expliquer que mon seul tort avait été de ne pas démentir, de ne pas condamner les dires des sœurs Langlois. Je voulus reconnaître que j'avais péché par omission, confesser que je le regrettais terriblement… Mais je n'en eus pas le temps. Tout se passa à la vitesse de l'éclair. Madame Grodeau, du haut et de la largeur de ses six pieds, deux cents livres, m'asséna une telle gifle sur la joue gauche que je revolai bruyamment sur le pupitre de Lucie Grenon avant de perdre l'équilibre et de tomber par terre de tout mon long. Mon corps se replia instinctivement en fœtus comme s'il voulait parer d'autres coups. J'étais assommée, paralysée, à moitié consciente mais suffisamment pour être déshonorée d'être couchée sur le plancher, à la vue des vingt-neuf filles qui, pour la plupart, me respectaient et m'aimaient bien. Un silence de morte régnait dans la classe.

Ce qui s'est passé ensuite n'est pas très clair dans mes souvenirs. En m'ignorant, madame Grodeau s'est dirigée vers le tableau et a entrepris de corriger la dictée. Je ne sais pas combien de temps je suis restée affalée là, par terre, avant de retourner à ma place la tête entre les jambes, courbée, comme une ombre. Je voulais disparaître, être invisible, être morte. Je m'efforçais de ne pas pleurer malgré une forte douleur à l'intérieur du crâne et une autre, bien plus grande encore, dans ce qui doit être le cœur. À défaut de pouvoir soulever mon couvercle de pupitre pour m'y engouffrer, bien au fond, et ne plus en ressortir, je me suis à moitié couchée dessus, comme pour me dérober à la vue des autres. Ma joue gauche sur mon avant-bras gauche était gonflée, comme un coussin de douleurs. Cela me faisait très mal, mais c'était la seule position dans laquelle je pouvais cacher un peu les traces de l'atroce claque que je venais d'encaisser. Je pleurai sans sangloter et restai là ainsi jusqu'à la fin de l'avant-midi, les yeux fermés pour ne plus entendre la voix de madame Grodeau.

Quand la cloche annonçant la récréation sonna, tout le monde sortit, madame Grodeau aussi. Bibi et Vévette me chuchotèrent, en passant près de moi, leur sympathie et leur solidarité.

— Elles vont payer, celles qui t'ont valu cette raclée! Et la Grodeau aussi!

Je dessillai les paupières d'un mince filet pour voir qu'elles avaient les yeux humides. Je ne bougeai pas et personne ne m'ordonna d'aller à la récréation avec les autres. Les fenêtres étaient ouvertes et j'entendais les cris, les chants et les jeux de ballon et de saut à la corde :

Crème à la glace, limonade sucrée,
dites-moi le nom de votre cavalier
A B C D E F G...
Un, deux, trois, quatre, cinq, six, sept, violette violette
Un, deux, trois, quatre, cinq, six, sept, violette à bicyclette

Une fois seule, après m'être assurée qu'il n'y avait plus âme qui vive sur l'étage, je marchai en douceur jusqu'aux toilettes, en m'appuyant au mur. J'étais encore sonnée. Je vis dans le miroir tout le côté gauche de mon visage, rouge betterave, enflé, avec, étampés en blanc, les cinq doigts de madame Grodeau. Je mis de l'eau froide mais il était trop tard, il aurait fallu mettre de la glace tout de suite. Je pensai m'en aller à la maison. Je ne le fis pas. Pourquoi? Peut-être qu'être victime de violence pétrifie. Quand les coups, en plus d'être imprévus et imprévisibles, viennent de quelqu'un qu'on aime et de qui on se croit aimé, on paralyse.

J'entendis des sons et des pas au bout du corridor et retournai dans ma classe, à ma place, dans la même position, le coussin grenat de ma joue déposé en douceur sur mon avant-bras. J'avais reconnu les voix de Bibi et de Vévette au loin. Elles avaient tenté de se glisser en douce dans l'école pour venir me retrouver mais avaient été interceptées par la religieuse responsable de l'enseignement ménager. Je les entendis dire que j'étais seule, que j'avais mal, que madame Grodeau m'avait frappée pour rien… Elles se firent répondre de cesser d'inventer des histoires à dormir debout et de retourner dehors.

Les écolières et madame Grodeau revinrent en classe et m'y trouvèrent telle qu'elles m'avaient laissée. Je ne bougeais pas. Je sentis une main caresser furtivement mon dos, au passage, avec une infinie douceur. C'était Bibi, j'en étais certaine. Durant les soixante-quinze minutes qui suivirent, je basculai au fond d'une mare sombre et boueuse. Les bruits de la classe me parvenaient de très, très loin, remontaient à ma conscience comme des bulles à la surface de l'eau. À onze heures trente, le tintement strident de la cloche sonnant le repas de midi me tira de ma torpeur. Il fallait me lever, marcher, faire face, montrer mon visage tuméfié au monde entier.

Bibi et Vévette me rejoignirent. M'encadrèrent comme des gardes du corps pour passer devant madame Grodeau comme si elles craignaient qu'elle ne remette ça et ne m'assène un grand coup sur l'autre joue pour me rééquilibrer le portrait. Celle-ci faisait mine de s'affairer à ramasser ses objets. Une fois que nous fûmes parvenues à sa hauteur, elle fit signe à mes amies de dégager et s'approcha de moi, bredouillant qu'elle voulait me parler. Lorsqu'elle fit le geste d'effleurer mon épaule du bout des doigts, je reculai comme une furie, plantai mes yeux enflés droit dans les siens :

— Ne me touchez pas ! Ne vous approchez pas de moi. Jamais. Jamais. Jamais. Plus jamais ! Ce n'est pas moi qui ai dit les méchancetés que vous avez rapportées tout à l'heure. Mais maintenant, tout le mal que vous avez dit de vous, je le pense !

Je fus intérieurement apaisée d'entendre ma voix. Je pouvais encore parler.

— Et je vous déteste ! criai-je à tue-tête en déguerpissant, suivie de mes deux inséparables amies et d'une douzaine d'autres camarades qui affichaient ainsi leur parti-pris pour moi.

Je savais bien que madame Grodeau n'avait pas voulu me tuer. Cela ne changeait rien à la perception que j'avais d'elle désormais : je ne l'aimais plus. D'un revers de la main, elle avait démoli toute l'affection que j'avais pour elle. Elle avait tué quelque chose en moi.

Je racontai à ma mère ce qui s'était passé sans minimiser, sans exagérer. Je ne retournai pas à l'école de la semaine. J'avais vraiment une sale tête, qui passa par toutes les couleurs. Ma mère appela à l'école et parla à la sœur supérieure. Elle joignit aussi madame Grodeau chez elle. Je l'entendis lui dire que chez nous, on ne frappait pas les enfants, qu'elle aurait pu me blesser gravement, qu'elle méritait de perdre son poste d'enseignante et que nous allions réfléchir si nous allions porter plainte. Mon père et Jean-Jean voulurent aller donner une bonne volée, le premier à cette «mangeuse de balustrade», le second à cette «batteuse d'enfants». Ma mère eut bien du mal à dissuader le père et son fils de mettre en application la loi du Talion.

Le jeudi, trois jours après l'assaut, madame Grodeau me fit porter mes devoirs et mes leçons par Vévette et Bibi, qui habitaient à deux milles de chez moi. Elle ne ménageait pas ses efforts pour me reconquérir, mon ex-maîtresse bien-aimée. Sachant combien mes fidèles amies me manquaient, elle ne pouvait pas choisir meilleures émissaires pour me transmettre le message qu'elle leur avait confié de vive voix : elle regrettait amèrement son geste ; sa classe n'était plus la même sans moi ; elle était malheureuse et me priait de revenir. Cela me fit chaud au cœur de voir mes indéfectibles complices, de les entendre me narrer combien Grodeau faisait profil bas depuis lundi. Et combien elle faisait payer les sœurs Langlois.

Je ne voulais plus retourner à l'école. Seul Jean-Jean me donnait raison. Blanche et les jumelles firent front commun avec ma mère pour me convaincre qu'il le fallait. Les arguments étaient de taille. Ma mère, cartésienne, me les énuméra en cinq points : il ne restait qu'un mois d'école avant les grandes vacances ; il n'y avait qu'une classe de troisième année à mon école et pas d'autre école à dix milles à la ronde ; un grand vent de solidarité soufflait en ma faveur et presque toute la paroisse était derrière moi ; madame Grodeau avait exprimé ses regrets et s'était même abaissée à me téléphoner pour me présenter ses excuses; mon histoire servirait d'exemple, et plus jamais cette femme ne molesterait une enfant.

L'opération «Il faut convaincre Gwen de retourner à l'école» réussit. Mais surtout, ma joue avait désenflé et j'étais désormais montrable. Le lundi suivant, je grimpai sur mon vélo bleu et rentrai au bercail scolaire, ravie de retrouver mes amies, consciente que je n'étais plus la même que la semaine précédente. En prenant un coup de la vieille, j'avais pris un coup de vieux.

J'aurais traversé l'Atlantique à la nage ou grimpé l'Everest que les filles ne m'auraient pas célébrée plus triomphalement. Madame Grodeau, elle, m'accueillit avec une joie toute en réserve, gauchement et humblement. Empêtrée dans son malaise, sa peine et sa quête de pardon, elle ne parvenait pas à trouver le ton juste. Elle n'en fit pas trop mais c'était déjà trop. Aussitôt le groupe calmé et chaque fille sagement calée dans son banc, elle me demanda aimablement de bien vouloir venir devant la classe. Sans la moindre hésitation, je refusai. Elle insista:

— J'ai des choses à te dire. Je veux te les dire publiquement, je veux que toutes entendent et soient témoins.

Je me sentais fragile mais étonnamment sereine. Forte du secours, de la confiance, du soutien que m'avaient témoignés tout mon clan, mes amies, des voisins, des élèves plus vieilles d'autres classes, des parents d'autres enfants. Elle réitéra sa demande en sollicitant l'appui de mes amies Vévette et Bibi, qui lui signifièrent poliment de s'arranger avec ses troubles.

— Désolée, madame. Je n'irai pas en avant. Et je ne viendrai pas près de vous.

— D'accord. Je comprends. Alors, c'est moi qui vais venir près de toi.

Madame Gisèle Grodeau s'avança près de mon pupitre à pas feutrés. Moi assise, je la vis encore plus immense et je ne le supportai pas. Je me levai et montai sur ma chaise de manière à être plus grande qu'elle. C'est elle, cette fois, qui leva les yeux pour me regarder. Elle récita, comme en prière, d'une voix douce mais forte, en articulant chaque syllabe pour que tout le monde entende bien :

— J'ai très mal agi avec toi. Je le regrette infiniment. Je crois même que je ne me le pardonnerai jamais. Je te demande de bien vouloir me pardonner.

La classe a applaudi. Moi pas.

Madame Grodeau resta là un moment dans l'attente de ma réponse. Je demeurai muette comme une carpe, fermée comme une huître, la regardant de haut. Elle retourna à son poste. Je descendis de ma chaise. La classe reprit son cours pas du tout normal.

Les semaines avant les grandes vacances me semblèrent interminables. Je n'adressai plus un mot ni le moindre sourire à mon institutrice. Je lui répondais poliment, laconiquement, quand elle m'adressait la parole. Moi qui avais été si soucieuse et si préoccupée de son bien-être et de son bonheur quelques semaines auparavant, moi qui avais souffert pour elle quand des camarades se moquaient de son obésité et de ses jambes en forme de tuyaux, moi qui l'avais trouvée merveilleusement belle telle qu'elle était, je la trouvais horriblement laide telle que je la voyais maintenant et me fichais éperdument de ce qui pouvait lui faire du mal.

Pour le dernier jour de classe, elle organisa chez elle une fête champêtre pour ses élèves. Un tel événement était ex-

166

ceptionnel et elle avait dû obtenir une autorisation spéciale de la direction pour cela. On pourrait s'habiller comme on voulait. Il y aurait des jeux, des friandises, du Kool-Aid, des sandwichs et on pourrait même se baigner dans sa piscine gonflée. La rumeur courait que madame Grodeau ferait un cadeau à chacune de ses élèves. C'était l'euphorie.

Nous n'étions pas obligées d'y aller mais toutes iraient, bien sûr : une occasion pareille ne se rate pas. Je fis de même, par curiosité, pour voir ce qu'on mangerait et comment c'était, de près, dans la famille idéale de cette femme faussement idéale. Pour le plaisir d'être avec mes amies que je ne verrais plus, pour la plupart, pendant deux longs mois. Moi qui participais toujours avec une joie réelle à tous les jeux, charades, concours, devinettes, courses, je le fis, mal à l'aise, avec l'impression d'être constamment surveillée par madame Grodeau qui n'en finissait pas de vouloir se racheter, de vouloir me gâter, de vouloir se faire pardonner. Cela gâchait le peu de plaisir que je prenais à être là.

En fin d'après-midi, nous eûmes droit à notre cadeau individuel. Évidemment, le mien fut le plus beau : un merveilleux, grand et gros chien en peluche tout blanc, pareil au samoyède de madame Grodeau. Il y avait une fermeture éclair sous son ventre pour mettre son pyjama. J'ouvris la fermeture et découvris qu'elle y avait glissé une enveloppe avec un mot dedans, à lire plus tard. Il y avait aussi, dans le ventre de la peluche, deux livres de poche, un *Martine* et un *Alfred et le club des cinq*. Pour tout dire, à part mon vélo, c'était le plus merveilleux cadeau que j'avais jamais reçu de toute ma vie. Je faisais l'envie de toutes.

En partant, plusieurs filles pleurnichaient et sautaient au cou de madame Grodeau. Je la remerciai poliment en m'élançant sur mon vélo comme un cow-boy enfourche son cheval. J'avais à peine franchi quelques centaines de pieds lorsque j'entendis la voix essoufflée de madame Grodeau. Elle courait derrière moi et criait :

— Gwendoline ! Ton chien ! Tu as oublié ton cadeau !

Je poursuivis ma route sans me retourner.

C'est bien plus tard que je sus que mon frère-parrain, Pierre, avait rendu visite à madame Grodeau chez elle, le jour même de la gifle magistrale. Il était à la maison lorsque j'étais revenue avec le visage tuméfié. Sans s'immiscer, il avait écouté le récit que je faisais à ma mère. Il n'avait posé aucune question. Sans souffler mot, il était allé frapper à la porte de la jolie maison de madame Grodeau, l'y avait trouvée, avec son mari, son chien et ses deux enfants. Il s'était présenté :

— Je suis Pierre Dubois. Le grand frère et parrain de Gwendoline Dubois.

Du haut de ses vingt-deux ans et de son élégance, il lui avait dit tout calmement :

— Je ne vous dérangerai que quelques minutes, le temps de vous dire que nous aimerions une suite, plus jolie, à ce que vous avez fait. Cela peut arriver à tout le monde, même à une institutrice, de perdre les pédales. J'en sais quelque chose, il m'est arrivé de péter la gueule d'un salaud. Mais justement, c'était un salaud et il n'avait pas neuf ans. Même si ce que vous avez fait est inexcusable, je suis venu vous dire qu'on ne portera pas plainte, à une condition : vous allez demander pardon à ma petite sœur sur les lieux mêmes où vous l'avez blessée et humiliée, c'est-à-dire devant toute la classe. C'est simple, c'est tout et ça n'est pas négociable.

Sur le pas de la porte, il s'était retourné pour ajouter :

— Et comprenez bien que ça n'est pas pour vous humilier que je vous fais cette demande. C'est pour ma petite sœur. Pour l'aider à retrouver un peu de confiance et de respect envers les grandes personnes. Vous voyez ce que je veux dire?

Apparemment, elle avait fait signe que oui en baissant les yeux. Pierre était parti en la remerciant de sa compréhension et en saluant son mari et ses enfants.

Dans les contes de fées, des crapauds se transforment en princes charmants. Dans les histoires vraies, ce sont parfois les princesses charmantes qui se transforment en chipies.

La honte

À l'école, on apprenait à lire, à écrire et à compter. On apprenait à vivre en société. En découvrant les différences, les inégalités, on apprenait aussi à avoir honte.

J'avais honte de mon père parce qu'il sacrait comme un charretier et pestait contre l'Église mais aussi parce qu'il n'avait ni vrai métier, ni emploi stable et qu'il se retrouvait souvent au chômage. Je me souviens de la première fois que j'ai eu, à l'école, à répondre à la question: «Quel est le métier de votre père?» J'avais répondu journalier comme ma mère m'avait dit de le faire. J'avais eu peur qu'on me demande de préciser ce qu'il faisait car lorsqu'il travaillait, il ne faisait jamais la même chose.

J'avais honte parce qu'on n'avait pas de voiture et que mon père ne savait même pas conduire. Même le bonhomme Dallaire, notre voisin qui sentait toujours le vinaigre parce qu'il travaillait chez Lyon Vinegar, avait une voiture!

Ils avaient beau être douze dans une maison grande comme ma main, avoir l'air de miséreux, ils faisaient parfois des promenades en char, entassés les uns sur les autres, les chanceux!

J'avais honte parce qu'on n'était pas comme les autres. Les familles pauvres étaient souvent sales, mal habillées et se faisaient traiter de pouilleux. Pas nous. Résultat, nous étions suspects pour tout le monde. Les pauvres nous regardaient de travers, comme si nous voulions nous élever au-dessus de la mêlée, et les riches nous regardaient de haut parce qu'ils n'étaient pas dupes.

J'avais honte de m'appeler Gwendoline. Dans un groupe où j'étais interpellée pour la première fois, c'était toujours la consternation générale, la moquerie.

— Gwendoline Dubois?

— Hein? Quoi? Comment elle s'appelle? Graine de quoi?

Lorsque je me chicanais avec mes camarades, elles me criaient «Couenne d'olive des bois» ou pire: «La couenne du bois!» J'enrageais. Ma honte était perpétuelle, j'y étais exposée cent fois par jour et je ne m'habituais pas. Il est faux de croire qu'on s'habitue à tout. On ne s'habitue pas à la honte. Dans la classe, quand on faisait deux équipes pour apprendre les tables de multiplication ou les conjugaisons, sœur Madeleine-du-Rédempteur disait: les Louise et les Francine contre les autres! Et la classe se séparait en deux: treize ou quatorze de chaque côté. J'en bavais de jalousie. J'aurais voulu m'appeler Louise ou Francine ou Diane… J'aurais voulu qu'existent d'autres Gwendoline!

J'étais bonne à l'école. Bibiane, Claudette D. et moi nous disputions toujours les trois premiers rangs. J'étais forte physiquement, avec un corps tout en muscles et en nerfs. Et puis, on me traitait de «face laite», ce qui signifiait précisément que la nature m'avait favorisée. Heureusement, car avec un prénom comme le mien, je me serais sûrement fait tabasser!

Bibiane, c'est un prénom que j'aimais même s'il ne courait pas les bancs d'école. Probablement parce que j'aimais cette Bibi-là. Elle était comique et brillante. Surtout, elle était différente. Unique. Ses parents étaient Belges d'origine mais elle était née et avait vécu au Congo belge, tout près de l'équateur, jusqu'à ses huit ans. Chez eux, l'été, ils se promenaient tout nus dans la maison, comme ils avaient pris l'habitude de le faire là-bas. J'avais été estomaquée d'apprendre qu'une telle chose soit possible.

— En tout cas, moi, je ne me promènerais jamais toute nue devant vous autres! avais-je lancé à ma famille, en racontant autour de la table.

— Eille! Non mais, ça se peut-tu? avait renchéri Aimée. Tu parles d'une gang d'anormaux!

— Elle habite où, ton amie Bibi, que j'aille leur rendre visite? avait niaisé Jean-Jean.

— À force de vivre avec des sauvages, on dirait bien qu'ils se sont ensauvagés, avait conclu ma mère.

En tout cas, ma Bibi, elle, n'avait pas honte. Ni de ça, ni de son prénom, ni de rien. Je l'aurais écoutée pendant des heures quand elle racontait ses souvenirs de cette lointaine contrée.

Ma sœur Claire-Obscure avait eu une amie qui s'appelait Mignonne Joly. Je le jure.

— Faut-il que des parents soient fêlés pour appeler leur enfant Mignonne quand son nom de famille est Joly? avait demandé ma sœur alors que nous étions réunis pour souper.

— Puis Gwendoline astheure, c'est encore pire, que j'avais maugréé.

— C'est si mignon, Mignonne, s'était moqué Jacques.

— Ouais, ça t'aurait bien plu, à toi, de t'appeler Mignon, hein ? Mignon Dubois ! Ha ! ha ! ha ! avait lancé Claire-Obscure.

— Ou Bello, avais-je renchéri en pensant à la Bella de ma classe. M'man, pourquoi il n'y a qu'aux filles qu'on fait des vacheries semblables ? Hein ? Pourquoi t'as pas appelé Jacques Bello ? Ou Gwendolin ? Ou Clair ? Ou Blanc ?

— Non, mais tu vas en revenir à la fin ? Tu aurais préféré qu'on te prénomme Pierrette, Jeannette ou Jacquette ? avait-elle dit pour me fermer la trappe.

— Oui ! J'aurais préféré ! Tant qu'à faire, après une Blanche, une Claire et une Aimée, vous auriez pu penser m'appeler Cadette, un coup parti ! Ou Surprise, tiens ! Je ne vous pardonnerai jamais de m'avoir ainsi baptisée. Je suis la risée de l'univers à cause de vous ! Sainte-Chibagne, je vous déteste !

Néanmoins, j'avais été ravie de connaître, par l'entremise de Claire-Obscure, une Mignonne Joly laide à faire peur. Je priai pour qu'une pauvresse au nom semblable se retrouve dans ma classe afin de laisser un peu respirer Couenne d'Olive Dubois. Désespoir, avais-je pensé en découvrant la Mignonne de Claire-Obscure : avec un prénom et un visage pareils, sa vie est finie. C'était triste mais c'était ainsi : les laiderons se font toujours bien plus malmener que les beaux. S'il avait fallu qu'en plus de m'appeler Gwendoline je sois laide et tarte, j'aurais été un souffre-douleur perpétuel, c'est sûr. Sûr aussi que mes parents ne seraient pas parvenus à m'aimer. Mais comme j'étais belle et rutilante comme un camion de pompier…

J'avais honte aussi de dormir sur des chaises. D'aller aux chaises quand les autres allaient au lit. D'écrire mon journal non pas dans mon lit, mais dans mes chaises, ces maudits fauteuils raboutés chaque soir, reliés par cette grosse malle qu'il avait fallu intercaler pour que je puisse me dérouler au complet, en grandissant. Je revois ma mère déposant un gros coussin sur la malle pour qu'elle soit à la même hauteur que les fauteuils afin que ce soit confortable, puis attachant les appuis-bras des chaises ensemble pour éviter que, durant la nuit, ma chaise-pied-de-lit ne se sépare de ma chaise-tête-de-lit et que je me retrouve le cul par terre entre les deux. Honte de ne pas avoir de lit, honte de ne pas avoir de commode, honte de ne pas avoir de chambre…

Avec toute cette honte, j'aurais dû être malheureuse. Eh bien non, j'étais honteuse mais heureuse. J'étais bien dans mon lit-chaises. C'était mon nid. J'aimais mon tiroir à côté du poêle à bois. Mes choses y étaient toujours bien rangées. Quand on vit à neuf, et parfois à onze dans une cabane à moineaux, parce que notre mère hébergeait souvent des plus mal pris que soi, on a intérêt à avoir de l'ordre. J'aimais aussi dormir au milieu de la pièce, entourée de mes trois vieilles sœurs : Blanche qui me blanchissait, Claire qui m'éclairait – autant que la lumière d'une mouche à feu –, Aimée qui m'aimait. Je me sentais comme une mini-fée parmi les sorcières. J'étais le nombril de la chambre rose.

J'avais d'autant plus honte d'avoir honte qu'on était bien dans ma famille, et on était bien loin d'être malheureux. À part le vendredi, jour d'ivrognerie paternelle, on riait tout le temps, ou presque. Je riais tout le temps, ma mère riait tout le temps, mes trois sœurs et mes trois frères riaient tout le temps. Mon père lui, ne riait jamais, trop occupé qu'il était à nous faire rire avec son air bête.

Le plus difficile à avouer, c'est que j'avais honte de mes parents parce qu'ils étaient vieux. J'avais beau les aimer, j'en avais honte. Tous les parents de mes amies étaient bien plus jeunes. Les miens m'avaient eue à quarante ans. Un couple qui fait cent ans à deux, ce n'est pas comme un couple qui en fait soixante-dix. Mon père avait la crinière toute blanche. Ma mère avait les cheveux poivre et sel mais elle utilisait un *rince* dont la teinte s'appelait *chestnut brown*. Son ventre avait tellement servi de maison à bébés qu'il en avait gardé l'architecture, comme s'il avait trop mangé. Mon père portait toujours ses maudites bretelles qui ajoutaient au fait qu'il avait l'air d'une antiquité. C'était bien inconfortable d'être fière de sa mère et d'en avoir honte en même temps.

Ce qui rendait ma honte encore plus honteuse et vilaine, c'est qu'elle était à sens unique. Mes parents étaient fiers de moi comme des paons. Ma mère annonçait à ses sœurs tous mes bons coups : que j'étais présidente du bon parler français à l'école ou première de classe et quoi encore... Mon père voulait toujours tout m'offrir, même s'il n'en avait pas les moyens, m'amener à son travail quand il en avait un pour que ses patrons voient comme il avait une fille exceptionnelle... Et quand on disait que je lui ressemblais, alors là il pavoisait.

Ainsi allait la vie. Et moi aussi. Je ressortirais bientôt du hangar ma monture bleue qui étanchait un peu ma soif de liberté, et je filerais droit devant en serpentant joyeusement à travers mes sentiments contradictoires.

Le radeau de mon frère

J'aimais le printemps. On recommençait à jouer dans le bois, aux cow-boys, à *branch et branch*, à la cachette, à la corde à danser… Ça sentait bon et c'était délicieux d'enlever des pelures. Au début du printemps, il y avait toujours des inondations et New Croydon se transformait en Venise. L'année de mes dix ans, elles avaient été prodigieuses, ces inondations. De l'eau, de l'eau et encore de l'eau, partout, partout, partout autour de la maison. D'année en année, Jean-Jean fabriquait et perfectionnait son radeau printanier. C'était devenu son jouet de prédilection, son passe-temps, sa passion sportive et son moyen de transport.

— Lui et ses plans de nègre, disait ma mère. Des idées de fou pour être toujours tout mouillé et attraper la pneumonie, encore!

— Laisse-le donc faire, disait mon père. Pendant qu'il joue dans l'eau, il ne fait pas de mauvais coups!

Ça n'était pas mal vu de parler de «plans de nègre» en ces temps-là. On me disait aussi «petite Juive, va!» quand je faisais des entourloupettes. Ou «espèce de Chinoise». On n'était pas raciste pour autant et personne n'y voyait de mal.

La famille et les voisins se sont bien moqués de Jean-Jean et de son arche salvatrice jusqu'au jour où il amena les jumelles, en talons hauts sur son radeau, pour prendre leur train au bout de la rue. Fallait les voir, droites comme des potiches dans leur jupe serrée, leur sacoche plaquée sur elles, le nez en l'air comme des dames patronnesses supervisant une traversée de l'océan.

— Toi Aimée, là dans le coin. Et toi Claire, là. Vous ne bougez pas d'un pouce. Et je ne veux pas entendre un mot. Compris?

— Compris, mon capitaine.

— On peut respirer? demanda Claire-Obscure.

— Le moins possible. Surtout, pas d'éternuement! Et vous ne vous mouchez pas.

— On peut renifler?

— Non. Vous laissez couler. Vous me faites confiance?

— Oui.

— Parfait. De cette traversée dépend mon avenir. C'est parti! dit-il en commençant à pousser sur une longue tige de bois pour faire avancer la péniche.

Elles descendirent du bâtiment au petit pont, fraîches et sèches comme des fleurs séchées. Il avait suffi de respecter les consignes du capitaine pagayeur en se vissant là où il l'ordonnait. Quel marin talentueux, ce Jean-Jean!

Mes frères aînés, Jacques et Pierre, s'étaient essayés à la navigation et n'étaient parvenus qu'à chavirer, l'un après l'autre, et deux fois plutôt qu'une. Il faut dire qu'ayant construit lui-même son navire, Jean-Jean connaissait à fond son ballant, son tirant d'eau, son instabilité, et maîtrisait l'art de le mettre dans son assiette. À partir de là, on s'était bousculé au portail de la barque. Ceux et celles qui n'avaient pas envie de s'attifer de bottes à cuisse pour aller prendre leur bus ou leur train réservaient leur place sur le radeau. Et quel luxe: le capitaine allait les quérir sur le pas de leur porte! Jean-Jean, «le petit Juif», avait eu tôt fait de comprendre que sa gondole valait son pesant d'or. C'était cinq sous pour les enfants et dix sous pour les adultes. Mais les grosses personnes étaient interdites d'embarquement. En ces temps-là, les gros ne faisaient pas tout un plat de ne pas avoir les mêmes prérogatives que les minces!

Mentir à tire-d'aile

Un beau vendredi bien mouillé, mon institutrice, sœur Madeleine-du-Rédempteur, me demanda d'apporter ses devoirs et leçons à Marcel qui était absent pour cause de maladie grave. Cette année-là, il y avait un trop-plein de garçons à l'école Saint-Thomas-de-Villeneuve, qui s'agrandissait, et nous en avions accueilli quelques-uns dans nos classes de filles. Temporairement, il va sans dire. Marcel et moi, nous n'étions pas amis et c'est à peine si on se saluait, mais c'était un voisin. Elle me pria aussi de passer un moment avec lui pour lui expliquer ce qui avait été vu durant son absence. Évidemment, j'avais accepté, puisque sa chaumière était juste derrière la nôtre sur une nouvelle rue, ouverte peu de temps auparavant.

Mais voilà: je n'y étais pas allée. Sœur Madeleine, dans sa belle école en brique juste à côté de l'église, ne soupçonnait pas ce que cela représentait de se rendre chez Marcel, après trois semaines de déluge. Il pleuvait encore, à boire debout. Le chemin de terre était plus que détrempé, il était carrément submergé. De plus, je ne pouvais compter sur Jean-Jean qui était en pleine déprime après s'être fait voler son radeau et, du coup, son gagne-pain. Par les *square-heads*[11] d'Anglais, il en était certain. Il passait désormais tout son temps à tenter de trouver les voleurs, à échafauder

---

11. Têtes carrées.

la raclée qu'il allait leur servir, à peaufiner son plan de vengeance.

Bref, je soupçonnais Marcel de ne pas être malade du tout mais d'être absolument incapable de sortir de chez lui autrement qu'en bateau depuis au moins une semaine. Et Marcel, non seulement il n'avait ni radeau ni bateau, mais il n'avait même pas de grand frère ni même de père, le pauvre. Ce dernier était mort l'année précédente et depuis, Marcel n'avait le cœur ni aux bateaux, ni à l'école, ni à rien. Enfin, fidèle à ma parole, j'ai tenté de me rendre chez lui à travers le champ, par un sentier surélevé, mais j'ai dû rebrousser chemin. J'avais de l'eau jusqu'aux genoux et m'apprêtais à plonger héroïquement et à nager jusque chez lui, dans l'eau sale et glaciale, mon sac d'école attaché sur la tête, lorsque ma mère avait bondi comme une furie sur notre galerie arrière, m'ordonnant sous peine de mort de rentrer immédiatement.

— Bout de crisse! Tu veux attraper ton coup de mort!

Quand ma mère disait «Bout de crisse!», nous savions que plus rien n'était négociable. Je capitulai.

J'étais assez soulagée qu'elle m'ait ramenée au bercail. Je me sentais fiévreuse depuis le vaccin contre la typhoïde qu'on nous avait administré en classe le jour précédent, en raison justement des inondations. Ce vaccin, qui se donnait en trois temps dans le dénivelé entre l'épaule et la clavicule, avait des effets secondaires assez pénibles. C'est donc penaude mais contente malgré tout d'avoir été sauvée des eaux par ma mère que je me fis du mouron toute la fin de semaine : qu'est-ce que la sœur et les camarades allaient penser d'une fille pas même capable d'apporter ses devoirs au pauvre Marcel ?

Le lundi, en classe, sœur Madeleine m'interpella. Je me levai, bien droite à gauche de mon pupitre :

— Oui, ma sœur ?

Nous étions enrégimentés comme de vrais petits soldats. Lorsqu'une autre institutrice, la sœur supérieure ou, deux fois l'an, monsieur l'inspecteur nous rendait visite, toute la classe se mettait au garde-à-vous, d'un bloc, et faisait une révérence chantante en saluant : « Bon-jour-mon-sieur-l'ins-pec-teurrrrrr. »

— Pourquoi ne pas avoir apporté ses devoirs et leçons à Marcel comme vous l'aviez promis ? s'enquit la rédemptrice. Vous savez qu'à cause de vous, il prendra beaucoup de retard, risquant ainsi de doubler son année !

Honteuse, une fois de plus, de ne pas avoir eu de chaloupe ou de bottes de pompière pour me rendre chez Marcel, honteuse de vivre dans le recoin le plus misérable de New Croydon, je lui répondis posément :

— Malheureusement, ma sœur, je n'ai pas pu aller chez Marcel.

— Et vous ne pouviez pas lui téléphoner ? Lui expliquer le travail à faire au téléphone ?

— Non, ma sœur. Comment aurais-je pu lui donner son livre d'arithmétique et son catéchisme par le fil du téléphone, et lui expliquer les règles de grammaire enseignées durant son absence ?

Sœur Madeleine savait que j'avais raison. Elle savait tout autant que moi que Marcel n'était pas une lumière. Comment aurait-il pu comprendre au téléphone, présenté par une élève, ce qu'il peinait à comprendre en personne, expliqué par une vraie enseignante ? Mais elle n'apprécia pas que je me moque un peu d'elle.

— Vous auriez au moins pu essayer! trancha-t-elle en me coupant la parole.

— De plus, poursuivis-je, peut-être ne le saviez-vous pas, ma sœur, mais Marcel n'a pas le téléphone.

Deux fois prise en faute, la bonne sœur. La classe se retint de pouffer de rire. Sœur Madeleine ne le supporta pas.

— Et pourquoi donc ne vous êtes-vous pas rendue chez lui alors, tel que vous vous y étiez engagée?

Là, je réfléchis. Vite. Pas question que je lui dise que nous vivions en terres inondées comme des rats d'égout. Je m'entendis lui répondre, avec un aplomb qui me surprit moi-même:

— Parce que nous sommes allés à Québec, toute la famille.

— Ah bon... Et vous y êtes allés comment, à Québec? demanda la pisseuse, en insistant sur chaque syllabe, sa main caressant son menton poilu.

Elle se payait ma tête, car elle savait fort bien que je n'étais jamais allée plus loin que le bas de la ville de Montréal et, surtout, que nous n'avions pas de voiture.

Tant qu'à mentir, autant mentir avec noblesse!

— Heu... Nous y sommes allés... en avion!

Et là, une trentaine d'élèves et une institutrice ont été pris d'un grand fou rire à mes dépens. Un rire immense, au carré, amplifié, interminable, épouvantable. J'ai pensé fuir. J'ai pensé mourir. Si ma classe avait été au rez-de-chaussée, je sautais par la fenêtre. Pas d'issue en vue. Je suis restée là, debout, droite comme un i, honteuse mais orgueilleuse, tiraillée comme toujours dans mes émotions opposées et enchevêtrées, démasquée mais quand même reconnaissante de ce fou rire général qui me donnait du temps pour réfléchir aux menteries que j'inventerais si l'interrogatoire se poursuivait. Dans ma tête défilaient à toute allure les questions empoisonnées qui risquaient de suivre :

« Tous les neuf, hein ? »

« Où avez-vous pris l'avion ? »

« Vous a-t-il cueillis sur votre perron ? »

« Combien cela a-t-il coûté ? »

« Votre père a la réputation d'être joueur, aurait-il gagné au *sweepstake* irlandais ? »

Après que le chahut se fut dissipé, sœur Madeleine, soit par charité chrétienne, soit en désespoir de cause, passa à son cours de catéchisme sans pousser plus avant son enquête sur notre fabuleuse excursion familiale à Québec en aéroplane. Elle intitula sa leçon « Le mensonge ».

— Mentir est un PÉ-CHÉ, martela-t-elle en me toisant. Parfois véniel, parfois mortel, selon la gravité de la menterie, mais toujours très grave et très laid. Mais au moins, se consola-t-elle en pensant peut-être me consoler moi, mentir n'est pas un péché capital.

Ouf !

Les vendredis soir de Mister Doubouas

J'étais désormais la seule à fréquenter l'école. Tous mes frères et sœurs étaient au boulot, même Jean-Jean qui, avait passé ses années scolaires à fréquenter assidûment l'école buissonnière. La maisonnée s'était enrichie d'un pensionnaire supplémentaire, Roger, que sa mère avait foutu à la porte parce qu'il ne travaillait pas et ne payait pas pension. Roger était le soupirant d'Aimée. C'est elle qui avait supplié ma mère de l'héberger. Un sacré farceur, ce Roger. Il faisait rire tout le monde, sauf moi. Comme tous les enfants, j'avais un peu peur du noir, sans plus. Mais Dieu sait pourquoi, depuis quelque temps, lorsque j'allais aux chaises après avoir regardé *La famille Plouffe* ou *Séraphin* à la télévision dans un silence familial de mort, je ne supportais pas qu'on ferme la lumière au plafond de la chambre rose. Mon sommeil était troublé. C'était nouveau.

Bien sûr, je n'aimais pas trop le vendredi soir, quand mon père tardait et que je sentais l'inquiétude de ma mère : allait-il gaspiller toute sa paye à la taverne, l'imbécile ? Nous savions, quand il n'était pas rentré à l'heure habituelle le vendredi, qu'il arriverait paqueté. Cela me bouleversait de le voir ainsi. Mon père, ivre, n'était pas violent, comme d'autres que nous connaissions. Bien au contraire, il avait l'alcool triste et chialait alors comme un veau. La larme à l'œil et la bouche pâteuse, il me faisait pitié. Parfois, il tombait par terre. Voir son père écrasé au sol comme une loque, c'est vraiment l'humiliation suprême. Mes frères le relevaient, allaient le mettre dans son lit, Jacques avec patience, Pierre avec une rage non dissimulée.

Une fois, les jumelles l'avaient rencontré, complètement ivre, un vendredi soir qu'elles magasinaient rue Sainte-Catherine. Claire-Obscure, sa chouchou déshonorée, l'avait snobé en faisant semblant de ne pas le connaître. Pauvre Robert le diable. Aimée avait voulu le ramener. Elle était allée vers lui, le soutenant pour ne pas qu'il s'affaisse :

— Allez, viens, rentrons. S'il te plaît, viens avec moi, le suppliait-elle tristement.

Des passants l'avaient prise pour une guidoune sollicitant un vieux soûlon :

— Oui, allez, vas-y. Tu ne vas pas laisser passer une affaire semblable, vieux fou. Regarde cette belle p'tite plotte qui t'offre son lit, avait salivé un passant.

Pour une rare fois, Deuxième sœur avait eu un irrépressible élan de solidarité avec sa jumelle, qu'un malotru venait de traiter de racoleuse. Sans même se consulter, mes sœurs avaient bondi sur l'infâme pour le rouer de grands coups de sacoche.

— Ce vieux fou, c'est notre père, espèce de chien sale! Tu comprends ça? Tu en as un, père, toi, ou tu es un bâtard? Alors, tu vas lui demander pardon ou on te crève les yeux! Allez, demande pardon à monsieur Dubois et à ma sœur que tu viens de traiter de putain! hurlait Claire-Obscure en lui martelant le crâne.

Son sac à main, ferré aux contours, fendit le front du salaud qui saignait abondamment.

— Allez les filles! Mettez ce vaurien K.-O.! encouragea une voix, sortie de la foule de badauds qui s'étaient attroupés pour contempler la scène.

— Ouais. Ça lui apprendra! rugit Claire-Obscure sans le moindre regret, encouragée par son supporter.

— Mais cette blondinette est une vraie furie! lança un autre spectateur.

— La chance qu'il a, ce vieil ivrogne, d'avoir des filles aussi courageuses! souffla un troisième.

Le rassemblement de curieux acclamait mes sœurs en scandant des «Encore!» et des «Bravo!». Heureusement que la police était arrivée sur les lieux prestement pour amener tout ce beau monde au poste le plus près car, galvanisées par les applaudissements, Claire-Obscure et Aimée se préparaient à mettre l'offenseur en miettes. Ce dernier était dans un piètre état, mais rien de grave, semblait-il. Il haletait :

— Ces filles sont des folles à enfermer, m'sieur l'agent. Je veux porter plainte. Des vraies vaches enragées !

Les policiers ne le prirent pas trop au sérieux. Ils paraissaient, eux aussi, avoir un parti-pris pour les furibondes et trouver la situation plutôt comique. Après une petite heure de remontrances et de paperasserie à remplir, le groupe fut libéré à condition que chacun rentre gentiment chez soi. Mon père chancelait encore sur ses jambes et n'était pas en état de prendre l'autobus. Aimée demanda la permission de se servir du téléphone et appela Nick-Taxi, le chauffeur attitré de Robert le diable, notre dépanneur habituel, l'homme bon de New Croydon. Il se pointa au poste de police en moins de trente-cinq minutes pour ramener père et filles à la maison.

Le sale type qui avait accablé ma sœur d'insultes menaçait toujours de déposer une plainte contre mes sœurs. Comprenant ce qui s'était passé, Nick expliqua au malotru, avec son délicieux accent :

— *Well guy*, si toé tu fas une plainte, *watch out* ! Là, t'as eu affaire à deux filles *Doubouas*, mais une plainte ? Oh my God ! Les six frères *won't like this, I can tell you, man ! But, it's up to you*[12], dit-il en levant au ciel ses yeux d'ange gardien.

Sur ces sages paroles, Nick avait pris mon père par les épaules pour l'aider à se tenir debout. Celui-ci avait quelque peu dégrisé avec tout le café que les agents lui avaient servi.

---

12. Mon ami, si tu déposes une plainte, prends garde ! Là, t'as eu affaire à deux filles Dubois, mais une plainte ? Oh mon Dieu ! Les six frères n'apprécieront pas, je peux te l'assurer ! Mais c'est toi qui décides.

— *Come on, Mister Doubouas. Let's go back home now*[13].

— Câlisse, Nick, j'ai-tu vraiment six fils, moé? Ou tu me niaises?

— *Well, no*, tu en as trois, *Mister Doubouas*, sourit Nick. *But you know*, ils valent le double. Comme toi. *Sleep in the back of the car now. You'd better get some rest before facing* madame *Doubouas*[14]...

D'autres fois, selon son degré d'éthylisme, il était plutôt drôle, mon père : il parlait, chantait, disait qu'il nous aimait, que notre mère était «quequ'un», la plus merveilleuse femme au monde... Il la remerciait de l'endurer. Et le plus souvent, en boisson, il revenait avec des cadeaux, toutes sortes de babioles inutiles qui, à moi, faisaient bien plaisir. Il avait trouvé ces présents d'infortune on ne savait où, dans quelque encan ou lieu de jeu qu'il aimait fréquenter. J'adorais ces moments. Le superflu, on en manquait beaucoup chez nous. Je ne comprenais pas encore que Robert le diable devait se saouler solide pour oser nous offrir des choses inutiles. À jeun, il voyait bien que même le nécessaire nous manquait.

Chose certaine, ce n'étaient pas les «poétiques» vendredis de saoulerie de mon père qui me faisaient faire des cauchemars.

---

13. Allez, monsieur Dubois. Rentrons à la maison maintenant.
14. Eh bien non, tu en as trois, monsieur Dubois. Mais tu sais, ils valent le double. Comme toi. Maintenant, dors un peu sur le siège arrière de la voiture. Tu devrais te reposer avant d'affronter madame Dubois, je pense...

Violence au clair de lune

Je fus longtemps à me demander si cette scène s'était produite ou si je l'avais rêvée. J'étais allongée au milieu de la chambre rose depuis un moment, dans mon lit composé de deux fauteuils, et je n'arrivais pas à m'endormir. Aimée était dans le sien, derrière la porte aux trois quarts fermée. J'entendais Roger, son fiancé, qui soupirait près d'elle. Il faut préciser que le lit pliant d'Aimée était converti durant le jour en canapé de fortune où les amoureux, Blanche et Manuel, Claire-Obscure et son prince, Aimée et Roger, se rencontraient pour se coller un peu, se dire des mots doux et se bécoter. Chez nous, rares étaient les meubles à usage unique. Ce soir-là, j'entendis Aimée qui suppliait, à voix basse pour que personne n'entende :

— Non. Arrête ! Il ne faut pas et je ne veux pas. S'il te plaît, Roger, arrête…

— Chhhut ! Tais-toi. Faut pas réveiller ta petite sœur. Ça ne fera pas mal. Laisse-moi faire.

— Je ne veux pas, gémissait Aimée tout bas. Va-t'en.

— C'est pas grave. Je ne peux plus attendre. On va se marier de toute façon…

Il ne l'écoutait pas. Faisait comme si elle n'avait rien dit. Il soufflait comme un porc. Je relevai la tête, me soulevai et m'appuyai sur mon coude droit. Je pouvais ainsi voir par-dessus le large dossier du fauteuil constituant mon pied-de-lit, lequel faisait une sorte de paravent entre eux et moi. Un rayon de lune éclairait précisément ce triste recoin de la chambre et j'aperçus Roger, à moitié accroupi derrière Aimée, elle étendue de travers dans son lit étroit. Elle s'était retournée pour se libérer de lui et lui tournait maintenant le

dos, coincée entre le mur et ce gros tas. Je le voyais, de dos
lui aussi. Il la maintenait, une main sur son sein, je crois,
l'autre sur son ventre.

— Arrête, supplia-t-elle à nouveau. Je ne veux pas que tu
me fasses ça. Tu me fais mal. Et c'est dangereux.

Mes yeux s'adaptant à l'obscurité, je le vis, son dos gras
courbé sur Aimée. Il relevait sa nuisette. Prestement, il mit
sa main gauche sur la bouche de ma sœur pour étouffer sa
plainte et sa main droite me parut retenir, soulevée, la cuisse
droite d'Aimée. Je distinguai ses grosses fesses laiteuses au-
dessus de son pantalon baissé. Il l'agrippa par les hanches et
donna un bon coup du bassin en grognant. Ce fut tout. Il
remonta son pantalon et fila sur la pointe des pieds, comme
un voleur.

— Bonne nuit! chuchota-t-il doucereusement une fois
rendu dans le cadre de la porte, pour que les autres qui
étaient au salon l'entendent et croient qu'il venait de souhaiter tendrement bonne nuit à sa chérie en lui donnant un
affectueux baiser.

Aimée pleurait. Elle se leva en tentant de ne pas me réveiller et s'affaira dans son lit, en larmes silencieuses. Je l'entendais renifler. J'aurais voulu la consoler. J'étais tout
engluée dans ma peur et dans mon faux sommeil dont je ne
pouvais plus m'extraire. Claire-Obscure entra et l'engueula,
à voix étouffée :

— Mais t'es donc bien dégueulasse! Si maman sait ça, tu
vas y goûter.

— C'est pas ma faute, gémissait Aimée. Ne le dis pas. Je
ne voulais pas. Aide-moi plutôt à enlever les draps… Je les
laverai demain. Je dirai que j'ai été indisposée plus tôt que
prévu ce mois-ci et que j'ai souillé mes draps.

— Tu me dégoûtes. T'es vraiment une moins que rien, l'acheva Claire-Obscure.

J'avais envie de crier à Claire-Obscure que c'était Roger, l'écœurant, et pas Aimée. Je comprenais confusément ce qui s'était passé. Je ne savais trop si c'était la vue du gros cul de Roger, éclairé par le rayon de lune, ou le mal qu'il avait fait à ma sœur qui me traumatisait. J'étais pétrifiée. Je ne l'avais jamais trop blairé, celui-là ; maintenant je le haïssais.

Au milieu de la nuit, je n'avais pas fermé l'œil. J'allai retrouver ma mère dans le lit conjugal. Elle se poussa près de mon père et me fit une place sur la tranche.

— Qu'est-ce qui t'arrive, tu as fait un mauvais rêve ?

— Oui. J'ai rêvé qu'Aimée épousait un enfant de chienne.

— Gwen, c'est vraiment très laid, ça, un «enfant de chienne».

— Un chien sale, d'abord.

— Allons donc. Et ce chien sale, il avait un visage ?

— Non, il n'avait que des fesses, laides et grosses.

— Heureusement que c'était un rêve. Un mauvais rêve. Ne le raconte pas à Aimée…

C'est autour de cette période que je me suis mise, nuit après nuit, à faire le même cauchemar. Un rêve étrange sans scénario, sans images, sans personnages, strictement rempli d'horribles sensations. Je ne trouvais pas de mots pour décrire ce que j'avais rêvé lorsque je me réveillais en criant et que ma mère, inquiète, me demandait de raconter mon rêve. Pas d'histoire, pas d'acteurs, pas de décors, juste une écœurante impression aux tréfonds de ma gorge. Une sensation visqueuse, collante, poisseuse qui m'étouffait, m'écrasait, m'emplissait, m'empêchait de respirer. J'essayais en vain dans mon sommeil de cracher, de vomir, de me libérer de cette poisse qui m'infiltrait. En même temps, j'avais l'impression qu'une masse lourde s'écrasait sur moi, s'immisçait partout en moi, me comprimait. Je ne voulais plus me coucher, je fuyais mes chaises, je refusais de dormir autrement que de manière imprévue, au milieu du salon, devant la télé, par terre dans la cuisine ou entre mon père et ma mère, dans leur lit.

Mes terreurs nocturnes, mon angoisse inhabituelle, mes descriptions oniriques ténébreuses inquiétaient beaucoup ma mère.

— Tu ne te souviens de rien d'autre? me répéta-t-elle de nombreuses fois. Il n'y a personne, pas de visage, pas de corps, autour de ces sensations déplaisantes?

Mes parents échangeaient des regards chargés de suspicion et de questionnements. Elle prenait cela au sérieux. Au point qu'elle me chantait une berceuse, comme lorsque j'étais bébé, quand je daignais aller dans mes chaises ou dans le grand lit avant que Blanche et Claire-Obscure ne se couchent. Et chaque soir, je lui faisais faire trois serments:

— Tu vas rester près de moi tant que je ne dormirai pas?

— Promis.

— Tu vas laisser la lumière du plafond allumée et personne n'aura le droit de la fermer jusqu'à ce que Blanche, Claire ou Aimée vienne se coucher?

— Promis.

— Tu vas laisser la porte de chambre grande ouverte, pour que je voie tout le monde dans le salon et que tout le monde me voie? Et pour que j'entende la télévision et tout le monde parler?

— Promis.

Et elle ajoutait :

— Cette porte restera désormais toujours ouverte, vingt-quatre heures par jour. Vous vous mettrez, tes sœurs et toi, derrière elle ou dans le placard pour vous déshabiller. Personne, tu m'entends, personne sauf moi et tes sœurs n'aura désormais le droit de passer le seuil de cette porte de chambre. Tu comprends cela ? Personne.

Ma mère respecta ses promesses à la lettre. Grâce à elle, mes cauchemars s'estompèrent graduellement. Très graduellement.

Bruissement des sens

Mes étés se suivaient et se ressemblaient. Pas moi. Je me transformais à une vitesse grand V : mon corps, mes intérêts, tout. L'été de mes dix ans et celui de mes onze ans furent doux, savoureux et sensuels d'une manière fort différente l'un de l'autre. À onze ans, je rêverais des garçons et me fabriquerais des seins avec des kleenex alors qu'un an plus tôt, on me traitait de *tom boy*[15] parce que je revendiquais le droit de me promener torse nu. Je refusais de porter des maillots de bain de fille. Ma mère n'aimait pas trop cette lubie mais en faisait peu de cas. Sans me disputer, elle disait que cela ne se faisait pas.

— Qu'est-ce donc qui empêche une fille pas-de-seins de se promener pas-de-seins à l'air ? que je contestais.

---

15. Garçon manqué.

— Tu n'en as pas mais ça viendra, disait ma mère. Aussi bien t'habituer tout de suite à couvrir tes pas-de-seins puisque tu n'auras pas le choix de cacher tes seins.

Cela me mettait hors de moi. J'enviais Jean-Jean, les gars Dallaire et les frères Viau avec qui je jouais et bâtissais des cabanes dans le petit bois. Je voulais construire avec eux, comme eux, pas-de-seins à l'air. Je voulais avoir, comme eux, les épaules et le dos aussi bronzés que les bras.

— Eille! Dégagez! Je suis bien capable de soulever et d'installer cette poutre moi-même! J'suis pas infirme.

— Enlève plutôt les traîneries autour, qu'on puisse travailler, qu'ils me disaient.

— Coudonc, Viau, tu me laisses jouer avec vous autres à condition que je balaie la cabane? Toi, t'es pas né un fusil à l'épaule, ni un marteau à la main, à ce que je sache! Ben moi non plus, j'suis pas née un torchon à la main!

À dix ans, je jouais aux Indiens, me battais, m'habillais en garçon. Je portais des jeans, un chapeau de cow-boy, me fabriquais arc et flèches comme Jean-Jean m'avait appris. Tout en moi contestait, à l'avance, une bonne part du monde des femmes qui allait bientôt m'engloutir et que je refusais inconsciemment.

En revanche, je passais de longs moments, dans le hangar, assise sur le vélo de Jean-Jean qui était au travail. J'intégrais le vélo dans mes jeux, comme s'il s'était agi de mon cheval que j'allais soigner à l'écurie. Cette bicyclette était bien trop grande pour moi. Assise sur le siège, je ne touchais pas même les pédales-étriers. J'avais découvert qu'en m'appuyant bien sur la barre, un flot de sensations étranges et distrayantes m'envahissait. Je m'imaginais vraiment à dos de cheval, cavalant dans la plaine ou le désert, serrant mon étalon entre mes

191

jambes. Ainsi, au fil de ma fantasmagorie équestre, je fondais de plaisir. Je n'y comprenais rien mais je trouvais cela bien agréable. Chaque jour, le pur-sang à deux roues de Jean-Jean hennissait pour m'attirer dans le hangar…

J'avais parlé de mon cheval à pédales à mon amie Bibi-la-délurée, celle qui se promenait nue chez elle. C'est bien la seule, avec Vévette, avec qui je pouvais partager semblable secret. Elle me raconta avoir éprouvé des sensations comparables alors qu'elle avait grimpé dans un poteau de téléphone en jouant à cache-cache.

— J'avais escaladé environ le tiers du poteau. C'était amusant de regarder en bas les copains qui me cherchaient sans penser une seconde qu'il leur aurait suffi de lever les yeux au ciel pour me trouver. Un pied de chaque côté, les cuisses serrées autour du poteau, je m'agrippais aux piquets plus haut. Wow!

— T'es folle, Bibi, dis-je en riant, embarrassée.

— Tu parles! Au point que j'ai oublié le jeu et suis restée scotchée en l'air un long moment.

— Et puis après? Ils ont fini par te trouver?

— Non. Après, ce poteau est devenu ma cachette préférée, me dit-elle en éclatant d'un grand rire.

Moi, j'étais si naïve qu'il ne m'est jamais venu à l'esprit de reproduire l'expérience intentionnellement, par d'autres moyens. Comme si un mécanisme de défense, bien ancré en moi, m'empêchait de me procurer délibérément ce genre de sensations. Mon plaisir étant indirect et fortuit, je n'avais aucune responsabilité dans sa survenue: il tombait du ciel! Je ne faisais même pas de lien avec les questions que me posait le curé dans l'obscurité du confessionnal, le premier vendredi de chaque mois:

— As-tu péché par impureté? Eu des mauvaises pensées?

— Non, mon père.

— Tu ne te touches pas?

— Me toucher? Oh non, mon père. Jamais.

Mon éducation sexuelle et amoureuse se poursuivit durant l'année scolaire suivante. Beaucoup grâce à Vévette qui, à onze ans, avait un amoureux et n'en finissait plus de nous décrire les affres de leur amour et leurs baisers de moins en moins timides. Mes sœurs, les jumelles, lisaient des photoromans d'amour, mielleux et insipides, que je leur volais et que je lisais en catimini. En cachette aussi, je les amenais à l'école et le midi avec Vévette et Bibi, nous trouvions un coin tranquille, à l'écart, dans la grande salle par mauvais temps, dans la grande cour par beau temps, pour regarder inlassablement les scènes dans lesquelles les amoureux n'en finissaient plus de tomber en amour, de se regarder dans les yeux, de s'embrasser, de se faire des crises de jalousie puis de se quitter pour une plus belle ou un plus riche...

— Regarde celui-là comme il est irrésistible. T'as vu ses yeux? commentait Bibi. Moi aussi, je voudrais le fiancer.

— Moi, ce que je trouve bizarre, c'est qu'ils s'embrassent la bouche fermée. Ça doit être des Anglais, ils ne *frenchent* même pas, remarquait Vévette, l'experte en la matière.

Nous pouffions de rire. Et de malaise.

Ainsi avons-nous passé la moitié des récrés de l'année scolaire de nos onze ans submergées dans des photoromans d'amour à l'eau de rose, jusqu'à ce que Bibi en ait assez et décide que ces histoires étaient ridicules et qu'il ne s'y passait jamais rien.

— Nous devrions en écrire, nous, des histoires d'amour. Dans les nôtres, les filles seraient moins idiotes et ne se laisseraient pas traiter soit comme des potiches soit comme des moins que rien!

Pendant des mois, tous les soirs et toutes les fins de semaine, chacune chez soi, nous faisions avancer nos photoromans d'amour sans photos. Que des dialogues, déclarations d'amour, scènes torrides de baisers décrites en quelques mots, disputes, tromperies et séparations dans lesquelles les jeunes filles avaient immanquablement le dessus. Elles initiaient les baisers et les câlins, choisissaient leurs amoureux et décidaient de la fin de leur liaison. Le midi, à l'école, nous partagions nos romances et nous nous les racontions, l'une suggérant des idées et faisant avancer l'histoire d'amour de l'autre.

C'est avec elles, mes deux fidèles amies de la petite école Saint-Joseph, que j'ai appris le ravissement des mots évocateurs, du fantasme, du rêve partagé. Déjà, nous avions chacune notre couleur littéraire, épicurienne et érotique, singulière. Bibi était une féministe avant la lettre. Ses héroïnes étaient seules maîtresses à bord de leur destinée après Dieu. Elles nous subjuguaient. Leur existence dynamique dans nos rêves et fantasmes était inversement proportionnelles à leur présence dans nos vies. Celles de Vévette avaient un petit côté soumis qui exaspérait Bibi et me laissait, moi, pantoise. Elles se «donnaient» comme on disait à l'époque, finissaient par céder, par livrer leur corps en échange d'amour et de sécurité. Les miennes, mes stars féminines, étaient en demi-teintes, dans l'air du temps qui s'annonçait. Extrêmement sensuelles, contestataires mais généreuses. Elles revendiquaient leur droit d'aimer ou pas, de donner et d'éprouver du plaisir. Mine de rien, elles y trouvaient leur compte sans jamais transgresser – ouvertement – les interdits.

J'aimais bien notre trio de pucelles écervelées. Je ne me lassais pas d'écouter Vévette nous parler de son chum. Il s'appelait Richard, avait les cheveux frisés et les yeux noirs. Il habitait près de chez elle et était devenu l'ami de son frère pour pouvoir se rapprocher d'elle. Cela me faisait d'autant plus rêver que nous avions de nouveaux voisins, les Frenette, une famille qui comptait six garçons. L'un d'eux, Yves, ne me laissait pas du tout indifférente…

Un amour de voisin

En vérité, j'étais folle de lui. Yves. Il avait treize ans, m'ignorait souverainement et avait déjà une petite amie dans la ville d'où il venait. Sa maison, construite sur le terrain qui, jusque-là, nous avait séparés des Dallaire se trouvait collée sur la nôtre. La fenêtre de ma chambre – j'avais désormais ma chambre, Claire-Obscure et Aimée, comme de vraies fausses jumelles, ayant fait un mariage double et quitté le giron familial – donnait sur la fenêtre de leur salle à manger. Je passais des heures dans le noir à écornifler chez eux, dans l'espoir de voir son ombre passer. Il m'arrivait de me faire une beauté, d'allumer ma lampe sur mon vieux pupitre de travail placé devant la fenêtre et de m'y asseoir, faisant semblant d'y faire mes devoirs. Je posais, comme au cinéma, espérant l'éblouir s'il m'apercevait.

Un jour d'hiver, alors que Vévette me cassait les oreilles de ses amours avec Richard, je pris encore une fois mes rêves pour des réalités et me mis à enjoliver mon existence :

— J'ai un chum moi aussi. Sa famille a emménagé il n'y a pas longtemps dans notre quartier. Ils ont fait construire une superbe maison sur l'ancien terrain des Dallaire, tu sais, ce terrain vacant qu'il y avait entre eux et nous?

— Oh! Ma cachottière! Raconte! Comment cela a commencé? Et comment il est? Raconte-moi tout.

— Ben… j'attendais, je ne voulais pas en parler parce qu'il n'avait pas encore cassé avec sa blonde de Cartierville. Tout a commencé un jour qu'on s'est croisés rue Robinson, en rentrant de l'école. Il était en vélo et moi à pied. Il s'est arrêté et a marché avec moi. On s'est dit nos noms, on a parlé d'école. Il s'est mis à tomber des clous et il m'a demandé de m'asseoir sur la barre de son bicycle pour qu'on puisse rentrer plus vite chez nous.

— Et vous êtes arrivés ensemble devant chez vous? On vous a vus?

— Non. Arrivés au coin de notre rue, je suis descendue et j'ai continué seule, à pied. On ne voulait pas faire jaser… dis-je sur un ton de mystère et d'intrigue.

Là, je savais que je venais de marquer un point. C'était de notoriété publique: inviter une fille à s'asseoir sur sa barre de vélo équivalait à lui faire une déclaration d'amour. Toutes les filles rêvaient de la barre du vélo du garçon convoité. C'était la manière d'être proche sans avoir l'air de l'avoir recherché: bien blottie contre le torse du gars, enveloppée par ses bras sur le guidon, joues se frôlant, la bouche de l'un effleurant l'oreille d'autre pour lui parler… En fait, je n'ai fait que raconter ce dont je rêvais depuis qu'Yves avait fait irruption dans la maison d'à côté.

— Depuis ce temps, bien… on est ensemble.

— Wow! Il a quel âge? Il s'appelle comment?

— Il a presque quatorze ans. Beau comme un dieu. De grands yeux verts. Yves, il s'appelle. Yves Frenette, dis-je nonchalamment.

Niaiseuse que j'étais!

Les jours suivants, je continuai à alimenter mon canular romantique. Je n'avais pas le choix. Vévette avait tout raconté à Bibi, et mes deux amies suivaient avec intérêt les péripéties de mon histoire de cœur créée de toutes pièces. J'inventais adroitement, je brodais de fil rouge, je ne me mêlais jamais dans mes menteries, décrivais avec détails et frissons les regards langoureux, la main dans la main, le premier baiser sans la langue et la grande demande :

— Veux-tu sortir avec moi?

— Oui, je le veux.

Mes amies ricanaient. Frétillantes, elles voulaient écrire un photoroman de ma fausse histoire d'amour qu'elles croyaient vraie. Bibi avait suggéré le titre : *GwendolYves*.

Le pire qui puisse arriver arriva. Lorsque Vévette vit son Richard, elle s'empressa de lui confier que Gwen, sa meilleure amie d'école, avait désormais elle aussi un petit ami. Rien de plus naturel : qui ne serait pas ravi de compter de nouveaux initiés dans son cercle sélect d'amoureux transis?

— Il s'appelle Yves. Yves Frenette, proclama-t-elle.

— Hein? Frenette? T'es sûre de ça? Ah ben, le sacripant! Il m'a caché ça!

Moi, idiote de première, je n'avais même pas envisagé cette fuite d'informations! J'avais confectionné mes amours, bien cousu mon histoire de dentelle, sans jamais supposer qu'elle puisse prendre vie en dehors de moi et de mon trio amical. Jamais je n'avais demandé à mes amies de garder le secret. Tout cela n'aurait pas été si grave, n'eût été la désastreuse nouvelle : Yves, mon prince charmant fictif, était non seulement dans la même classe que le Richard-à-Vévette, mais ils étaient les meilleurs amis du monde. Horreur! Y'a pas pire déshonneur que de perdre ainsi la face.

Évidemment, Richard se dépêcha de taquiner son copain qui lui avait dissimulé son idylle. Tout ce beau monde, le plus précieux des quatuors à mes yeux, Vévette-Bibi-Richard-Yves, apprit du coup que j'étais la reine des menteuses! Prise au piège de mes affabulations romanesques, je faillis, encore une fois, mourir de honte.

— Tu sais, me dit Vévette délicatement, Yves prétend qu'il ne t'a même jamais adressé la parole.

Je restai bouche bée.

— Je lui ai dit qu'il devait y avoir un malentendu, compléta-t-elle avec indulgence.

À ce moment précis, si j'avais été au sommet du pont Jacques-Cartier, je me serais jetée dans les flots bleus du fleuve sans la moindre hésitation.

Je ne savais plus où me mettre. J'aimais mon amie et je ne supportais pas l'idée qu'elle découvre la menteuse finie que j'étais. Elle comprit, sans que j'esquisse la moindre explication, que j'avais un gros *kick*, un très très gros *kick*, qu'Yves était mon premier grand amour, que j'enviais sa romance avec Richard et que tout ce que j'avais raconté était vrai dans mes rêves, que songe et mensonge avaient fusionné, me happant toute ronde. Je lui rendis grâce de ne pas en avoir parlé à Bibi, de ne pas me confronter, de ne pas m'obliger à me justifier et d'accepter mon plaidoyer muet de culpabilité.

Les semaines passèrent. J'avais réussi, grâce à de savants calculs, à ne pas croiser mon faux prince Yves. J'y mettais la même ardeur obsessive que j'avais déployée à me trouver sur sa route quelque temps auparavant, sans le moindre succès. Savoir qu'il savait que j'avais inventé une folle histoire d'amour, de baiser et de barre de bicycle nous unissant, lui et moi, me jetait chaque jour dans l'enfer de l'angoisse, de la honte, de l'opprobre et de l'humiliation. L'aiguille de mon disque était coincée dans un sillon de ma tête : j'entendais constamment les phrases assassines que les deux larrons devaient se relancer pour rire de moi :

— Comme ça, mon chum, tu la trouvais trop merveilleuse pour toi ?

— C'est ça, oui, je pensais que la tarlaise ne voudrait jamais de moi.

— Non mais, pour qui elle se prend, celle-là ? Quelle épaisse !

Je ne sortais plus de ma chambre, ni de la maison, sauf le mardi pour me rendre à ma réunion de scouts-guides. Je savais, grâce à Vévette qui le tenait de Richard, qu'Yves jouait au billard ce soir-là avec des copains, dans sa cave qui n'avait pas de fenêtre donnant du côté de la rue. Je n'allais pas à la patinoire de l'école qui venait d'ouvrir, moi qui aimais tant patiner. Je crevais de peur qu'il me fasse honte publiquement s'il me trouvait sur son chemin. Avec nos maisons l'une à côté de l'autre, ça ne pouvait pas être pire, ni plus difficile. C'était l'enfer, et je me jurai de ne plus jamais décorer ma vie d'artifices et de mystifications.

Un samedi après-midi, il faisait un vrai beau temps, un grand soleil d'hiver. Ma mère m'engueulait pour que je déguerpisse :

— Ouste ! Va prendre l'air ! Bouge tes fesses ! Enlève-toi de mes jambes !

— Non mais enfin, allez-vous tous me ficher la paix !

— Je ne peux plus voir ton teint vert. Je ne veux plus te voir traînasser ! Tu veux te transformer en limace ou quoi ?

C'était les vacances scolaires des fêtes et je mourais d'envie d'aller jouer dehors. À vrai dire, j'en avais assez moi aussi de longer les murs, de ma honte, de ma peine d'amour sortie tout droit d'une non-histoire d'amour. Frère Jacques, qui avait été promu gérant d'un magasin de chaussures à Granby, m'avait acheté de beaux patins blancs de fantaisie. Mes premiers patins flambant neufs, jamais portés par personne avant, pas déformés! Personne de la famille ne comprenait pourquoi je ne les avais pas encore étrennés. Chaque matin, je sortais la boîte carrée de sous mon lit, je les regardais, je caressais leur peau souple, je humais le bon cuir neuf, j'admirais leur blancheur, je voyais mon chagrin se refléter dans leurs lames étincelantes.

Dans le champ inondé derrière, pas loin de chez nous, les Anglais avaient pelleté et improvisé une patinoire. Je décidai d'aller y essayer mon coup de patin. Je pouvais me le permettre, j'étais une des rares *Frenchies* à être admise chez les *squareheads*. J'avais joué, plus petite, avec les sœurs Shirley et Sharold Shaw ainsi qu'avec les Thomson. Je ne les fréquentais plus, mais nous avions gardé des rapports affables qui se déclinaient en salutations amicales et banalités d'usage: *How are you? You're so cute with your new haircut. Do you like your new school*[16] ?

C'était une époque où, par chez nous, Français et Anglais, catholiques et protestants ne se mêlaient pas, sauf de rares exceptions, dont nous étions. Robert-Bob *Doubouas*, anglophile invétéré, avait sans doute contribué à ouvrir en Jean-Jean et moi une brèche suffisamment grande pour laisser passer

---

16. Comment vas-tu? Tu es très jolie avec ta nouvelle coupe de cheveux. Aimes-tu ta nouvelle école?

quelques flirts anglo-saxons. Jean-Jean avait séduit une ribam-belle de petites Anglaises et moi, j'avais craqué pour David Whitehouse et Allan Wood (eh oui, encore un Dubois!). Avec les cinq plus vieux de la famille, l'influence de notre père n'avait pas agi, semble-t-il, et le charme anglo n'avait pas opéré.

Je conclus qu'Yves Frenette n'irait certes jamais patiner chez les Anglais, sur un rond à patiner même pas assez grand pour jouer sérieusement au hockey. À ma demande, mon père fut heureux d'aiguiser mes lames avec sa grosse lime, de les rendre bien tranchantes. Je m'habillai, laçai affectueuse-ment mes bottines de cuir blanc, reportant sur elles tout mon amour déchu.

Je l'avais presque oublié, lui, le Frenette, en serpentant sur la glace. Je respirais de grands bols d'air, je m'amusais toute seule à faire des arabesques, je perfectionnais mon style, pratiquais mon patinage à reculons. J'exécutais une figure complexe, jambe droite en l'air par-derrière, pied et lame gauches mordant la glace, bras en croix, yeux fermés lorsque, relevant ma grosse tête emmitouflée, je l'aperçus devant moi, bras croisés, le regard colérique:

— Qu'est-ce que tu as dit à la blonde de mon ami Richard? Hein? Qu'est-ce que tu es allée raconter, espèce de maudite menteuse? criait Frenette cruellement en me tambourinant l'épaule de son gros index ganté.

Je notai intérieurement qu'il me parlait pour la première fois, que j'entendais sa voix, si mâle, de près pour la pre-mière fois, qu'il me touchait pour la première fois. J'étais émue, mortifiée, et je bafouillai:

— T'as pas besoin de beugler comme ça. Chu pas sourde. C'était des blagues, des niaiseries… Je ne me rap-pelle pas. Ça fait si longtemps!

C'est vrai que ça faisait longtemps. Deux mois, peut-être trois. Quelle idée de ruminer le passé ainsi! Le présent, y'a que ça de vrai non? avais-je envie de lui cracher au visage.

— Ben moi, j'me rappelle, coupa-t-il, pis je vais te rafraîchir la mémoire. Tu as raconté que j'étais ton chum et qu'on faisait toutes sortes d'affaires ensemble. Même pas vrai! Pure invention! Tu sauras que j'en ai une, blonde. Elle s'appelle Louise, elle habite à Cartierville et elle a treize ans, comme moi. Et si tu veux savoir, tu ne m'intéresses pas pantoute. Les enfants de ton âge ne m'intéressent pas, m'insulta-t-il.

Une Louise en plus! Mon chien était mort. Jamais je ne pourrais rivaliser avec une Louise de treize ans qui devait avoir des seins et porter une brassière!

— Si j'entends encore dire que tu as raconté des histoires à mon sujet, tu vas avoir affaire à moi. Espèce de folle!

Il tourna les talons de ses grosses bottes et partit.

— C'était juste des blagues, que je lui criai à tue-tête. Une grosse farce plate, mais une farce! T'es trop niaiseux pour comprendre ça? Tu ne m'intéresses même pas. T'es trop épais. Trop cave.

J'espérais qu'il se retourne et revienne m'engueuler. Mais non, il continua son chemin. Du coup, je l'en aimai davantage. Et je fus soulagée. C'était fait. L'abcès était crevé. J'étais éclaboussée mais je pouvais (enfin!) recommencer à vivre normalement.

«Tu ne perds rien pour attendre, me dis-je en mon for intérieur. Je te retrouverai bien. Pleurera bien qui pleurera le dernier!»

Grandir à l'épouvante...

Envers et contre tous, j'avais donc passé l'été de mes dix ans à me balader pas-de-seins à l'air, réfutant ma féminité imminente, alors qu'au début suivant, celui de mes onze ans, je bourrais ma camisole de kleenex pour en accentuer les signes. Je passais des après-midi torrides, allongée sur le ventre à écraser mes faux seins contre mon lit ou contre le divan du salon, rêvassant que je les pressais contre le torse du beau David Whitehouse, à défaut de celui du salaud d'Yves Frenette. Cela me donnait des sensations fortes, et je mettais sur le dos de la canicule la moiteur de ma culotte.

Rien n'échappait à Jean-Jean. Il avait remarqué que j'étais tantôt poitrinée de mouchoirs, tantôt plate comme une galette. Il avait découvert mon stratagème et s'était moqué de moi à la face de toute la famille qui ne comptait plus que des hommes, à part ma mère et moi. Jean-Jean n'en ratait pas une:

— Hé, Gwendo, t'as pas mis tes tetons de papier aujourd'hui?

Ainsi me saluait-il le matin.

Puis, en rentrant du travail:

— As-tu perdu tes lolos en jouant au bolo?

Ou encore:

— Tu devrais être contente de ne pas en avoir, il paraît que ça fait mal quand ça pousse.

Et il gloussait comme un gros cave. J'allais m'enfermer dans ma chambre en pleurant et en rageant. Mince consolation: jamais il ne me taquinait sur ce sujet devant ses amis.

Plus tard, même le grand Pierre s'était payé ma tête, un samedi midi que nous mangions des frites avec des « œufs à la Pierre », une recette de son cru qui consistait à casser des œufs dans la graisse d'où nous venions de retirer les patates frites. Les œufs se recroquevillaient aussitôt sur eux-mêmes au contact de la graisse bouillante et le temps de dire «patates frites et œufs à la Pierre», ils étaient prêts à manger, le blanc bien aggloméré autour d'un jaune impeccable, bien liquide. Je raffolais de ce plat et Pierre le faisait souvent pour me faire plaisir. Avec beaucoup de ketchup et du vinaigre pour diluer le gras, c'était un impur délice.

Je m'étais amenée à table en me léchant les babines à l'avance. Je portais pour la première fois un chemisier à manches bouffantes, seyant, en satin jaune qui me venait d'Aimée. Mon parrain m'avait regardée, moi, son bébé filleule, comme s'il me voyait pour la première fois de sa vie.

— Ben dis donc! T'as des p'tits jaunes d'œufs qui commencent à clignoter, toi.

Puis, il avait cassé deux œufs dans une assiette plutôt que dans l'huile, avait jeté un coup d'œil amusé à mon corsage.

— On devine qu'ils sont à peu près comme ça! avait-il affirmé en montrant de son index les jaunes d'œufs dans l'assiette.

J'avais fulminé et disparu dans ma chambre, sans manger, en chialant et en traitant mon parrain de maudit baveux d'écœurant. Ma mère l'avait admonesté vertement:

— Un garçon de ton âge, dire des niaiseries pareilles! T'as pas honte? T'es encore plus bébé que Jean-Jean.

Il était venu aussitôt frapper à la porte de ma chambre en me priant de l'excuser.

— Excuse-moi, Gwen. Je me suis comporté comme un crétin. Les gars, des fois, sont des imbéciles. C'est bête de même.

— Des fois? Pas «des fois», toujours! avais-je crié de l'autre côté de la porte.

Ma vie, mon corps, mon quotidien, ma maison, ma famille, tout se transformait à un rythme infernal. J'avais parfois l'impression qu'il se passait plus de choses en une semaine qu'il ne s'en était passé en un an. Tout se métamorphosait. La maison où circulait, depuis ma naissance, un trafic fou, où l'on se tamponnait et s'embouteillait était soudain vide, tranquille, d'un calme inimaginable. Là où nous avions été une dizaine à nous affairer comme des abeilles, voilà que nous nous retrouvions, même en pleine heure de pointe, rarement plus de quatre : mon père, ma mère, Jean-Jean et moi. Presque du jour au lendemain, je m'étais retrouvée avec mon propre lit, mon garde-robe, ma table de travail, ma chambre à moi toute seule qui, par-dessus le marché, donnait sur la salle à manger des Frenette. Mes frères avaient pesté un peu d'être trois gars, que dis-je, trois hommes de dix-sept, vingt-deux et vingt-quatre ans dans l'ex-chambre rose, devenue la chambre verte. En fait, leurs doléances n'avaient duré que le temps d'un râle, notre foyer étant devenu pour les deux aînés un lieu de transition. Et encore, même Jean-Jean ne faisait plus qu'y passer.

Trois fois passera, la dernière restera...

En l'espace de deux ans, Blanche, Aimée et Claire-Obscure s'étaient mariées et installées avec leur mari ; Jacques avait eu une promotion à Granby et ne rentrait plus que la fin de semaine pour repartir aussitôt vers Monique, sa fiancée. Pour se rapprocher de son travail, Pierre avait loué une chambre en ville, à deux pas de chez Aimée et son Roger-cochon-aux-grosses-fesses, à Montréal.

Jamais je n'aurais cru, lorsque j'ai assisté, à neuf ans, à mon premier mariage, celui de ma sœur-marraine Blanche avec son fiancé Manuel, que ce serait le début de l'hémorragie familiale, que nous nous disperserions en un temps record, que notre vie tribale courait déjà à sa fin. Je gardai toute ma vie un souvenir mémorable des noces de Blanche. Cela s'était passé un 3 août. La veille, nous avions mis nos chapelets sur la corde à linge pour commander du beau temps et cela avait marché. Ce fut un vrai beau mariage. Un grand mariage. Ce serait d'ailleurs, avec celui de Pierre plusieurs années plus tard, le seul grand mariage de la famille Dubois.

Blanche était radieuse et Manuel en beauté, avec son nœud papillon et son *tuxedo*. La marraine et le parrain de Blanche, tante Marie-Louise et son mari Gros-Judes, étaient venus et avaient offert cent dollars, un gros, très gros cadeau pour l'époque. Mon père s'était saoulé et avait chanté une chanson à répondre, grivoise, qui avait fait rigoler tout le monde.

Nous étions trois capitaines tous les trois su'l même bateau
Nous étions trois capitaines tous les trois su'l même bateau
Notre chemise était si courte qu'on nous voyait le moineau
C'est à boire, à boire mesdames, c'est à boire qu'il nous faut
C'est à boire, à boire mesdames, c'est à boire qu'il nous faut

Jean-Jean avait imité Elvis et Jacques avait poussé une chanson aussi salée que celle du paternel. Les jumelles, habillées de façon identique, avaient chanté en duo un refrain mortuaire, triste à mourir et tellement pas de circonstance que c'en était ridiculement drôle. Je me souviens de l'air et des paroles de cette mélopée, dont un des couplets disait :

Au début du mariage, nous croyions être heureux, mais la bois-
son enivrante nous a rendus bien malheureux…

Quant à moi, je portais une robe blanc crème imprimée
de pastilles dorées, des souliers de Cendrillon, couleur
crème aussi, avec dessus une boucle dorée, et un sac à main
rond assorti. J'avais chanté une mélodie dont le titre était
Un jeune vendeur, un air que j'avais appris en catimini, exprès pour l'événement et qui racontait l'histoire d'un jeune
homme épris d'une sublime et riche actrice qui visitait régulièrement son magasin pour lui acheter des dentelles.

C'est une jolie poupée d'amour
Couverte d'or et de velours
Et moi qui ne suis qu'un p'tit employé
Ce joli bijou j'pourrai pas l'acheter
Pouvoir l'aimer serait folie e e e e
Oh toi ma poupée si jolie e e e e

Nous trouvions cela merveilleusement beau. Pierre avait
pleuré en m'écoutant. J'avais pensé que ça n'était pas de
m'entendre qui l'avait remué, mais qu'il avait plutôt un gros
chagrin d'amour bien enfoui au fond de lui. Je le sentais.
Pierre avait toujours été, et resterait jusqu'à la fin de sa trop
courte vie, un garçon très sensible, secret et renfermé. À part
ma mère, qui chantait tout le temps dans sa cuisine mais jamais en dehors, et Pierre qui ne chantait jamais mais qui
sifflait tout le temps, toute la smala Dubois s'était donné en
spectacle. Nous étions une sorte de famille von Trapp dont
les membres ne chantaient que séparément. Et très mal.

À peine un an après leurs épousailles, je suis devenue à
dix ans la matante Gwendo de Caroline, la première de la

demi-douzaine de marmots qu'auraient Blanche et son mari. Ensuite, tout avait déboulé. Les jumelles se marièrent un jour d'Halloween, l'une revêtue de noir et de rose, l'autre de bleu sarcelle. Avec leurs époux, les sorcières partirent en voyage de noces sous une pluie torrentielle vers le sanctuaire Notre-Dame-du-Cap. Drôle d'idée d'aller passer sa nuit de noces dans un lieu saint! C'était à pleurer, et le ciel pleurait d'abondance! Jacques se maria quelques mois plus tard, en plein hiver. Sur le perron de l'église Saint-Charles-Borromée de Ville-Jacques-Cartier, il devait faire moins vingt-cinq degrés Fahrenheit. La mariée claquait des dents, tout le monde grelottait et moi, je saignais du nez. Le photographe, congelé, ne fit qu'une photo qui ressemblait étrangement à une scène d'enterrement tant les invités avaient des airs figés d'embaumés.

La maison n'avait plus rien du joyeux poulailler. Ainsi passai-je du statut de cadette d'une famille de sept chenapans où ça grouille, grenouille et scribouille à celui de fille unique de deux parents fatigués. À cinquante et quelques années, ils étaient bien trop vieux, avec six enfants adultes hors du nid, pour subir les frasques d'une fillette délurée pas même encore entrée dans l'adolescence.

Saison de premières

Je ne voulais plus que l'on se moque de mes seins naissants qui, de fait, n'étaient encore constitués que d'aréoles framboisées. Je convainquis ma mère qu'il me fallait un soutien-gorge, une brassière comme on disait. Je savais lequel je voulais: c'était le même que celui de ma nouvelle meilleure amie, Christiane, arrivée l'année précédente dans ma classe de sixième.

— T'as donc bien des beaux cheveux, m'avait-elle dit dès le premier jour. Tu frises naturel?

— Tu trouves? Merci. Oui, c'est naturel.

J'avais regardé ses cheveux et constaté qu'ils étaient exactement comme les miens: longs, ondulé, épais, d'un châtain auburn. Nos coiffures étaient identiques. Nous avions pouffé de rire. Nous portions de plus des manteaux exactement pareils, en faux cuir: le sien était vert, le mien, marron doré. Cela faisait des tas de petits crochets entre nous deux! Le plus réjouissant: constater en sortant de l'enceinte de l'école que nous ferions route ensemble puisqu'elle avait emménagé, avec sa famille, à quelques minutes de marche de chez nous. C'était presque trop beau. Tout de suite, nous avons été inséparables: un vrai coup de foudre amical.

Nous dormions souvent l'une chez l'autre la fin de semaine. Surtout chez moi, car j'avais ma chambre alors qu'elle partageait la sienne avec sa petite sœur. Elle avait aussi un frère de deux ans son aîné, Momo, qui m'énervait. Il avait le *kick* sur moi et moi pas du tout sur lui. Je le trouvais laid et insignifiant, aussi repoussant que sa sœur Christiane était attirante et appétissante avec ses longs cils très noirs et ourlés, son teint bistré, ses lèvres pulpeuses.

J'avais envié ma nouvelle amie lorsqu'elle m'avait montré son soutien-gorge capitonné de petits cœurs en satin à l'extérieur des bonnets. Elle avait six mois de plus que moi, les seins plus développés et elle avait déjà ses règles. Et puis, autre raison d'aimer Christie: c'était la cousine d'Yves Frenette, «mon» Yves, que j'aimais toujours éperdument, en secret. Il ne s'était rien passé entre lui et moi depuis l'épisode tumultueux du rond à patiner, il y avait plus d'un an déjà. Nous nous étions aperçus de loin, en nous ignorant royalement. Mon indifférence affichée était proportionnelle à l'attraction qu'il exerçait sur moi: elle ne se démentait pas. Yves était unique au monde. J'avais bien espéré que mon amitié avec sa cousine favoriserait des accointances avec lui. Il n'en fut rien.

La famille Courcy, ainsi s'appelait Christiane, n'était pas très conventionnelle. Le père n'était pas dans le décor et on ne savait trop s'il était mort ou vif. Mon amie ainsi que Momo et leur jeune sœur appelaient sarcastiquement l'homme qui vivait avec eux «chef». Par contre, le cadet de la famille, lui, l'appelait «pôpa». Christiane avait aussi un autre frère, l'aîné de la famille, qui n'habitait pas avec eux. Il s'appelait Christian et était resté à Montréal où il habitait chez une dame, amie de leur mère. Je compris assez rapidement, malgré ma naïveté, que le Christian en question, âgé de dix-sept ans, vivait non pas «chez» la dame, mais bien «avec» la dame. Cela me chamboula passablement. Et me troubla surtout car jusque-là, petite oie blanche, j'ignorais que semblable association puisse seulement exister.

Un vendredi soir qu'elle dormait à la maison, Christiane me montra son joli soutien-gorge ainsi que ce qu'il y avait dedans. Lorsqu'elle le laissa tomber, je fus aveuglée: des sphères d'or bondirent de leurs écrins très blancs, de belles prunes dorées avec des aréoles marron. Ses seins me parurent énormes comparés à mes cerises. Mes frères auraient dit qu'il y avait du monde au balcon!

— Là où je l'ai acheté, au Woolworth du centre d'achats Jacques-Cartier, il y en avait de toutes les tailles. Si ta mère te donne de l'argent, on pourrait aller t'en acheter un demain.

Ce serait le fun, on aurait le même! Tu l'essaieras et on verra s'il te va.

Le sien était un 32B. Elle supposa que le 30A ou le 32A m'irait.

— On se prendra en photo dans la machine à photos, dit-elle.

— En ouvrant nos chemisiers?

— T'es folle, pas en brassière quand même!

— Et on regardera les rouges à lèvres. J'aimerais bien en avoir un. Un rose. Mais ma mère ne me donnera jamais d'argent pour ça…

— Demande-lui tout de suite, on en aura le cœur net!

Je m'exécutai sans tarder:

— M'maaaan! Tu peux venir dans ma chambre s'il te plaît? On veut te parler.

Elle arriva et je l'informai de notre projet. Elle sourit et dit oui tout de suite.

— Tu as déjà deux piastres, non? Je t'en donnerai trois autres. Tu en auras assez pour la brassière, le bus aller-retour, les photos qui sont à vingt-cinq sous et pour boire un Coke. Mais pour le rouge à lèvres, je ne crois pas, non. Je ne peux pas te donner plus. Pas cette semaine.

— Pas grave, m'man. Merci. Je suis trop contente!

J'étais folle de joie! À l'idée d'avoir un soutien-gorge, certes, mais aussi à l'idée d'aller, seule avec mon amie, en autobus à Ville-Jacques-Cartier. J'avais impression que je venais de grandir de six pouces d'un coup sec et que le fait de porter le même soutien-gorge que ma meilleure amie cimenterait notre amitié. Il y avait le lien du sang, j'inventais le lien du sein! Il me sembla n'avoir jamais été aussi intime avec quelqu'un.

Nous nous étions endormies collées l'une contre l'autre, seins contre seins. Moi, m'imaginant dans les bras chastes d'Yves Frenette, elle dans ceux, moins chastes je crois, d'un copain de son frère dont elle rêvait. Je dis « moins chastes » car mon amie me semblait très sensuelle. Quand elle s'éloignait un peu de moi pour me parler, on aurait dit que son corps ondulait tandis qu'elle tournait sa mèche de cheveux. Elle se rapprochait, s'appuyait sur moi, en se berçant un peu langoureusement, silencieusement. J'étais toute concentrée à apprécier l'excitation qui émergeait en moi, à mon corps défendant.

Le lendemain, nous prenions l'autobus numéro 8 vers le centre d'achats Jacques-Cartier. J'en revins transfigurée. À douze ans et demi, j'avais circulé en autobus, seule avec mon amie, d'une ville à l'autre. C'était une première. À l'arrêt du bus, au retour, des garçons bien plus vieux nous avaient sifflées et avaient flirté avec nous.

— Qu'est-ce que tu manges pour être belle de même? avait lancé l'un d'eux en s'adressant à on ne savait trop laquelle de nous deux.

— La même chose que toi, mais ça ne fait pas le même effet! avait répliqué Christie du tac au tac.

— Non, mais t'as vu ce vieux vicieux? Il pourrait être mon père!

Notre autobus se faisant attendre, nous avions marché sur le chemin de Chambly vers l'arrêt suivant. Une vieille bagnole avec deux gars à l'intérieur avait ralenti près de nous.

— Hé, les filles, vous montez? On va aller vous reconduire.

— On monte? m'avait demandé Christie. On économiserait de l'argent.

— T'es folle! Non merci! avais-je répondu en regardant de quoi ils avaient l'air.

Le conducteur était mignon. Il devait avoir l'âge de Jean-Jean et fumait. L'autre était boutonneux.

— Allez, montez, on vous mangera pas. Vous êtes des sœurs? Vous avez quel âge?

— Oui, on est jumelles et on a quinze ans. Pis on veut marcher en paix.

— Ouin, c'est ça, faque allez donc écœurer le peuple plus loin, renchéris-je hardiment.

— Tant pis, les p'tites filles. Vous reviendrez nous voir quand vous aurez vingt ans.

Je flottais. J'attribuai les regards admiratifs que les garçons me lançaient à ma brassière qui me donnait passablement de poitrine, poitrine que j'offrais en pâture aux regards lubriques, avec mon coupe-vent bien ouvert. Même ma démarche avait changé. Entre le moment où, dans la salle d'essayage, j'avais remonté ma première bretelle et celui où j'avais emprisonné mon deuxième sein, le droit, dans son bonnet, ma démarche était passée d'espiègle à lascive. Non seulement j'avais mon premier soutien-gorge brodé de cœurs, mais j'avais les lèvres rose bonbon, recouvertes du rose à lèvres que Christie avait piqué. Pour moi.

Effet du balconnet à cœurs? Du rose à lèvres? De la virée dans une ville voisine sans chaperon familial? Des sensations troublantes que je ressentais lorsque nous bavardions, Christie et moi, allongées l'une près de l'autre? De toutes ces réponses combinées? Je me réveillai quelques semaines plus tard, un beau samedi matin d'hiver, avec une lourdeur dans le bas-ventre, des tiraillements et la sensation que mon sexe était gonflé. Il y avait du sang dans la culotte de mon pyjama.

— Je suis indisposée, avais-je annoncé à ma mère, sans tambour ni trompette.

Je ne savais pas pourquoi on disait «être indisposée» quand nous avions nos menstruations. J'avais toujours entendu ma mère et mes sœurs dire ainsi ou dire «être malade», et je répétais comme un perroquet.

Je ne me sentais pourtant ni indisposée ni malade, mais en grande forme. Et j'avais espéré ce moment qui m'élèverait au même statut de maturité que mon amie Christie. L'embarras qui assiégeait mes entrailles était un peu déconcertant, inhabituel, mais pas du tout désagréable. Et le sang clair qui coulait de mon vagin était chaud et vivant. J'étais fière de l'arrivée de ces règles qui confirmaient ma féminité, ma normalité, ma santé, mon appartenance au monde des femmes. Et puis, toutes ces sensations nouvelles, sensuelles et sexuelles qui accompagnaient la puberté étaient pour moi plutôt joyeuses!

— Tiens, dit ma mère.

Elle me tendait une boîte de serviettes hygiéniques de marque Kotex. Et une ceinture sanitaire toute neuve, blanche, pour attacher et maintenir en place la bande de coton.

— Oh, merci. Tu as acheté ça pour moi? T'es donc ben fine! Tu avais prévu que ça m'arriverait bientôt?

— C'est Blanche que tu dois remercier. Nous faisions les courses ensemble l'autre jour et lorsqu'elle en a acheté pour elle, elle m'a fait penser que tu en aurais besoin bientôt.

— Tu sais comment les sœurs de Saint-Joseph appellent ça, m'man?

— Heu, non.

— Des oreilles de lapin.

Ma mère éclata de rire.

— Je te jure. L'autre jour, je suis allée au magasin scolaire pour en chercher avec Christie. Elle avait ses menstruations et n'avait pas ce qu'il fallait. La sœur économe lui a dit : « La prochaine fois, vous demanderez des oreilles de lapin, ma fille. »

Le plaisir que me faisait ma mère ! Je les avais si souvent vues, elle et mes sœurs, préparer des carrés de tissu blanc, pliés, re-repliés et re-re-repliés jusqu'à former une bande qu'elles mettaient dans leur culotte pour absorber le sang de leurs règles. Et j'avais si souvent vu ma mère laver ces linges souillés, les faire tremper pour détacher le sang rouge, les laver et les relaver, les javelliser, les rincer et les re-rincer pour les blanchir... Quel privilège d'être née dix ans plus tard que mes sœurs ! Les temps avaient changé. Pas de chiffon dans mon caleçon !

Ma mère était émue. Elle en avait vu d'autres pourtant, j'étais sa quatrième fille à passer par là. Je ne comprenais pas son trouble.

— C'est drôle, ma petite Gwendoline qui est maintenant capable de faire un bébé...

— Ah non, s'il te plaît, ne me dis pas de faire attention aux garçons, je le sais !

— Non, non... J'allais te dire qu'au moment où toi tu deviens capable physiquement d'enfanter, bien moi, je ne le suis plus. On traverse toutes deux un tournant important de nos vies, sourit-elle un peu tristement.

C'était un samedi. Cocasse comme les événements marquant les étapes de ma vie survenaient souvent le samedi ! Mon père et Jean-Jean étaient à la maison, ainsi que Pierre, qui nous rendait visite. Nous étions sur le point de nous mettre à table, tous les cinq, pour les classiques frites et burgers du samedi soir.

— Nous n'avons plus de petite fille, avait dit ma mère, la voix chevrotante, en s'adressant à mon père.

TROISIÈME PARTIE :
NOTRE-DAME-DES-SEPT-PLAISIRS

Mi-ange, mi-démone

J'avais treize ans, et j'achevais ma septième et dernière année à l'école élémentaire. Jusque-là, les filles avaient pu fréquenter l'école Saint-Joseph jusqu'en neuvième. Mais en 1961, le système d'éducation amorçait un grand virage et nous étions en pleine transition. L'école secondaire m'attendait et c'était excitant parce que inédit. La simple appellation d'école « secondaire » nous donnait un sentiment d'importance. À l'orée des *sixties*, la Révolution tranquille couvait. Nous étions à un carrefour de grandes transformations sociales, de découvertes, de bouleversements, de tonnerres et d'éclairs, de désespoir et d'émerveillements. Nous sentions poindre, au fond de nous, la révolte calme.

Je devenais contestatrice. À ma mère qui me demandait un jour de l'aider à laver les planchers, j'avais répondu :

— Tu me prends pour Cendrillon ? Jamais je ne serai une esclave comme toi. Jamais je ne laverai de planchers.

— Ah bon. Et qui les lavera, tes planchers, quand tu seras mariée ?

— D'abord, qui te dit que je me marierai? Et si je le fais, j'aurai une servante ou un serviteur qui torchera.

Lors d'une visite en classe, en préparation de notre communion solennelle, le jeune et beau vicaire tout fraîchement ordonné m'avait demandé:

— Vous voulez vous marier et avoir des enfants, mademoiselle Gwendoline? Devenir institutrice ou garde-malade serait difficile compte tenu de…

Il allait parler de notre situation économique précaire. Je lui coupai le sifflet:

— Je crois avoir la vocation religieuse.

— Qu'est-ce qui vous fait croire cela? s'était réjoui le père François. Ce sont nos enseignantes, les religieuses de Saint-Joseph, qui vous ont inspirée?

— Heu… non, je ne crois pas. C'est plutôt vous. Vous êtes si impressionnant, vous avez l'air d'un saint dans vos atours du dimanche à la messe. Je voudrais être comme vous.

— Alors, vous voulez devenir religieuse? Religieuse missionnaire, peut-être?

— À vrai dire, c'est pas à ça que je pensais… Voyez-vous, lorsque vous donnez la communion aux gens agenouillés, que vous buvez du vin, que vous pardonnez les péchés, je vous envie. C'est ça que je veux faire. Je veux, moi aussi, effacer les péchés du monde.

— Vous n'êtes pas sérieuse, ma fille…

— Mais si, je suis sérieuse. Vous êtes mon idole, mon père. C'est fatigant d'être toujours à genoux, vous savez.

— Mais qu'est-ce que vous racontez là, les fidèles ne sont pas toujours à genoux!

— Il y a deux ans, mon père, je suis tombée en sortant de l'église, un vendredi de confession, et me suis fait une large entaille au genou. Une plaie à l'os. J'ai eu des points de suture. Vous savez quoi? Ma mère avait écrit un mot pour qu'on m'autorise à rester debout durant les huit prières quotidiennes et le chapelet du midi : ordre du médecin. Eh bien, ce fut à moitié accepté. On m'a forcée à me mettre à genoux, chaque jour pendant de longues minutes. Je ne l'ai pas dit chez nous, mon père aurait été trop furieux. Résultat, ma plaie s'est rouverte au moins trois fois, s'est infectée et a mal guéri. J'aurai une énorme cicatrice toute ma vie. Elle est en forme de cœur. Vous voulez la voir? fis-je en faisant le geste de défaire mon gros bas beige de mon porte-jarretelles.

— Assez, Gwendoline Dubois! interrompit sœur Sainte-Hélène, on a assez entendu vos balivernes. Taisez-vous!

Je n'étais plus arrêtable.

— Il me semble que ça doit être le fun d'être à votre place. Je voudrais moi aussi faire des sermons, depuis votre chaire, en haut. Vous me comprenez? J'ai mille bonnes raisons de vouloir être prêtre. Ensuite, je pourrais devenir évêque puis, qui sait, pourquoi pas pape?

Toute la classe s'était esclaffée. Notre enseignante ordonna que je présente sur-le-champ mes excuses au vicaire et me menaça d'une nouvelle visite chez la sœur directrice et d'une retenue mémorable si je ne cessais immédiatement mes sottises et moqueries. Elle m'avait déjà expédiée au bureau de la mère supérieure lors de la dernière visite du bel aumônier parce que j'avais dit à haute voix qu'il l'excitait au point de la faire bafouiller et cramoisir dès qu'on entendait les pas du grand homme – il mesurait six pieds quatre pouces – résonner dans le corridor. C'était pure vérité. Flagrant. Tout le monde l'avait remarqué, elle la première et le curé itou.

Quoi de plus naturel ? Sœur Sainte-Hélène était jeune et ravissante, avec des traits symétriques, un grain de peau serré et naturellement doré. Les superpositions de jupons et de voiles noirs ne parvenaient pas à dissimuler ses courbes et galbes de femme. Le père François était jeune, beau et très attirant : un sourire d'acteur de cinéma, un regard pervenche, dévastateur, une démarche de bateau ivre et des épaules, seigneur ! Des épaules… Toutes les saillies et cavités de leurs corps consacrés ébruitaient leur désir de se laisser aller à s'emboîter un peu. Malgré leurs efforts, ils ne pouvaient faire autrement que de se zieuter l'un l'autre, comme un homme regarde une femme, comme une femme regarde un homme. Ils étaient si émouvants, empotés dans leurs soutanes et dans leurs troubles. Elle aurait voulu que personne ne s'en rende compte. Mais nous n'étions plus des enfants, et pas question pour moi de jouer la cruche de service. Pourquoi nier un désarroi si humain ? Pourquoi ne pas le célébrer en le reconnaissant, même s'il leur était défendu de s'y laisser aller et de consommer la moindre parcelle de volupté ?

Le père François était interloqué. Il me fixait comme s'il venait d'apercevoir Satan sorti de l'enfer.

— Je n'ai jamais rien entendu d'aussi burlesque. Vous savez bien que les filles ne peuvent pas être ordonnées prêtres, trancha-t-il en regardant la classe de filles comme un boucher regarde un troupeau de génisses.

— Excusez-moi, dis-je faiblement, histoire de m'éviter une balade chez la mère supérieure, tout en enchaînant aussitôt, entêtée que j'étais à vouloir une explication : Mais pourquoi donc ? Dites-nous au moins pourquoi !

— Parce que c'est comme ça! s'impatienta-t-il. Dieu a voulu qu'il en soit ainsi. Il n'y avait pas de femmes parmi les apôtres de Jésus, ne l'avez-vous pas constaté?

— Oui, j'avais noté, hélas! Et cela m'a bien déçue, mon père, oui, cela m'a donné un dur coup…

— Bon, assez d'impertinence. Les filles n'ont jamais été prêtres. Elles ne le seront jamais. Est-ce clair pour tout le monde ici? conclut-il, haussant le ton en même temps que ses superbes épaules.

— Oui, mon père, répondit en chœur le cheptel.

— C'est clair, mon père, dis-je à voix forte à mon tour.

Puis, en baissant le ton, j'ajoutai:

— C'est clair comme de la vase.

Sœur Sainte-Hélène m'entendit, et s'époumona:

— Dehors, Gwendoline Dubois! Au bureau de la mère directrice!

Je claquai la porte de la classe en me déhanchant juste assez et en jetant un regard coquin au mignon vicaire.

Le pont des soupirs

Mon corps prenait des rondeurs, des moiteurs, de la souplesse… David Whitehouse l'avait remarqué. De plus en plus souvent, il s'aventurait de mon côté de la voie ferrée, en milieu hostile, chez les Français de Croydon pour se rendre chez notre voisin, monsieur Dickson, à qui il donnait un coup de main. New Croydon avait perdu son indicatif de nouveauté et s'appelait désormais Croydon comme le reste du territoire environnant, lequel serait bientôt avalé à son tour par Saint-Hubert. Monsieur Dickson était mécanicien.

Il réparait des bagnoles et autres engins à moteur dans son garage. David était son *helper*. Toujours en *blue jeans* serrés, bords de pantalons retournés – des *turn-ups* qu'on disait, – *running shoes* et chaussettes blanches, il avait une allure féline, américaine, désinvolte, une démarche élastique qui faisait élégamment rebondir son grand corps élancé. David, que l'on surnommait Skipper, marchait comme un Slinky et m'attirait comme un aimant! Beau hasard, je copinais de plus en plus avec Doris la rousse qui habitait de l'autre côté du petit pont, ce qui m'obligeait souvent à passer devant la maison rouge des Whitehouse pour me rendre chez elle.

Ce ponceau de bois était à peine assez large pour que deux passants s'y croisent. Il enjambait la voie ferrée et deux gros fossés regorgeant d'eau sale au printemps. Un pont si humain qu'on l'aurait dit de chair. Un vrai carrefour des histoires d'amour et de haine. Tout y naissait et y mourait: les béguins, les *kicks* majeurs et les *kicks* mineurs, les amitiés, les baisers, les premières cigarettes, les batailles, les fêtes, les rapprochements, les partys, les séparations, les engueulades, les réconciliations... Sur le petit pont, on tombait en désir, croyant tomber en amour. Comment aurait-il pu en être autrement? *Can't Help Falling in Love* était sur toutes les jeunes bouches de la planète, et son interprète, Elvis Presley, constituait le phénomène le plus révolutionnaire et le plus charnel de l'heure. On ne l'aimait pas. On l'idolâtrait.

L'été, on y sirotait un Coke à la paille, assis sur les rambardes du ponceau, au son de la musique crachée par le jukebox de madame Campbell, dans la fente duquel les plus argentés allaient, à tour de rôle, glisser vingt-cinq sous pour trois chansons. Aux bonnes heures, on trouvait aisément une vingtaine de jeunes gens, garçons et filles, assis sur les rampes de bois, formant une haie d'honneur pour les voyageurs intimidés qui descendaient du train ou du bus et devaient obligatoirement emprunter la passerelle pour débarquer en sol français.

Le pont remplissait son rôle de pont. C'était un lieu de jonction, le cordon reliant le quartier des *frogs*[17] à celui des *blokes*[18]. C'est là que bon nombre de garçons et de filles entremêlèrent joyeusement leurs langues, oubliant, le temps d'une bouche gourmande, tous les différends de leurs groupes linguistiques. Un vrai pont des soupirs. Je me souviens de l'exclamation envieuse de Kenny, voyant son frère Bobby et Doris la rousse qui s'embrassaient goulûment :

— *Well! This Frenchie isn't afraid to open her mouth*[19] !

Il faut dire que les Anglaises, en bonnes Anglaises, ne *frenchaient* pas.

— Pourquoi ? avais-je demandé à Doris la rousse qui les côtoyait depuis toute petite.

— Elles ont peur des microbes, m'avait-elle répondu sans hésitation.

En revanche, elles se laissaient tripoter les seins et peloter un peu, ce que la plupart des Canadiennes françaises de treize ou quatorze ans, très cathos, ne permettaient pas, par crainte du péché. C'était un secret de Polichinelle que les garçons sortaient avec deux filles à la fois : une pour toucher, l'autre pour embrasser. Il y avait quelques exceptions, certaines offrant généreusement autant le sein que la langue. Celles-ci

---

17. Grenouille. Mot péjoratif utilisé par les anglophones pour désigner les francophones.
18. Type. Mot péjoratif utilisé par les francophones pour désigner les anglophones.
19. Eh ben ! Cette petite Frenchie n'a pas peur d'ouvrir la bouche !

avaient bien mauvaise réputation auprès des filles, et bien bonne presse auprès des garçons.

Par une belle fin d'après-midi, Doris la rousse et moi nous étions donné rendez-vous sur le pont. Une fois rendues, nous constatâmes un grand brouhaha dans la petite rue semi-déserte qui obliquait devant chez Skipper. Une rixe avait éclaté entre mon beau ténébreux et un gros inconnu à l'air débile. De jeunes badauds s'agglutinaient en les encerclant. Nous nous sommes approchées, surexcitées, pour assister au combat. À l'époque, la bagarre chauffait les sens. Skipper m'aperçut, planta ses yeux insistants dans les miens, l'air de dire, son bassin pointant vers moi comme vers sa destinée, qu'il se battait pour moi. Nous ne nous étions jamais adressé la parole. Pourtant, le message était on ne peut plus clair.

Pourquoi ces deux garçons se tabassaient-ils ? Je n'en savais strictement rien. Seul m'importait l'effet que ça me faisait. Skipper était rouge, poings fermés, tous les muscles du corps tendus, de la mâchoire jusqu'aux cuisses en passant par le cou. Doris, la rousse délurée, me donna un coup de coude :

— Regarde-moi ça ! Skipper est bandé comme un kangourou.

— Qu'est-ce que tu racontes ? T'as déjà vu un kangourou bandé, toi ?

— Tu le fais bander, c't'affaire ! T'es niaiseuse ou tu fais semblant ?

— Moi ? Tu dis n'importe quoi. Et t'es vraiment vulgaire.

Dans mon esprit, bander voulait dire «avoir le béguin» ou le *kick*, «en pincer» pour quelqu'un. Moi qui étais née dans le Faubourg à m'lasse, qui avais grandi avec trois grands frères, sans compter les chums de mes sœurs, je ne me souvenais pas d'avoir entendu le mot «bander» dans le sens que venait d'utiliser ma copine. Par une sorte d'instinct de déduction, mes yeux s'abîmèrent sur la braguette proéminente de Skipper. Cette émouvante saillie, jointe aux regards pénétrants que le pugiliste me décochait entre deux coups de poing, me chavira. Était-ce la salve hormonale déclenchée par ce corps-à-corps avec l'ennemi qui l'avait fait durcir ou l'arrivée dans son champ de vision de mes cuisses bronzées sous mon short trop court et trop serré? Peu m'importait, j'en fus toute remuée.

C'est lui qui boxait. C'est moi qui étais commotionnée. Cela ne m'empêcherait pas, le surlendemain, de retrouver ma voix et mon allure d'enfant de Dieu pour lire, à la messe, les saintes écritures.

Le baiser originel

Le dimanche, je lisais l'évangile du jour à la messe, en alternance avec Bibi. Lorsque, du fond de l'église, je commençais à lire, les gens se retournaient, cherchaient d'où venait cette voix posée, féminine et solide, pleine d'aplomb. C'était nouveau d'autoriser des filles à lire les Écritures. Je croyais que c'était un premier pas dans la lente ascension des femmes dans l'Église. Que les choses bougeaient. À notre grande déception, nous avions appris plus tard qu'on nous avait choisies, Bibiane et moi, parce qu'on n'avait pas trouvé de garçons lisant assez bien et assez fort pour s'adonner à cette tâche divine.

J'étais devenue la chouchou de Michel Louvain. Ainsi avions-nous rebaptisé notre beau curé au sourire dévastateur qui était, de surcroît, mon aumônier chez les scouts-guides, où j'apprenais la vie d'équipe. Nous préparions un camp d'été sous la tente, à Sainte-Émélie-de-l'Énergie. Je n'étais jamais partie de chez nous sauf pour dormir chez une copine ou chez une de mes sœurs mariées. Nous serions une centaine de filles réparties dans des tentes, par sizaines. Dormir sous un tipi, sur de la paille et dans la promiscuité ne me plaisait guère, mais l'aumônier Louvain viendrait passer quelques jours, histoire de bénir notre bivouac, et j'aurais donné badges et fanions pour le voir en costume de bain !

Yves Frenette, qui m'avait snobée depuis deux ans, venait de découvrir mon existence. Depuis le temps que je me languissais de lui, pas question de rater l'occasion ! Il fallait absolument que je devienne sa blonde officielle avant de partir au camp. J'avais appris quelques semaines auparavant par Vévette, qui, elle, le tenait de son Richard, qu'il s'était débarrassé de sa Cartiervilloise – que j'avais surnommée sa Cartiervilaine – et qu'il me voyait désormais dans sa soupe. Il faut dire que je m'étais organisée pour l'aguicher, me faisant griller en maillot de bain deux-pièces au milieu de notre mauvaise herbe, bretelles nonchalamment baissées pendant qu'il tondait sa pelouse juste à côté. Je m'étais aussi laissé chanter effrontément la pomme par David-Skipper Whitehouse sur la rue, juste en face de chez lui, sachant bien qu'il nous voyait et que cela aurait l'effet anticipé : lui faire comprendre qu'il ne devait pas me laisser filer à l'Anglais...

Peu après, Vévette me convia à une soirée balançoire. Richard y avait invité son inséparable ami, Yves. Deux ans que j'attendais ce moment. Vingt-quatre mois. Sept cent trente-deux jours exactement. Bien qu'habitant l'un à côté de l'autre, nous nous rendîmes chacun de son côté retrouver nos amis, comme si nous avions un *blind date*[20]. La magie opéra à retardement : le coup de foudre nous rattrapa avec une force proportionnelle à l'interminable délai de carence que j'avais enduré. Yves était plus merveilleux que dans tous mes fantasmes : il sentait bon, avait une belle voix et était comique en dépit de sa timidité.

— Tiens, tiens… Yves et Gwendoline, beau p'tit couple ! C'est bien pour dire, hein ! nous avait taquinés Richard.

— Ta gueule, toi. Y a juste les fous qui changent pas d'idée ! avait répliqué Yves.

Il avait profité de l'absence de nos deux amis partis à l'intérieur chercher des chips et des Coke pour demander simplement :

— Veux-tu sortir avec moi ?

— Quelle question ! Évidemment que je veux ! avais-je répondu, au bord de l'évanouissement, réprimant un « Il était temps que tu te déniaises ! ».

J'étais la blonde d'Yves Frenette. Sa *steady*. Mon rêve devenu réalité. Il proposa qu'on aille aux vues le dimanche suivant, tous les quatre. J'étais excitée comme une puce : un garçon, et pas n'importe lequel mais celui de mes rêves, m'invitait au cinéma. Il s'y rendit avec Richard et d'autres copains et nous les y retrouvâmes, Vévette et moi. À l'affiche, un western américain, en anglais évidemment – il n'y avait que des films en anglais dans mon patelin –, auquel je ne compris rien tant j'avais la tête ailleurs.

J'étais subjuguée. Euphorique. Être assise près de lui, dans la pénombre, sentir son bras, son corps si près, son visage frôlant le mien lorsqu'on se parlait à voix basse me fit

____

20. Rendez-vous arrangé avec une personne inconnue, qu'on n'a jamais vue.

faire une poussée de fièvre. En deux ans, j'avais imaginé sept mille trois cents fois au moins ce moment, le projetant sur mon écran de cinéma intérieur. Lorsqu'il approcha sa main de la mienne, qu'il la tâta langoureusement comme pour apprendre à la connaître, qu'il l'emprisonna dans la chaleur de la sienne, je crus me liquéfier. C'était trop beau, trop bon. Sa main était une ventouse. Je maintins les yeux fermés tout le reste de la vue pour ne rien perdre de ce moment de grâce. Le film, c'est en moi qu'il se déroulait. Tout mon corps était dans un état de moiteur inattendu. Il me semblait qu'une gelée chaude et fondante filait de mon corps. Je sentais ma culotte mouillée et m'inquiétais que cela ne soit pas très normal. «Mon Dieu, mais qu'est-ce que ce sera quand on va s'embrasser? Je vais bien tomber dans les pommes», pensai-je.

La semaine suivante, nous rentrions à pied, Yves et moi, de chez Richard. Sans se le dire, nous avions pris soin de ne pas prendre nos bicycles pour prolonger l'enchantement du retour, main dans la main, dans une nuit étoilée de fin d'été. Sur la courte rue Robinson, l'ampoule électrique du seul lampadaire était brûlée. Sous cet ancien arbre éteint, Yves ralentit le pas, me regarda avec des yeux éperdus, s'approcha, m'embrassa doucement. D'abord avec de lentes pressions des lèvres, ensuite à petits coups de bec entrouvert, me picorant comme s'il voulait me grignoter, une bouchée à la fois. Nos bouches s'entrouvrirent naturellement, assez grand pour prendre et recevoir l'autre, pour échanger nos langues et les enrouler, les faire danser harmonieusement l'une autour de l'autre.

Rien à voir avec la langue pointue que Momo, le frère de Christiane, avait un jour introduite rudement dans ma bouche, jusqu'aux amygdales, et qui m'avait fait lever le cœur. Le seul bénéfice que j'avais retiré de ce *French kiss* vomitif à sens unique : Momo avait raconté à Yves que j'étais une sainte-nitouche qui refusait de *frencher*, ce qui, contrairement à ce qu'il avait escompté, avait bien plu à son cousin. C'est connu : les garçons aiment les filles vierges de partout, qui se réservent pour eux et pour eux seuls.

Il goûtait si bon ! La saveur sucrée-salée de nos lèvres réunies me comblait sans jamais me rassasier, sans me frustrer non plus. Nous nous embrassions ainsi, nous nous savourions à bouche que veux-tu pendant de longues minutes, soir après soir après soir, sans jamais pousser plus avant notre exploration sensuelle. Nous laissions la parole à nos baisers. C'était suffisant. Être ainsi alanguis et cimentés l'un près de l'autre nous comblait de bonheur. Je découvris plus tard qu'Yves et ses copains s'étaient amusés à lancer des roches sur l'unique ampoule électrique de la rue Robinson pour la péter et pour nous envelopper de noirceur. C'est Yves qui avait atteint la cible, à son troisième essai. Nous nous séparions devant chez moi, à dix pas de chez lui, sur un pudique bonsoir. Jamais nous ne nous faisions de câlins près de nos maisons.

Je rentrais vers neuf heures et demie. Mon père, qui regardait la télé, me toisait avec son air bête. Il n'aimait pas les Frenette et ma mère l'avait mis au parfum de mon histoire d'amour avec l'ennemi.

— Elle est folle de ce garçon. Tu veux bien ne pas faire ta face de beu quand elle en parle ?

— Ces gens-là se prennent pour d'autres. Ils pètent plus haut que le trou. Ils me tombent sur les rognons, avait-il dit avec dédain.

— Tais-toi donc! Tu ne les connais même pas. Madame Frenette me semble une très bonne personne. Quant au père, on ne le voit jamais.

— C'est sûr, il paraît que le bonhomme est fou de la bouteille!

— Torrieu, Robert Dubois! T'es mal placé pour parler d'ça. En tout cas, t'es mieux de filer doux avec son p'tit chum, même si leur amourette ne dure que le temps des roses. Tu sais vraiment pas vivre. Tu fais honte à ta fille.

Mon père avait jugé nos voisins fanfarons et pédants dès qu'ils avaient emménagé dans la maison d'à côté, plus cossue que la nôtre et construite sur demande, expressément pour eux. Il ne les avait même jamais salués et détournait la tête s'il croisait un membre de la famille sur la rue. Robert le diable continuait de me faire honte. Je n'ai jamais vraiment su pourquoi il ne fraternisait qu'avec les anglophones. Les Canadiens français, surtout ceux qui avaient une voiture, semblaient avoir réussi et allaient à l'église – c'est donc dire à peu près tout le monde – étaient à ses yeux des péteux de broue ou des mangeux de balustrades.

Tous les soirs du jeudi au dimanche, Jean-Jean partait courir les filles. En début de semaine, il passait plutôt ses soirées à jouer de la guitare avec Gilles H., dans la cave de ce dernier, où ils pratiquaient leur rock-and-roll, leur déhanchement à la Elvis et toute la gestuelle provocatrice du King. Parfois, il faisait des mauvais coups, rien de très grave : du bruit et des batailles de gang avec ses copains, qui nous valaient régulièrement la visite de la police. Jean-Jean était un délinquant sympathique. Un aimable truand. Une seule fois il avait failli se retrouver dans de sales draps : il avait fait feu avec une carabine à plombs sur le chef de police du coin, un vrai salaud celui-là, réputé pour avoir abusé sexuellement de quelques filles mineures. L'une d'elles, devenue grande, s'en était confiée à Jean-Jean qui en pinçait solide pour elle. C'est moi qui avais aidé mon frère à se cacher dans notre cave de terre, haute d'à peine trois pieds, lorsque les policiers étaient venus. Je m'étais cru investie d'une grande mission en leur mentant au nez. L'histoire avait eu un heureux dénouement, mes parents ayant obtenu, par la négociation, que le lamentable petit chef retire sa plainte sans quoi ils dévoileraient ses viols sur la place publique.

Presque chaque soir lorsque je rentrais, ma mère, assise à la table en Arborite de la cuisine, finissait de savourer ses uniques moments de détente de la journée : la lecture des pages féminines de *La Presse*. Avant de se mettre au lit, elle aurait encore à préparer les lunchs du lendemain pour son mari et pour Jean-Jean. Cette tâche lui semblait une bien négligeable corvée depuis que le nombre de mangeurs de lunchs avait chuté de huit à deux. Dès que je passais la porte, elle repoussait son journal, comme pour m'inviter à venir m'asseoir près d'elle pour faire la causette. Toutes mes amies m'enviaient de pouvoir jaser librement avec ma mère. Quand je lui parlais ainsi, qu'elle m'écoutait, je retrouvais la femme audacieuse qui ne craignait pas d'aller au théâtre seule quand j'étais petite. Derrière l'uniforme de conformiste qu'elle portait, comme toutes les femmes de son âge et de son époque, un esprit libre s'animait. Il fallait être sacrément marginale pour avoir aimé et marié Robert le diable, en dépit de sa famille qui avait désapprouvé cette union !

— Si tu savais comme je l'aime. Tu ne peux pas comprendre. Personne ne peut comprendre à quel point je l'aime. Jamais je n'aimerai quelqu'un d'autre, que je lui confiais à propos d'Yves.

Elle souriait.

— Oh que si, je peux comprendre! Mais il est possible que tu en aimes plusieurs autres encore. Et, allez donc savoir, peut-être bien plus fort.

— C'est impossible. Si tu dis ça, c'est que tu ne comprends pas. Tu ne peux pas imaginer ce que cela me fait quand il me touche la main, quand on s'embrasse. Je deviens molle comme de la guenille, mes jambes flanchent, je ne vois plus clair…

J'étais entière, expansive, un brin excessive et cela a toujours amusé ma mère. Elle disait que je souffrais de «tropitude».

— C'est pour ça qu'on dit que l'amour est aveugle. On commence par voir embrouillé, ensuite on voit le brouillard multicolore, puis finalement on ne voit plus rien. Jusqu'à ce qu'on recommence à y voir clair à nouveau.

Un soir, j'étais allée jusqu'à lui confier, maladroitement et à mots couverts, que des réactions nouvelles se manifestaient dans mon corps et que cela m'inquiétait un peu. Si Aimée avait été là, sans doute que je me serais adressée à elle. Mais ma sœur venait rarement à la maison depuis son mariage et j'avais besoin d'être rassurée. Ma vieille mère de cinquante-trois ans avait contenu un certain embarras et s'était faite rassurante.

— Ce genre de trouble est naturel, ne t'en fais pas. Ce qui ne serait pas normal serait de ne rien ressentir.

Puis elle avait fait dériver le sujet un brin tout en restant au cœur de celui-ci.

— Mais qu'est-ce qu'il a, ce garçon, pour te chambarder autant? Qu'est-ce que tu lui trouves?

— Il a… Il a… Il a tout.

Je réalisais au contact de mes amies que si, comme elles, on ne m'avait jamais donné d'informations précises sur la sexualité, j'avais néanmoins reçu une sorte d'éducation sexuelle tacite, positive à de nombreux égards. Chez nous, ce qui tournait autour du corps, de ses besoins, des sensations et du plaisir, sans toutefois être nommé, n'incarnait pas forcément le diable et l'enfer. Entre ma mère et moi, le message passait par les attitudes bien plus que par les mots. C'est dans d'autres maisons que je fis connaissance avec les épouvantails à grossesses, avec la méfiance et la peur qu'il fallait développer à l'égard des garçons et de la sexualité. J'avais été estomaquée d'entendre la mère de mon amie Janine hurler, lorsque celle-ci sortait un peu maquillée et naturellement sexy :

— Une vraie courailleuse! Regardez-moi ça, elle a l'air d'une vraie guidoune. Tout ce qu'ils veulent, les gars, c'est de te mettre dans leur lit. Et quand tu te retrouves en balloune, ils disparaissent. Arrange-toi pas pour revenir avec un paquet! Tu verras : c'est ça qui va t'arriver!

Je trouvais cela terrible. Et je voyais bien la peine que cela faisait à ma copine.

Jamais je n'avais entendu des propos aussi déprimants et alarmistes chez nous. Par contre, j'avais comme tout le monde bien intégré le message dominant à l'effet que la sexualité était sale, péché, et qu'il fallait la réserver pour la personne qu'on aimerait vraiment un jour. Quel cadeau empoisonné, que je me disais! En cette matière, ma mère semblait croire que j'avais la science infuse et que ma sagesse se manifesterait d'elle-même le moment venu. Je ne saurai jamais si c'est sa confiance en moi ou son inconscience qui frôlait la démesure. Chose certaine, dans mon besoin de m'épancher, d'être confortée sur ma normalité, de laisser déborder mon sentiment amoureux, elle avait été une formidable oreille. Plus elle m'écoutait, plus je trouvais merveilleux et légitime d'être amoureuse d'Yves.

Lady Goretti et Maria Chatterley

Peut-on avoir une double personnalité à treize ans ? La question serait plutôt : peut-on ne pas en avoir une, quand le quotidien est un bombardement perpétuel de messages doubles et troubles ? Je rêvais tantôt d'être une martyre chrétienne comme Maria Goretti, tantôt de me substituer à la voluptueuse Lady Chatterley sur la couche de son dévoué garde-chasse.

À l'école, pour nous préserver du péché d'impureté, les sœurs nous rabâchaient des litanies sur le mérite, la pureté, la grandeur de Maria, glorieuse et morte d'avoir voulu résister à Alessandro, son assaillant. Elles entraient dans une telle transe, en nous décrivant les avances charnelles et libidineuses du jeune homme, que nous étions nous-mêmes dans tous nos états des heures durant avant la leçon annoncée sur le péché de luxure. À force d'être témoins des transports mystico-érotiques des religieuses, nous éprouvions, par un effet d'osmose, le même enthousiasme extatique.

Pourquoi Maria Goretti me fascinait-elle plus que n'importe quelle autre vierge et martyre ? Parce qu'elle était l'icône suprême de nos sœurs de Saint-Joseph, bien sûr, mais aussi parce que c'était une adolescente comme moi, à laquelle il était facile de m'identifier. En nous la décrivant si attirante et si irrésistible alors qu'elle n'avait que onze ans, les sœurs ne faisaient qu'exacerber notre libido. Le sempiternel portrait qu'on nous brossait de la femme-proie, éternelle victime, éternelle sacrifiée commençait toutefois à me tomber sur les nerfs. Malgré le germe de rébellion qui sourdait en moi, mon sentiment de parenté avec Maria s'était décuplé lorsque j'appris qu'elle avait été béatifiée le jour de mon anniversaire de naissance. C'était un signe: Maria Goretti était ma jumelle cosmique! Le soir, je la priais:

— Maria, mon amie, ma sœur, fais en sorte que je rencontre moi aussi mon Alessandro et que le mien, contrairement au tien, ne soit pas une sale brute mais qu'il soit doux et aimant. Soumets-moi quand même un peu à la tentation afin que je puisse comme toi résister plutôt que de pécher...

En nous proposant Maria Goretti comme égérie, les religieuses nous permettaient de fantasmer tous les scénarios interdits sans la moindre culpabilité. On ne peut quand même pas se sentir coupable de repousser le plaisir!

Depuis la puberté, mysticisme et érotisme s'amalgamaient confusément en moi. Si bien que je ne savais jamais si c'était mon cœur divin ou mon sexe terrestre qui battait si fort. En fait, Maria Goretti fusionnait en moi avec Constance Chatterley, cette lady avec laquelle j'étais sur le point de faire connaissance.

Un soir, j'étais chez Aimée à Montréal. Son mari travaillait et elle m'avait demandé de garder son fils, âgé de quelques mois. Le petit dormait à poings fermés. Il faisait une chaleur accablante dans le logement-fournaise situé au dernier étage de leur immeuble de la rue De Lorimier. Je n'osais m'asseoir sur le balcon; les voitures faisaient un tel vacarme que je craignais de ne pas entendre le bébé s'il se réveillait.

J'avais ouvert puis refermé la radio. Ouvert puis refermé la télévision. Sur une étagère intégrée au mur du salon traînaient quelques livres. Je grimpai sur le bras du fauteuil pour jeter un coup d'œil. Rien d'intéressant : quelques romans falots et de la poésie. Je préférais lire le dictionnaire plutôt que des vers et des alexandrins.

Je redescendais de mon perchoir lorsque j'aperçus un petit livre froissé, à distance des autres, coincé à l'angle de l'autre mur. Je l'y cueillis comme on cueille le bon grain parmi l'ivraie ou la marguerite blanche dans un champ de pissenlits : la singularité attire inévitablement l'attention. Je lus le titre : *L'amant de Lady Chatterley*, de D.H. Lawrence. Le livre était fripé, fatigué d'avoir été manipulé par d'innombrables mains. Ses pages étaient jaunies et cornées. Le mot « amant » n'était pas utilisé autour de moi. Ça le rendait énigmatique, et je devinai qu'un amant devait désigner l'amoureux plus proche que proche. J'ouvris au hasard :

Elle se leva, et se mit vivement à retirer ses bas, puis sa robe et ses dessous. Il retint son souffle. Ses seins effilés et aigus d'animal pointaient et bougeaient à chacun de ses mouvements.

Elle remit ses chaussures de caoutchouc et s'élança dehors avec un petit rire sauvage, et les seins présentés à la lourde pluie, les bras écartés, elle se mit à courir de-ci de-là, indistincte dans la pluie, exécutant les mouvements de danse rythmique qu'elle avait appris il y avait si longtemps à Dresde.

C'était une étrange silhouette pâle qui s'élevait et retombait, se penchant en sorte que la pluie venait frapper en reflets luisants les hanches pleines, se redressant et s'avançant, le ventre en avant, à travers la pluie, puis s'inclinant de nouveau en sorte que seuls ses fesses et ses reins, pleinement offerts, se tendaient vers lui…

J'étais restée plantée comme un piquet, bouche bée. Je n'avais jamais rien lu d'aussi émouvant. Voir les mots seins, hanches, fesses, animal et sauvage dans un livre; savoir que des gens écrivaient ces mots-là, si nus et si vrais, sans demander la permission me faisait tout un effet. À l'instant précis où je voulus me plonger dans cette palpitante histoire, j'entendis la clé tourner dans la serrure et mon petit neveu se mettre à pleurer. Je glissai prestement le bouquin dans mon sac, comme une voleuse, et courus chercher le bébé pour accueillir sa maman, ma sœur Aimée. Vivement chez nous! Dans ma chambre! Avec Oliver et Constance.

Chaque soir qui suivit, je formai un ménage à trois avec le couple d'amants et m'initiai au plaisir troublant du voyeurisme. Je me transportais inlassablement à la fenêtre de la cabane du garde-chasse pour contempler, que dis-je, pour me sustenter des ébats torrides qui s'offraient à moi. Parfois, en pleine étreinte, Oliver ou Constance jetait un coup d'œil à la lectrice voyeuse qui les épiait. Quelquefois, c'était lui qui tournait la tête vers moi en même temps qu'il s'activait avec fougue dans le sexe chaud, offert et joyeux de Constance. D'autres fois, c'était elle qui me regardait, complice, en s'accaparant fébrilement celui de l'amant. Oliver allait jusqu'à mettre sa bouche sur le sexe de son amante, à le lécher… Jamais je n'aurais imaginé qu'on puisse échanger de telles caresses. J'étais un peu scandalisée mais aussi émerveillée.

C'est à ce moment que j'ai fumé ma première cigarette. Une Player's sans filtre, piquée à mon père, qui me laissait des brindilles de tabac sur la langue et les lèvres. En faisant des ronds avec la fumée de ma cigarette interdite, je me consumais. Assister à la naissance du monde ne m'aurait pas chamboulée davantage que ma lecture initiatique de *L'amant de Lady Chatterley*. Plus tard, contrairement à la plupart de mes amies, l'odeur et même les granules de tabac sur une lippe mâle et gourmande constitueraient pour moi un puissant détonateur érotique. J'eus un mal fou à cesser de fumer et, à chacune de mes tentatives, je remplaçai la cigarette par un excès de compensations orales. Dès que mon portefeuille me le permit, en souvenir de Constance et d'Oliver, j'investis dans l'achat d'une cabane dans le bois où j'allai religieusement fantasmer d'un garde-chasse ou faire des galipettes avec mon braconnier du moment.

Les grands chambardements

Nous avions été prévenues : à l'automne 1961 s'amorcerait une succession de grands chambardements. Adieu petite école, esprit de clan et de clocher, gang de la rue, copains-copines de quartier, horizon bouché, marche ou pédalage vers l'école, éternels mêmes visages. Sœur Sainte-Hélène avait passé le dernier mois de notre septième année à nous préparer et à nous mettre en garde : loin de notre «jolie et paisible bourgade», c'est comme cela qu'elle disait, nous serions désormais des jeunes filles exposées aux vices et tentations qui surgiraient sur notre route, de tous bords tous côtés.

— Tout sera différent. Certaines d'entre vous se reverront, d'autres plus jamais. Vous devrez prendre l'autobus tous les jours pour vous rendre à l'école. Il y aura des garçons, des inconnus, des plus vieux. Certains séducteurs, beaux parleurs, mal intentionnés, voudront profiter de votre naïveté, de votre candeur. Méfiez-vous. Dès qu'une brebis s'éloigne du troupeau, elle s'expose, se met en danger.

— Troupeau, troupeau… Ma sœur, nous ne sommes ni des brebis ni des vaches, quand même! avait clamé ma copine Christiane.

— Et puis, soyez sans crainte, ma sœur, «le seigneur est notre berger», avais-je ajouté le plus sérieusement du monde, «rien ne saurait nous manquer…».

— Ne vous moquez pas, Gwendoline Dubois! J'espère, mes filles, que vous ferez honneur à votre école Saint-Joseph ainsi qu'aux enseignements que nos religieuses vous ont dispensés avec tant d'amour et de dévouement durant les années que vous avez passées ici. Vous avez toutes réussi votre examen de connaissances religieuses, certaines mieux que d'autres, et cela sera garant de votre bonne conduite de filles de Marie.

En effet, au terme de la septième année d'école, nous obtenions deux certificats : un certificat de réussite de notre septième année, un autre de connaissances religieuses. J'avais obtenu la mention «Très grande distinction» pour le premier, au-delà de quatre-vingt-dix pour cent dans toutes les matières, et la mention «Excellence» pour le second, c'est-à-dire cent pour cent. J'étais pourtant loin d'être bigote. J'aimais l'histoire sainte, l'Ancien et le Nouveau Testament, comme j'aimais toutes les histoires abracadabrantes, et j'avais eu un plaisir sans cesse renouvelé à les lire et relire, tant j'étais en mal de lecture et d'aventures. J'avais aussi appris le petit catéchisme gris par cœur, comme s'il s'était agi d'une longue fable de La Fontaine.

— *Où est Dieu?*
— *Dieu est partout.*

— Pourquoi ne voyons-nous pas Dieu?

— Parce que Dieu est un esprit.

— Combien y a-t-il de personnes en Dieu?

— Il y a trois personnes en Dieu: le Père, le Fils et le Saint-Esprit.

Dans mon for intérieur j'ajoutais: «La Mère, la Fille et la Saine d'esprit.»

Je connaissais par cœur toutes mes prières en français, en latin et certaines en anglais. Je continuais de réciter mes actes de contrition, de foi, d'espérance et de charité avec de moins en moins de regrets de mes péchés et de plus en plus de doutes. J'avais l'espoir et la charité qui chancelaient.

La dernière semaine passée à la petite école Saint-Joseph avait été ludique et bucolique. Il avait fait un temps magnifique en juin et sœur Sainte-Hélène nous avait prodigué ses ultimes recommandations morales à l'extérieur, dans l'herbe, devant l'entrée principale. Nous avions même fait une excursion audacieuse à travers champ jusqu'au village voisin d'East Greenfield, afin de saluer de futures camarades que certaines d'entre nous retrouveraient en septembre à l'école Notre-Dame-des-Sept-Douleurs, à Saint-Hubert. Cette virée avait été un très beau moment qui avait laissé au tableau de nos souvenirs des traces d'or et de folie, indélébiles.

Nous avions chanté à fendre l'âme en marchant. Je menais le bal avec mes chansons de scout-guide, et avec toutes celles que Jean-Jean m'avait apprises et qui lui venaient de son engagement dans la JOC[21]. Nous avions mangé notre goûter sur l'herbe. Je montrais aux autres à reconnaître et à éviter l'herbe à puce, cette verdure diabolique en apparence

---

21. Jeunesse ouvrière catholique.

anodine, avec ses trois folioles pointues dont celle du centre avait une tige plus longue que ses voisines. La peau en braise, capitonnée de cloques suintantes et de croûtes épaisses pendant plusieurs étés de mon enfance, tel avait été le prix à payer pour m'être roulée dans la première herbe venue en allant aux fraises des champs.

La plupart de la trentaine d'adolescentes de notre équipée venaient de vivre sept années sur les mêmes bancs d'école. C'était la première et la dernière fois que nous mangions avec notre enseignante et ce moment avait été doux. Nous étions rentrées toutes cramées de soleil après cette marche de plusieurs milles sous un soleil plombant. Comme nous avions eu école à l'extérieur ces dernières semaines, que nous avions rapporté à la maison tous nos effets personnels, que nous avions fait un grand ménage de fin d'année, que dis-je, de fin de cycle, notre salle de classe me parut déserte et sans âme lorsque nous y revînmes pour un *Ite missa est.*

Le parquet de bois franc sentait la même bonne odeur de cire que celui de ma première année avec sœur Saint-Damasse, sept ans plus tôt. Tout ce temps, les religieuses de Saint-Joseph avaient été fidèles à l'utilisation de cette cire épaisse et odorante. Tout ce temps, une fois par mois, elles avaient réquisitionné une équipe de quatre ou cinq filles qui restaient après la classe pour tasser les pupitres d'un côté et étendre la cire, à quatre pattes, avec un chiffon et reprendre l'exercice de l'autre côté, une fois la pâte bien sèche. Le lendemain matin, le bataillon d'élèves arrivait, de gros chaussons aux pieds pour lustrer le bois. À cinquante ou soixante petons emmitouflés qui glissaient joyeusement, puis patinaient littéralement sur la surface, chacune dans son couloir latté, cela ne prenait pas goût de tinette que le parquet brillait comme un miroir. Il y avait rivalité entre les classes et entre les enseignantes : c'était à qui aurait le plancher le plus lustré !

Notre petite sœur Sainte-Hélène profita de la cérémonie des adieux pour avoir un bon mot, bien personnel, pour chacune de ses oies. Elle m'avait remerciée d'avoir été, ces dernières semaines et en particulier au cours de l'excursion du jour, une formidable leader, un modèle positif. Depuis le temps qu'elle exhortait les filles à ne pas se laisser influencer par moi et par mes attitudes rebelles, voilà qu'elle versait du miel dans mes oreilles ! Quelque chose en moi tenait mordicus à ce que cette séparation définitive se fasse sur une note gaie, paisible, solidaire et reconnaissante. Quand je passai la porte, elle me prit à part :

— Gwendoline ! Mon unique et fanfaronne Gwendoline ! Ce fut un vrai cadeau du ciel de t'avoir dans ma classe. On ne rencontre pas chaque jour des élèves qui nous font voir toutes les couleurs de l'arc-en-ciel !

— Pardonnez-moi, ma sœur, je sais que je vous ai donné du fil à retordre.

— Pour ça oui ! Tu as tellement de talents, de possibilités et de richesses ; le Seigneur ne t'a pas ménagé ses dons. Mais attention, il exigera d'autant plus en retour. Allez va.

Ses beaux yeux noirs scintillaient.

Je zigzaguais lentement vers chez moi sur mon bicycle, le cœur gros à la pensée que je ne retournerais plus jamais dans cette école. Une profusion d'images et de souvenirs m'envahissaient, se bousculaient en moi. Ma quatrième première journée d'école, sept ans auparavant, avait été la bonne.

— On essayera de rester en contact ? avait dit tristement Bibi qui ne nous suivrait pas à Notre-Dame-des-Sept-Douleurs.

— Oui, j'espère, avais-je répondu, en doutant.

Je supportais mal l'idée de ne pas retrouver Bibi l'automne suivant. Ses parents l'envoyaient dans une école spéciale, privée. Ils avaient des moyens financiers et étaient cultivés comparativement aux nôtres, à Vévette et à moi.

Nous avions flâné dans la cour, à ressasser nos souvenirs comme des vieilles commères, avant de nous disperser.

— Vous n'avez pas connu Boule noire, vous deux. Elle avait vraiment l'air d'une grosse corneille. Ni mademoiselle Dulac, plus transparente que les transparents que nous glissions sous la feuille de notre cahier pour nous forcer à avoir une calligraphie harmonieuse, un peu penchée à droite.

— C'est en troisième, avec madame Grodeau, que notre trio s'est formé. J'arrivais du Congo belge et toi, Vévette, du Nouveau-Brunswick. Vous vous souvenez comme ça avait cliqué entre nous trois? nous rappela Bibi, la voix nouée d'émotion.

— Pis moi du Faubourg à m'lasse, quand même, ne l'oubliez pas!

J'avais envie de pleurer comme un bébé. Vévette avait poursuivi le survol de notre passé d'écolières :

— Vous rappelez-vous de sœur Madeleine-du-Rédempteur, la pisseuse pinceuse? Elle nous pinçait si fort pour qu'on rentre dans le rang qu'on a eu les bras bleus toute l'année.

— Ben trop vrai. Elle nous coinçait la peau des bras entre son pouce et son index replié puis elle tournait, la vache! se rappela Bibi. Mademoiselle Lajoie, elle, elle était vraiment le fun. Il me semble avoir passé la cinquième année à chanter, à dessiner et à monter des séances: *Colin et Colette, Le riche et le pauvre, L'hirondelle et le papillon…*

— Pis l'an dernier, sœur Marguerite-Marie la pâlotte que nous avons rendue malade au point qu'elle a été remplacée par sœur Sainte-Cécile, dite sœur Petit-Pois en raison de la taille probable de son cerveau.

— Et notre petite Sainte-Hélène, cette année? Si on écrivait des photoromans d'amour comme on le faisait quand on était petites, c'est sûr qu'on les aurait fait défroquer, elle et le beau père François, et qu'on les aurait jetés dans les bras l'un de l'autre.

Sept ans! Ce qu'il peut s'en passer des choses dans la vie d'une fille, entre six et treize ans! Chaque coup de pédalier m'éloignait de mon passé d'enfant et me faisait réaliser combien passionnément j'avais aimé et habité mon histoire, d'abord à la petite école de brique rouge Saint-Thomas-de-Villeveuve, et toutes les années suivantes à Saint-Joseph, mon école de filles. J'avais aimé apprendre, aimé les mots, les dictées, la grammaire, les propositions, indépendantes et subordonnées, les verbes, les fables, les compositions, les récitations, les séances... J'avais aimé le ballon-chasseur, la corde à danser, le bolo, le dîner à l'école dans la grande salle, le chocolat au lait que nous livrait, dans nos classes, Arlette la laitière qui parlait du nez et ressemblait à une majestueuse vache écossaise. J'avais aimé mes enseignantes, malgré tout, et mes camarades. Et, d'une manière rare et privilégiée, j'avais aimé Bibiane et Vévette ces cinq dernières années... Des gouttelettes d'eau ruisselaient sur mes joues rougies de soleil. Ça n'était pas la pluie, elles étaient salées.

Sept plaisirs, sept douleurs

Ma mère n'en finissait pas de traverser ce qu'elle appelait son retour d'âge. Je la surprenais souvent la tête enveloppée dans un turban qui retenait sur son front des tranches de patates crues. Elle se prescrivait d'étranges médecines, ma mère. Elle se plaignait toujours qu'elle avait chaud, avait des poussées de fièvre inopinées. Un jour, elle était restée couchée toute la journée et mon père avait été inquiet au point de faire venir le docteur. Jean-Jean et moi, c'était la première fois que nous voyions notre mère alitée. Je me souviens avoir entendu le docteur Ferron dire à notre père, en quittant, qu'il ne s'agissait pas juste de sa ménopause mais que son cœur n'était pas très bon et qu'il fallait la suivre de près. Cela avait sonné à mes oreilles comme un grand mensonge : comment ma mère, qui avait si bon cœur, pouvait-elle ne pas avoir le cœur bon ? Le ton et la mine préoccupée de notre charitable médecin, lorsqu'il avait prononcé ces paroles, m'avaient glacé le sang.

Le docteur Ferron, Jacques de son prénom, comme mon frère, m'intimidait grandement. Il marchait lentement, fumait de longues et étranges cigarettes dans le filtre desquelles il y avait un tuyau gris, une sorte de filtre au charbon, des Belmont. Il portait un grand manteau qui lui tombait sur les jambes et parlait tout bas, d'une voix paisible et si feutrée que nous entendions difficilement ce qu'il disait. Il avait son bureau de médecin dans un sous-sol à Ville-Jacques-Cartier, mais il couvrait de ses ailes généreuses tous les hameaux avoisinants, dont le nôtre. La physionomie de son visage était telle que nous ne savions jamais s'il était timide ou s'il se moquait de son interlocuteur. Nous avions lu dans le journal qu'il écrivait des pièces de théâtre et des contes. Où diable trouvait-il donc le temps, avec tous ces malades, ces enfants chétifs toujours infectés de maladies contagieuses, ces visites à domicile et ces femmes à accoucher de tous bords tous côtés ? On l'appelait « le docteur des pauvres ». Fatalement, un médecin de pauvres, c'est bien plus occupé qu'un médecin de riches. C'est plus pauvre aussi.

Le docteur Ferron était notre médecin de famille depuis notre arrivée sur la rive sud de Montréal. Il avait aussi accouché ma sœur Blanche de ses trois premiers enfants, nés à la queue leu leu, et s'était fait remplacer par son frère Paul au quatrième. Ma mère disait que nous en avions, de la chance, d'avoir un homme aussi bon comme docteur, que sans lui, et sans le docteur Sanche avant lui, notre famille serait sans doute trouée comme un fromage. Ma sœur Claire avait été suivie elle aussi par lui au début de sa grossesse, mais en cours de route elle était passée aux mains de son frère Paul. « Lui au moins, il parle un peu de la pluie et du beau temps », disait-elle. Elle qui aimait le bavardage, elle n'en pouvait plus de la discrétion et de la tranquillité du premier. Moi je préférais le nôtre. Le Jacques.

La première fois que nous l'avons consulté pour moi, il s'était réjoui d'annoncer à ma mère :

— Elle fait une belle rubéole. Il y en a beaucoup ces temps-ci.

— C'est pas grave, la rubéole, docteur ? Vous dites ça comme si je venais de gagner au bingo !

— C'est un peu ça. Tu as de la chance d'avoir attrapé ce virus maintenant. Chez les femmes enceintes, cette maladie est très dangereuse pour le bébé. Maintenant, tu es immunisée pour la vie.

— Ça vous arrive souvent de féliciter vos malades d'être malades ? que je bougonnai.

Il me sourit.

— Tu as mal ?

— À la tête, oui.

— Trois jours et ce sera terminé. Et tu n'auras plus l'air d'un poisson rouge.

Ça n'est pas tous les jours qu'un médecin vous complimente d'être malade. Cela me fit grande impression. Serviable, j'invitai dès son départ toutes mes amies à la maison dans le but de les contaminer allègrement et de sauver leur descendance potentielle. C'était la première fois que notre médecin de famille m'examinait de près et j'en avais profité pour en faire autant. Il avait une bouille unique. Avec sa petite bouche aux lèvres pincées, ses lourdes paupières, ses yeux tombant à l'extérieur vers le bas, une tête de chauve avant l'apparition de la calvitie, il aurait pu être le héros d'un conte ou d'un roman mystérieux. Son demi-sourire en croissant de lune était bien accroché, constant et indéchiffrable. Un regard de clown triste.

Ma mère, donc, n'allait pas bien, ni du cœur ni de l'âme. Et son mari, en parfaite symbiose avec elle sous ses airs d'émancipé, n'allait guère mieux. Mon père travaillant de plus en plus irrégulièrement, notre situation économique était précaire. J'entendais souvent Agnès la sainte qui parlait au téléphone avec Blanche :

— J'ai bien peur qu'on va perdre la maison. Je n'y arrive plus.

— …

— Jean-Jean me donne la moitié de son salaire. Il ne peut pas faire plus. Je n'ai plus la force d'aller travailler en maison privée.

Je l'entendais et je me dépêchais d'oublier. Je refusais d'imaginer que je puisse avoir à quitter cette maison, à vivre ailleurs qu'avec mes parents et Jean-Jean. Je ne voulais pas entendre que ma mère ne pétait pas de santé. Ces pensées me figeaient de peur. J'étais chez moi dans cette mansarde. Heureuse. Jean-Jean et moi avions chacun notre univers. Tantôt, il venait bavarder avec moi, assis sur le pied de mon lit grinçant, tantôt c'était moi qui le rejoignais dans sa chambre, feuilletais ses livres, assise sur son canapé-lit sur lequel il amenait ses blondes faire du *necking.* J'y croisais aussi ses amis, tous plus séduisants les uns que les autres à mes yeux. Ils avaient autour de vingt ans, l'âge du rêve et la beauté du diable. Ils m'accordaient de l'attention tout en me traitant comme une enfant. J'avais beau paraître aisément quinze ou seize ans lorsque je n'étais pas habillée en écolière, je crois que leur intérêt pour moi tenait aux bons sentiments que Jean-Jean me témoignait bien plus qu'à la fermeté de ma jeune poitrine.

Dans la chambre de mon frère, je découvrais Baudelaire, Ferré, Nietzsche, Sartre, Camus, les chansonniers d'ici et de France, le jazz et les chansons à texte. Mon frère était passé de fan fini d'Elvis à beatnik carburant au Kerouac existentialiste, puis à l'engagement social par l'entremise de la JOC, bien plus communiste que catho! J'apprivoisais un monde, me laissais initier à l'échange intellectuel, à la discussion, au monde des idées, au sens du rêve collectif, à l'engagement social et politique. Je découvrais aussi un inestimable trésor: un milieu de vie calme, paisible, silencieux, propice à la réflexion, où chacun occupe le petit bout d'espace qui lui ressemble en propre. Une telle oasis de tranquillité ne m'avait jamais manqué tant que j'en avais ignoré l'existence, tant que cette chaumière avait été une vraie fourmilière. Je pouvais désormais m'extraire de la pression tyrannique de mon groupe d'adolescents en me réfugiant dans ma nouvelle solitude, bien tranquille.

Aussi étonnant que cela puisse paraître, mes parents, bien plus vieux que ceux de la plupart de mes amies, me faisaient confiance et me laissaient une grande liberté qui étonnait mes copines. Plus tard, je me demanderais s'il ne s'agissait pas d'une capitulation parentale plutôt que d'une qualité éducative moderne.

— M'man, je coucherai chez Julia ce soir, après la danse.

— D'accord. Madame Hall est d'accord?

— Oui, oui. On lui a demandé.

— Ok. Ne vous couchez pas trop tard.

J'étais toujours étonnée de l'inquisition subie par mes amies lorsqu'elles sortaient, annonçaient une soirée à la salle de danse ou demandaient la permission de dormir chez une copine. Elles avaient droit à un interrogatoire en règle: ·

— Où irez-vous?

— Qui sera là?

— Y aura de l'alcool? De la surveillance?

— À quelle heure rentrerez-vous chez ton amie?

— Comment? À pied?

— Ses parents sont à la maison?

— À quel numéro de téléphone puis-je joindre sa mère?

Ma mère ne s'inquiétait jamais de savoir si je disais vrai ou faux, si je lui montais un bateau. Elle me croyait. Elle n'appelait pas chez les parents concernés, ne vérifiait pas si nous étions rentrées à une heure raisonnable. Soit elle avait totalement confiance, soit cela lui importait peu. Comme je n'ai jamais douté de son amour, je crois fermement que c'était sa confiance absolue en moi qui la rendait permissive.

Jamais je n'aurais fait le moindre écart pour tromper cette confiance. Chez Julia, ma nouvelle amie de la grande école, les choses se passaient sensiblement comme chez moi. Nous demandions rarement de permission à nos parents. Nous décidions et énoncions : « Samedi, je dors chez Julia. Samedi, je dors chez Gwendoline. »

Julia ! Comme elle était jolie avec son petit nez retroussé, ses cheveux courts, châtain doré, et sa frange. Et si dégourdie. Nous nous étions remarquées le premier jour de classe, en huitième année, à l'école Notre-Dame-des-Sept-Douleurs. Mon Dieu ! Comment peut-on envoyer de jeunes filles en fleurs dans une école qui porte un tel nom ? Sept douleurs comme sept péchés capitaux. Une douleur pour chaque jour de la semaine : pas de répit dominical pour la dame. J'avais décrété que Notre-Dame-des-Sept-Douleurs serait plutôt pour moi Notre-Dame-des-Sept-Plaisirs. J'allais imposer ce nom d'abord aux élèves de ma classe, puis à toutes les huitièmes, et finalement à toute l'école et même au couvent voisin et à l'école des garçons.

Assise au pupitre derrière moi, Julia avait plongé affectueusement ses doigts dans mes longs cheveux bouclés durant toute la première demi-journée d'école. Elle prenait une mèche, la déroulait, l'enroulait autour de son doigt. Je m'étais retournée en souriant, recevant cette marque d'attention comme un hommage.

— Tu t'appelles Julia ? J'aime ça.

— Je préférerais m'appeler Gwendoline, dit-elle tout bas. C'est encore plus rare que Julia et c'est beau. Beau comme toi. Nous nous sommes déjà vues, avait-elle enchaîné. Tu es venue à mon école en juin dernier. Tu étais tout habillée en blanc et si *cute* avec ta peau dorée.

Je regrettais de ne pas me souvenir d'elle. Comment avais-je pu ne pas la remarquer, avec son air si affranchi, son minois si sensuel de fille qui en a vu d'autres? Je fus ravie qu'elle se rappelle de moi. Elle avait un an de plus que moi et nous sommes devenues, dès ce jour, inséparables.

Julia jouissait d'une liberté familiale semblable à la mienne. C'est ce que je crus du moins, jusqu'à ce que je m'introduise un peu plus avant dans son histoire et dans sa vie. Sa mère tenait une épicerie attenante à leur maison grise à deux étages, rue West-Side, à East Greenfield. Elle vivait avec un homme que Julia appelait «mon oncle». Née Gagnon, madame Hall portait le nom de son mari, un anglophone qui avait pris la poudre d'escampette après lui avoir fait deux enfants. Elle avait les jambes lourdes et marchait difficilement, malgré sa jeune quarantaine. Sa stature corporelle me rappelait celle de madame Grodeau, en moins énergique. Même son sourire paraissait fatigué.

Ma nouvelle amie avait deux frères: Donald, l'aîné, et Raymond, plus jeune qu'elle de quelques années qui était le portrait tout craché de «l'oncle». À part Julia, tout ce monde avait une tête d'enterrement: un masque de tristesse et de souffrance couvrait le visage de la mère, de l'oncle et du jeune frère. Dans cette maison, on parlait parfois en anglais, parfois en français, et les trois enfants avaient des prénoms et surnoms – Don, Ju et Ray – qui se déclinaient dans les deux langues. Pour cela, mon père adorait Julia. Il prononçait bien évidemment son nom *Djoulia*.

Le grand frère Don, un costaud gaillard d'environ vingt ans, était rarement à la maison. Je finis par le rencontrer plusieurs semaines après le début de nos fréquentations amicales, à Julia et moi. Il était pas mal, avec une mâchoire très carrée, mais son visage était dur, très dur. D'une dureté comme je n'en avais jamais vu. Je compris, en le voyant, pourquoi mon amie le craignait et me demandai si les histoires qu'elle me rapportait n'avaient pas un fond de vérité. En effet, chaque fois qu'elle m'avait raconté que Don la frappait et violentait sa mère, j'avais le sentiment qu'elle déclamait les scènes d'un mauvais roman.

— Viens dormir chez moi, me suppliait-elle souvent. Sinon, Don va me battre encore. Viens, s'il te plaît! Si tu es là, il n'osera pas.

— Pourquoi il te frapperait? Il n'a pas le droit!

— Quand il est saoul, il nous bat, ma mère et moi. Il dit que nous sommes des salopes, des putains. Et la fin de semaine, il rentre tard et il est souvent saoul.

— Et Raymond, ton petit frère, il ne le touche pas?

— Non. Il l'a déjà frappé mais mon oncle s'en est mêlé et ils ont failli s'entretuer. Il ne le touche plus.

— Et pourquoi ton oncle le laisse vous brutaliser? Il ne vous défend pas? Il ne vous aime pas?

— Je ne sais pas. Don se prend pour mon père. Et il en veut à ma mère. Il dit qu'elle ne m'élève pas. Que c'est sa faute si on n'a pas de père. Mon oncle ne nous défend pas parce qu'elle lui a interdit de s'en mêler, prétextant que ça n'est pas de ses affaires.

Julia était si effrayée que je finis par craindre qu'il me frappe moi aussi s'il rentrait en boisson une nuit que je dormais chez eux. Je ne savais plus trop sur quel pied danser avec elle, car j'avais bien remarqué qu'elle mentait. Naturellement, fabuleusement, elle mentait. J'avais de la peine à la croire. Par exemple, j'avais appris qu'elle disait parfois à sa mère qu'elle dormait chez nous alors que c'était faux. Je détestais cela. Certes, j'avais déjà menti, moi aussi. Mais j'avais le sentiment vraiment sincère que mes mensonges étaient soit des boules de Noël dans l'arbre de ma vie, soit une bouée de sauvetage dans un torrent où on tentait de me noyer. Dans le cas de mon amie, j'avais l'impression qu'il y avait environ quinze pour cent de vrai dans ce qu'elle racontait et quatre-vingt-cinq pour cent d'affabulation. Elle avait un besoin d'attention titanesque. Il lui fallait constamment être remarquée, complimentée, admirée, aimée. Mais menteuse ou pas, c'était mon amie et je l'aimais.

Julia était étrange aussi, à certains égards, du moins pour l'ingénue que j'étais. Lorsque nous dormions ensemble chez l'une ou chez l'autre, elle affichait sa nudité non seulement quand venait le temps d'enfiler son *baby doll* froufroutant ou quand nous nous croisions dans la salle de bain, mais aussi devant le miroir, où elle regardait ses seins, les prenait dans ses mains, me les offrait à contempler. Avec trois grandes sœurs, j'en avais aperçu d'autres, des seins, mais jamais celles-ci ne les avaient volontairement exhibés.

Elle avait des seins pommes, parfaits, plus rebondis que les miens, avec une grande aréole rose, pigmentée comme une framboise. Avec une année de plus que moi, à quinze ans son corps était bien plus formé que le mien. Étonnamment, il dégageait malgré tout quelque chose de puéril, de laiteux, de moins sevré. Elle venait se blottir près de moi, en cuillère, m'offrant son dos nu à chatouiller. Pendant que j'effleurais son dos, elle suçait avidement son pouce, les yeux fermés. J'avais un neveu qui avait la même manie, mais il avait trois ans, pas quinze! Cette vilaine habitude énervait Blanche, qui essayait de la lui faire perdre.

— C'est la première fois que je vois quelqu'un de ton âge sucer son pouce!

— Ouais. J'suis pas capable d'arrêter. Mais au moins, je ne le fais presque plus durant la journée.

— J'en reviens pas. T'as vraiment essayé d'arrêter?

— Tu penses. Ma mère m'a mis toutes sortes de produits qui goûtent le diable sur le pouce, ça ne donne rien. En plus, tu vois comme mes dents avancent par en avant... C'est à cause de ça.

Durant ces années où nous avons été de grandes amies, je ne l'ai jamais vue s'endormir autrement.

Notre promiscuité physique nous troublait passablement. Une fois, une seule, elle s'était retournée, avait glissé sa main sous mon haut de pyjama puis avait caressé mes seins et titillé mes mamelons. Ensuite, elle en avait pris un dans sa bouche, le droit, l'avait aspiré comme s'il avait été son pouce. J'étais restée paralysée de stupéfaction mais je l'avais laissée faire, le temps de constater que le bout de mon sein, dur et droit comme une flèche dans sa bouche goulue, n'avait pas du tout sur elle l'effet somnifère de son pouce. Elle s'était mise graduellement à frotter son pubis sur ma cuisse musclée et avait attiré ma tête entre ses seins pour que je lui rende la pareille. Je m'étais exécutée un court moment, mal à l'aise. Et ce fut tout.

— Nous ne ferons plus cela, lui ai-je dit peu après, avec douceur et fermeté. Je n'aime pas cela.

En fait, j'avais trouvé cela plutôt agréable et je n'avais pas dédaigné les sensations que cela m'avait procurées. Mais je n'aimais pas l'idée de toucher et d'être ainsi touchée par une fille. J'avais entendu des histoires méchantes sur les femmes aux femmes et les hommes aux hommes, dont les gens parlaient comme s'ils avaient été des erreurs de la nature.

— Pas grave. Les garçons, eux, ils aiment ça, poursuivit Julia.

— Tu crois que j'aimerais avec un garçon?

— Oui. Mais peut-être que tu n'aimerais pas ce qu'ils voudront que tu leur fasses ensuite. Moi, je n'aime pas ça, termina-t-elle en enfouissant son pouce au fond de sa bouche.

— Ben, c'est simple, si t'aimes pas ça, tu n'as qu'à pas le faire.

J'avais beau être innocente et inexpérimentée, j'avais bien compris que ce n'était certes pas les mamelons des garçons qu'elle suçait sans plaisir. Ainsi obtenait-elle qu'ils lui prodiguent caresses et affection. Julia me faisait penser à ces verres en styromousse dans lesquels on sert le café et le chocolat chaud. Si on fait des trous dedans, ils ne retiennent plus le liquide. On a beau emplir et remplir le contenant, le verre demeure toujours vide. Julia était ainsi faite: elle ne retenait pas l'affection qu'on lui donnait. Elle était toujours assoiffée.

L'encrier

Mon arrivée aux Sept-Plaisirs changea ma vie. Je traversais une vaste, une infinie saison de premières qui n'en finissait plus.

L'école était loin et je devais prendre le bus. Avec des garçons de treize à dix-sept ans à bord, il fallait travailler fort pour parvenir à être sexy malgré l'exécrable tunique marine décolletée en V qui nous servait d'uniforme. Nous agrémentions cette grisaille de bas de soie, de rouge à lèvres rose nananne, de bottillons à faire saliver les fétichistes et faisions des entrées théâtrales dans le bus, cigarette au bec. En ces temps-là, le simple fait de dire «je prends l'autobus pour aller à l'école» nous conférait une sorte de maturité, d'autonomie. J'avais grimpé dans ce bus la première fois comme on prend l'avion pour son baptême de l'air, en faisant un vœu, comme ma sœur Aimée m'avait appris à le faire à chaque expérience inédite. Ce véhicule était celui de l'affranchissement du giron familial, du perron de l'église et de l'esprit de clocher. Tout était nouveau : odeurs, vêtements, complicités, rivalités, flirts, intérêts, musiques… L'horizon s'éclairait. Neuf, lui aussi.

Mon beau Frenette devenait flou. Lorsque je pensais à lui, il perdait ses contours, se délavait comme si j'avais passé son portrait à l'eau de Javel. Ma mère n'avait plus à me dire de modérer mes transports, je ne parlais même plus de lui. Ayant gagné, à seize ans, le marché du travail, il n'avait pas de siège dans l'autobus de la liberté. Par ricochet, je parvenais mal à lui conserver sa place dans mon véhicule amoureux. Pendant que j'apprenais le monde, il empaquetait denrées et autres produits domestiques aux caisses enregistreuses chez Steinberg, le *Stènebeurje* de ma mère. Il était emballeur, *wrapper* disait-on. Par omission, puisque nous n'avions pas officiellement cassé, nous sortions toujours ensemble, sans plus trop nous faire signe. En fait, je l'évitais. Je voyais tout en polychrome sauf lui, qui surgissait dans mes pensées en noir et blanc teinté de gris.

À ma grande tristesse, Julia avait migré vers une autre classe. La mienne était réservée à celles qui voulaient, l'année suivante, passer en neuvième scientifique. Julia avait opté pour une huitième dite générale, qui la mènerait au secrétariat. Nous nous retrouvions aux récréations, parfois le midi, et toujours les fins de semaine.

Le type et les méthodes d'enseignement n'avaient plus rien à voir avec ceux de la petite école Saint-Joseph. Aux Sept-Plaisirs, nous avions une titulaire responsable du groupe mais des enseignants différents assignés aux diverses matières. Un homme enseignait l'anglais aux classes de huitième. Il avait beau être laid et vieux, c'était nouveau donc excitant. Cela perturbait l'esprit de totem scolaire, jusque-là unisexe.

Il y avait encore des religieuses à la barre des écoles de filles, mais leur règne achevait. Ma titulaire de classe s'appelait sœur Joseph-Marie. Elle était gentille, donc pas de taille à affronter quotidiennement une trentaine d'écervelées en pleine effervescence sexuelle, contestataires et revendicatrices en même temps que pendues au regard des garçons. En ce début des *sixties*, mues par une sorte de pulsion intérieure, nous nous sentions souvent assises entre deux chaises, à la fois révolutionnaires et enlisées dans le passé et ses valeurs traditionnelles et rassurantes. Même si j'avais longtemps dormi entre deux chaises, je n'avais pas plus que les autres de mode d'emploi. Cette passionnante confusion me rendait insupportable.

— Gwendoline Dubois, petite tête forte, que faisiez-vous au restaurant Chez Marius ce midi, avec Julia Hall et des garçons ? Vous savez bien que vous n'avez pas le droit de sortir le midi sans une autorisation expresse de la mère supérieure.

— Et vous, ma sœur, comment savez-vous que j'étais là ? Vous y étiez aussi ?

— Répondez à ma question, ne soyez pas impolie.

— Ma sœur, nous mangions des frites. Avec du ketchup. C'est interdit?

— Ne faite pas l'insolente. Vous connaissez les règles ou vous êtes idiote?

— Vous me traitez d'idiote? Disons que vous êtes mal placée pour traiter qui que ce soit dans cette classe d'idiote. Pour le reste, eh bien... j'avais faim, il n'y avait personne au bureau de la supérieure lorsque j'y suis passée pour qu'elle autorise ma sortie. Ça n'est pas ma faute si je n'ai pu avoir mon laissez-passer officiel.

J'étais vraiment irrespectueuse, insolente. J'en étais consciente. Sœur Joseph-Marie était jeune et inexpérimentée. J'avais rapidement perçu que notre titulaire était une faible et décrété, plus ou moins consciemment, que cette malheureuse serait mon souffre-douleur.

— Votre mère vous prépare un lunch d'habitude. Qu'en avez-vous fait?

— D'abord, pourquoi présumer que ma mère fait mon lunch? Chez nous, c'est mon père qui fait les lunchs. Ça vous étonne?

C'était vrai et faux. Mon père n'était pas le mandataire des lunchs, mais il avait encore perdu son emploi et ma mère faisait des ménages chez des riches de Saint-Lambert pour joindre les deux bouts. Robert le diable avait tout naturellement pris la relève dans la cuisine et pour les autres tâches domestiques historiquement dévolues aux femmes. Les quelque quatre-vingts dollars par semaine de pension qu'avaient payés mes frères et sœurs lorsqu'ils étaient à la maison manquaient énormément au budget. Je m'expliquai:

— J'ai oublié mon lunch dans l'autobus. À moins qu'on ne me l'ait volé? Je ne m'en suis rendu compte qu'à la dernière minute, quand la cloche de midi a sonné. Mon amie m'a proposé de me payer une frite, j'ai accepté. Vous auriez fait quoi à ma place, ma sœur? Vous auriez souffert de la faim tout le reste de la journée et offert votre souffrance à Dieu? Vous auriez volé le lunch d'une autre élève?

— Quelle effrontée! postillonna-t-elle. Vous êtes d'une impertinence sans nom, Gwendoline Dubois! Quelle sorte de femme a bien pu mettre au monde une enfant pareille, aussi mal élevée? Quelle sorte de mère avez-vous pour être aussi infâme?

Je vis rouge. Je vis noir. L'abjecte venait d'alléguer à la face de la classe que j'avais une mauvaise mère, une mère mal aimante et négligente. Elle pouvait me traiter de tous les noms, m'insulter, m'attaquer, me tailler en pièces et me recoudre, cela me laissait froide. S'en prendre à ma mère, c'était autre chose. Que connaissait-elle de l'amour, la capine Joseph-Marie? Que savait-elle de ma mère? Pour qui se prenait-elle? Elle attaquait, jugeait, souillait publiquement la réputation d'une femme qu'elle n'avait même jamais rencontrée, une femme d'une rare valeur que tous nos amis estimaient et auraient voulu avoir pour mère.

Elle venait de dépasser les bornes. Je me levai lentement, posai ma main sur mon encrier, en dévissai lentement le capuchon comme lorsqu'on s'apprête à écrire une lettre d'amour. Je mis mon pouce sous la bouteille et trois doigts sur le goulot pour bien boucher l'ouverture. Je pris mon élan vers l'arrière et lançai l'encrier avec une force contenue, car je ne voulais pas la tuer, en plein dans le bandeau blanc plastifié qui lui barrait le front. L'encre bleue coulissa sur ses joues, sur ses lèvres et sur le plastron de tissu blanc cerclant son cou et sa poitrine.

La scène se déroula comme au ralenti et dans un silence de mort. Les élèves observaient, figées, bouche ouverte. Le temps avait suspendu son vol au-dessus de ce nid de coucounes pétrifiées. Sœur Joseph-Marie était interdite avec ses lèvres bleues, transformée en statue de sel bleu, blanc et noir. Je passai devant elle sans la quitter des yeux :

— Je reviendrai lorsque vous aurez présenté vos excuses à ma mère !

La porte claqua derrière moi.

Non seulement je lui ordonnais de demander pardon, mais je menaçais de la punir en ne revenant pas en classe. Ma candeur était sans bornes : j'étais convaincue d'avoir raison. Je pensai, en parcourant les trois ou quatre milles qui menaient chez nous, que j'avais de la chance d'avoir appris avec mes frères à maîtriser la justesse de mon tir et la force de mon lancer. Pierre ne m'aurait pas appris en vain à placer une balle directement dans son gant de receveur au baseball. La bouteille d'encre avait atterri exactement là où j'avais visé. Je voulais éclabousser la religieuse comme elle m'avait éclaboussée. Elle disait des saletés, je l'avais salie à son tour, et il fallait que cela se voie.

Et puis, une masse de nuages crevèrent d'un coup sec à l'intérieur de moi : j'éclatai en sanglots. Je pleurai pendant trois jours et trois nuits, sans pause, comme Marie-Madeleine durant les trois jours qui séparèrent la mort du Christ en croix et sa résurrection. Jamais des paroles ne m'avaient fait tant de peine. Jamais je n'aurais pensé que les mots puissent être des armes aussi perfides, capables de blesser si intimement, si profondément.

Mes larmes ne tarissaient pas, à un point tel que ma mère s'inquiéta sérieusement. Je refusai d'aller en classe le lendemain, de lui dire ce qui m'avait crevé le cœur. Comment dire à sa maman que son institutrice l'avait traitée publiquement comme une moins que rien ? Elle m'imagina enceinte et cela me fit rire : c'est à peine si j'avais embrassé les garçons. Je savais bien, quand même, qu'on ne devient pas enceinte par un croisement de langues.

— Du Saint-Esprit, tu crois que c'est encore possible de nos jours, m'man ?

Elle sembla soulagée de m'entendre badiner.

— Je suis enceinte du venin de sœur Joseph-Marie. Je ne sais pas comment me débarrasser de ça, avouai-je enfin.

— Tu dois retourner en classe demain. Tu ne veux rien me dire, alors j'appelle l'école à l'instant pour connaître le fin fond de l'histoire. D'ailleurs, je ne comprends pas que la direction de l'école n'ait pas téléphoné pour savoir le pourquoi de ton absence aujourd'hui.

— C'est simple. Parce que sœur Joseph-Marie ne l'a pas signalée. Elle se sent coupable.

J'entendis ma mère parler au téléphone :

— Mais voulez-vous bien me dire ce que vous avez fait pour la faire tant pleurer ? Je n'ai jamais vu ma fille dans un tel état.

Ensuite, silence. Ma mère écouta pendant un long moment, parla à son tour de manière que je ne distingue plus ce qu'elle disait, puis raccrocha. Elle vint dans ma chambre et s'assit sur le bord de mon lit.

— Tu retournes à l'école demain. La discussion est close. Nous nous sommes expliquées, sœur Joseph-Marie et moi.

Plus jamais nous ne reparlâmes de cet incident, mon institutrice et moi. Je ne sus jamais comment elle expliqua aux autres nonnes ses vêtements souillés ni qui nettoya toute

261

cette encre que j'avais fait couler sur son bureau. Je fus étonnée aussi que personne, aucune compagne de classe, ne me dénonce aux autorités. Je revins à l'école meurtrie mais un brin triomphante. Pas triomphaliste. J'aurais pu faire la pluie et le beau temps tout le reste de l'année dans la classe, mais ne le fis pas. J'avais compris que sœur Joseph-Marie avait fait feu sur ma mère accidentellement, en cherchant la corde sensible qui me ferait réagir. Elle ne s'était pas trompée.

Monsieur Fafra

Il y avait aux Sept-Plaisirs un vrai gymnase avec de vrais appareils : cheval d'arçons, barres parallèles, poutres, trampoline, jeu de ballon-panier, etc. Nous avions été enchantées de le découvrir avec mademoiselle Berval, notre jeune prof de gym, et d'explorer nos talents de gymnastes en herbe. Cette dernière nous fit hélas faux bond peu de temps après la rentrée pour cause de maladie.

Après quelques semaines de flottement et de jeux improvisés durant la période d'éducation physique, la sœur supérieure avait réuni dans la grande salle les classes de huitième et de neuvième pour annoncer qu'un vrai professeur de gym entrerait en fonction la semaine suivante. C'était un homme, un Français de France. Pour embaucher un coq dans cette basse-cour piaffante de poulettes printanières, il fallait que la direction ecclésiaste soit vraiment mal prise.

Mon groupe avait cours de gym le vendredi matin, et le jour était venu de faire connaissance avec l'élu. Je ne fus pas étonnée, en arrivant dans la grande salle, de constater que pas une fille ne manquait à l'appel. Nous avions tellement hâte de lui voir la binette que toutes étaient présentes alors que normalement, au moins cinq ou six se faisaient exempter de culture physique sous prétexte «d'oreilles de lapin». L'évolution était lente et les choses sexuelles n'étaient toujours pas nommées. Cela aurait donné aux filles trop de pouvoir sur leur corps, et l'école n'était pas là pour leur apprendre à avoir du pouvoir mais bien pour les ancrer dans la soumission. En nous présumant «indisposées» ou «malades» lorsque nous avions nos règles, nous devenions impuissantes et incapables.

Comme à l'habitude, les demoiselles étaient toutes pimpantes pour le cours de gym: jupes à plis blanches, plus courtes que les tuniques scolaires, t-shirts, chaussons blancs et souliers de course blancs. Nous étions là, bien en chair, en cuisses et en seins pointus, éberluées par la présence de cet homme, un étranger de surcroît, avec tout l'exotisme que cela lui conférait, qui allait dispenser la seule matière scolaire impliquant une proximité physique. Nous examinions monsieur Fabien et monsieur Fabien nous examinait. Il souriait, apparemment ému.

— Je suis vraiment très heureux et même honoré d'avoir été choisi pour vous enseigner l'éducation physique en remplacement de mademoiselle Berval, dont on m'a dit beaucoup de bien. Je sais que vous l'appréciiez et j'espère être à la hauteur de vos attentes. J'ai vu ce que vous avez fait avec elle. Nous allons continuer, aller plus loin. Le corps a besoin de bouger, de respirer, de se dépenser. Nous allons passer ensemble, je l'espère, d'excellents moments.

Il n'était pas franchement beau mais il avait du charme: vingt-cinq, vingt-sept ans, taille moyenne, chevelure châtain clair en broussaille, corps félin, fuselé, svelte. Étrangement, j'eus la vague impression qu'il me rappelait Jean-Jean. C'est lorsqu'il posa son regard sur moi que je compris en quoi: il me regarda comme Jean-Jean regardait les filles qu'il voulait amener sur son canapé-lit.

Il nous expliqua, avec moult détails, en quoi consistait chacun des appareils: trampoline, barres parallèles, cheval d'arçons… Comme si nous ne le savions pas! Puis, il nous fit une brève démonstration sur quelques-uns d'entre eux. S'il voulait nous impressionner par sa souplesse et son agilité physiques, c'était réussi. Wow!

Il demanda ensuite si l'une d'entre nous souhaitait lui montrer ce que nous savions faire. Personne ne se proposa. Il insista. Francine Moreau, toujours prête à se sacrifier pour faire plaisir, finit par se porter volontaire. Pauvre Francine! Elle croyait mordicus qu'elle excellait dans tout, mais n'était bonne dans rien et ne tirait jamais de leçon de ses gaffes. J'eus envie de lui crier «Noooon! Francine, ne fais pas ça! Tu vas encore faire une folle de toi!», mais je me tus.

À grandes enjambées, elle s'élança sur le long tapis menant au cheval d'arçons au-dessus duquel elle espérait planer. Elle courait épouvantablement mal, comme si elle avait été chaussée de talons aiguilles, les jambes partant latéralement en grenouille. C'était écrit dans le ciel: elle trébucha en atteignant l'appareil et s'affala cul par-dessus tête dans les bras de Fabien qui s'était précipité pour l'empêcher de se péter la fiole. Toutes les filles étaient crampées. Moi, je riais jaune devant une scène aussi grotesque.

Cette anecdote un peu loufoque me permit de prendre conscience que notre tenue de gymnastique était totalement inappropriée. Dès que nous nous penchions, sautions, grimpions, on voyait nos petites culottes. Avec mademoiselle Berval, cela ne m'avait jamais frappée, ni dérangée. Avec monsieur Fabien, c'était une autre histoire. Comment cela avait-il pu échapper à la sœur directrice? Était-elle cruche ou jouait-elle plutôt à l'autruche?

Le professeur demanda enfin que l'on se présente une à une, par nos prénoms seulement. Il dévisagea plus longuement les plus jolies de la classe, les fit répéter leur prénom, passant des commentaires apparemment anodins.

— Denise, vous êtes solide et grande, vous me seconderez à l'occasion.

— Vous ressemblez, Diane, à Heidi Biebl, cette championne allemande de ski alpin. On verra si vous avez autant de talent.

— Gwendoline… Quel prénom évocateur que le vôtre!

— Évocateur? Évocateur de quoi? répondis-je.

— Je vous le dirai quand on se connaîtra mieux.

Nous avons passé les cinq dernières minutes du cours à taper sur un ballon en courant en rond autour du gymnase. Il nous regardait nous essouffler, nous jaugeait. Chacune d'entre nous courait le plus harmonieusement possible, en quête de son attention et de son approbation. Nous nous déplacions, selon son commandement, comme des bêtes qui se pavanent pour être estimées. Nous n'étions plus que des muscles, des cuisses, des seins, des fesses. Des proies.

Les vendredis matin, je me pomponnais et m'habillais en pensant à Fafra. Je l'avais surnommé Fafra, contraction de Fabien et de Français. C'était plus fort que moi, il fallait toujours que je rebaptise les êtres et les choses. Mon groupe avait adopté à l'unanimité ce surnom pour le désigner. Le sobriquet se répandit et monsieur Fabien devint le Fafra de toutes les adolescentes échauffées. Quand je rentrais dans la salle d'éducation physique le vendredi matin, force m'était de constater en voyant mes camarades que je n'étais pas la seule à avoir remonté un peu plus haut ma jupette pour laisser voir mes cuisses persuasives...

Fafra se montrait dévoué, zélé, attentif. Un professeur d'éducation physique très physique. Malgré toute l'attention bienveillante qu'il m'accordait, je ne le trouvais pas réellement sympathique. Il se moquait visiblement des filles qu'il jugeait mal faites, pas attrayantes à son goût, passait des remarques à peine voilées, à double sens, méprisantes sur les formes de l'une ou l'obésité de l'autre. Cela ne m'échappait pas, mais n'altérait pas non plus l'ascendant qu'il exerçait sur moi. Il me touchait, au propre comme au figuré, ne manquant pas une occasion de louanger ma souplesse et ma virtuosité physiques, de frôler ma joue, ma cuisse, mon sein lorsqu'il me réceptionnait au pied du cheval d'arçons ou du trampoline. Toujours, il plongeait en moi un regard concupiscent et admiratif qui me mettait dans tous mes états. Et ses effleurements me troublaient passablement.

D'une semaine à l'autre, il se fit progressivement plus audacieux et plus exclusif. Il faisait en sorte, quel que soit le jeu d'équipe ou l'activité, d'être près de moi, de se frotter, de se coller, pour que j'atterrisse au creux de ses bras. Il ne ratait aucune occasion de respirer dans mon oreille et en vint à y chuchoter, graduellement, des mots de plus en plus doux.

— J'aime les vendredis matin.

— Tu es belle.

— Enfin, te voilà...

— J'ai rêvé de toi cette semaine.

— Tu me rends fou.

— Je t'aime.

Un après-midi, il m'intercepta dans le corridor.

— Dis-moi que je peux te voir en dehors d'ici!

J'avais ri pour lui montrer que je ne le prenais pas au sérieux.

— Vous blaguez. Ça n'a aucun sens, voyons.

— J'ai trouvé ton numéro de téléphone et ton adresse dans les registres scolaires. Je vais t'appeler.

— Vous êtes fou. Non! Je ne veux pas, avais-je résisté tout en freinant l'envie de me jeter sur lui et de voir comment c'était d'embrasser un homme de cet âge, si expérimenté. Mes frères vont vous tuer. Je suis bien trop jeune pour vous!

J'avais décampé à toute allure et m'étais confiée à mon amie Julia. Fidèle à elle-même, celle-ci n'avait pas mâché ses mots pour me faire voir sous leur vrai jour les déclarations d'amour de Fafra et me faire perdre mes dernières illusions.

— Il fait la même chose avec moi. Tout ce qu'il veut, c'est ta cerise.

— Tu penses vraiment ça? Que c'est un salaud qui ne veut que me dévierger?

— Ma main au feu. Ce gars cherche de la chair fraîche!

Sa réponse m'avait à la fois déçue et excitée. Déçue, parce qu'elle démontrait que Fafra ne faisait aucune différence entre n'importe quelle autre fille et moi. Excitée, parce qu'elle saluait la véhémence et l'impétuosité de son désir. Une part de moi était complètement sous l'emprise de ce prof. L'autre part résistait, jugeait la situation inquiétante. J'étais obnubilée par lui, par les émotions que sa seule présence me faisait ressentir, par les sensations qui se bousculaient en moi.

Un vendredi comme les autres, j'arrivai au gym les lèvres bien roses, sachant que j'y trouverais mon prof trop entreprenant. Surprise : la directrice nous attendait dans la salle pour nous aviser que monsieur Fabien ne serait pas là, ni ce jour-là, ni la semaine suivante, ni jamais. Il avait été renvoyé.

— Pourquoi, ma sœur ? demanda une autre des favorites de Fafra. Nous l'aimions bien. Et il était bon enseignant. Il nous donnait le goût du corps sain dans un esprit sain.

— Du corps sain dans un esprit sain, hein ! Il vous fait inverser les vieux proverbes en plus ! Non, ma décision est sans appel. Des rumeurs, fondées, veulent qu'il ait tenté de séduire une élève. Et peut-être plus d'une. Il y a eu des plaintes et nous l'avons congédié. Nous cherchons une remplaçante, dit-elle, en insistant sur le genre féminin. Madame Phaneuf va arriver d'une minute à l'autre. Aujourd'hui, vous ferez une partie de ballon-panier avec elle.

Pfft ! pensai-je, il n'a certainement pas voulu séduire d'autres filles, il était mordu de moi. Pour ne pas y penser, je me donnai au jeu de ballon comme on se donne à un amant éploré. Je me sentais triste et soulagée en même temps.

L'après-midi, à quatre heures, je montai comme à l'habitude dans le bus de retour à la maison. Nous étions presque au solstice d'hiver, presque aux vacances de Noël ; il faisait presque nuit. Je venais tout juste de m'enfoncer dans ma banquette avec les sœurs Larose, loin à l'arrière du véhicule, car nous étions parmi les dernières à descendre. Nous avions allumé une cigarette et faisions des ronds avec la fumée lorsque Pauline me donna un coup de coude.

— Hé ! T'as vu qui est là ?

— Sainte-Pitoune! Mais qu'est-ce qu'il fait là, celui-là?

Fafra, l'œil hagard, demandait à notre chauffeur de le déposer au bout du trajet, où quelqu'un l'attendait.

— Je viens de parler à mon ami qui n'a pas pu se rendre jusqu'ici. Ça me rendrait vraiment service. Et cela me permettrait de dire au revoir à mes élèves, de leur souhaiter de bonnes vacances des fêtes.

Notre chauffeur était perplexe. De toute évidence, il n'avait pas été avisé du congédiement de cet homme et encore moins des raisons de celui-ci.

— S'il vous plaît, ce serait vraiment gentil. Je pars en congé en France pour plusieurs semaines et les religieuses ne m'ont pas laissé le temps de saluer mes élèves, invoqua-t-il, tout piteux.

Monsieur Drouin, bon diable, se laissa attendrir.

— Bon. OK. Mais je ne veux pas de troubles avec l'école, compris?

— Mais non, soyez sans crainte, mon brave.

Un peu dépassé, monsieur Drouin le laissa s'asseoir sur la banquette horizontale du bus, derrière lui, en le priant de ne pas bouger de là. Je n'en revenais pas. Ça me faisait tout drôle de voir Fafra habillé autrement qu'en prof de gym. Il était charmant avec son foulard autour du cou comme dans les films français. Mais quel toupet il avait!

Il avait jeté un coup d'œil circulaire dans le bus et bavardait distraitement avec quelques filles qui lui tournaient autour comme des mouches à miel, tout émoustillées par sa présence. Il m'avait repérée derrière, je le savais, je le sentais. Lorsque le bus se fut vidé de la moitié de ses passagères, il se faufila et vint vers moi. Il dit aux sœurs Larose qu'il voulait me parler. Elles passèrent au siège juste devant, la plus vieille des deux me faisant signe qu'elle montait la garde. Fafra s'approcha très près, me déshabilla du regard et me dit qu'il avait terriblement de chagrin que l'on se quitte ainsi, qu'il fallait qu'il me revoie. Il caressa mes cheveux, ma joue, approcha ses lèvres des miennes. Il sentait l'alcool.

— Vous êtes complètement dérangé! dis-je en le repoussant. Arrêtez!

Et vlan! Voilà qu'encore une fois, un être charmant et charmé se transformait en crapaud.

— Comment ça, «arrêtez»? Tu veux que j'arrête? J'ai perdu mon emploi à cause de toi, petite écervelée. Je ne sais pas ce que tu as raconté ni à qui, mais peu importe, on m'a viré par ta faute. Je ne t'en veux pas, je t'aime, tu comprends, et tu m'aimes aussi. On a le droit de s'aimer. Je te veux, tu es si belle.

Il avait de l'écume blanche aux commissures des lèvres. C'était la chose qui me répugnait le plus au monde. Il saisit ma main en haletant, l'embrassa, mit mes doigts dans sa bouche, tenta de glisser son autre main entre mes cuisses. Il n'y avait presque plus personne dans le bus à part lui, mes deux amies et moi. J'étais morte de peur. Je ne voulais pas crier, j'implorai Pauline de m'aider. Elle l'empoigna par les cheveux et le tira par en arrière pendant que je lui assénais un bon coup de poing dans le ventre. Je réussis à m'extirper de là et courus près du chauffeur avec les sœurs Larose.

— Monsieur Drouin, suppliai-je, cet homme est complètement détraqué, aidez-nous! S'il vous plaît, ne le laissez pas descendre derrière nous!

Fafra nous suivit à l'avant de l'autobus. Il titubait et pleurnichait, ne se souciait pas que les sœurs Larose et le chauffeur puissent entendre ses jérémiades.

— Tu ne peux pas me jeter ainsi. Je t'aime! Je t'aime! Je suis désespéré. Je vais me tuer; tu vas avoir ma mort sur la conscience, en plus d'être responsable de mon congédiement. Tu m'as provoqué. Personne d'autre ne mettra ses mains sur toi. Tu es à moi. Tu es ma Gwendoline.

Le bonasse monsieur Drouin finit par sortir de sa torpeur et comprendre qu'il avait laissé monter dans son véhicule un homme qui avait perdu la boule. Il immobilisa son autobus, attrapa Fabien par le collet et lui donna une grande claque en plein visage.

— Tu te calmes immédiatement, OK? Tu te calmes! Et tu laisses cette enfant en paix, mon bâtard!

Fafra n'essaya même pas de se défendre. Il larmoyait. Tout en le maintenant d'une poigne solide, monsieur Drouin le traîna par le collet jusqu'à son siège de chauffeur d'où il actionna la manette pour nous ouvrir la porte et nous libérer. Nous étions à peu près à mi-chemin entre chez moi et chez les Larose.

— Filez, les p'tites filles. Soyez sans crainte, cette charogne ne m'échappera pas.

Nous avons, littéralement, sauté en bas de l'autobus. J'ai aspiré de l'oxygène comme si toutes mes cellules étaient en manque d'air. Je me retournai, vis notre chauffeur qui lançait Fabien sur la banquette près de lui, lui criant qu'il l'avait à l'œil et qu'il l'attacherait s'il bougeait. Fafra ne regimba pas. Il semblait anéanti, mou comme un poupon de chiffon, écrasé en diagonale sur la longue banquette de cuirette. Nos regards se croisèrent à travers la vitre sale. Dire que j'avais failli croire que cet énergumène était mon héros!

Les sœurs Larose firent un détour pour me raccompagner jusque chez moi. Nous n'avons pas prononcé un seul mot de toute notre course folle; les paroles étaient superflues. Un salut de la main, discret mais victorieux, solidaire, scella la fin de l'épreuve. J'entrai chez nous : la maison était tranquille et ordonnée, odorante du grand ménage du vendredi. Jean-Jean était dans sa chambre.

— Tu es déjà là, toi ? T'as pas idée comme je suis contente de te voir ! lui dis-je…

Bye bye Frenette

J'étais donc toujours la blonde de Frenette. Sa blonde par omission. Omission de lui signifier que je ne l'étais plus. Dans les faits et dans mon cœur, j'étais une célibataire de quatorze ans et demi. C'est fou comme on peut vivre le nez collé sur quelqu'un et oublier qu'il existe. Nous ne fréquentions plus le même monde, nos univers s'écartaient l'un de l'autre comme des morceaux d'étoile après son explosion. Depuis mon arrivée à l'école des Sept-Plaisirs, mon cercle s'était élargi : j'avais des amies de tous les quartiers environnants, je me laissais conter fleurette par des garçons venus d'ailleurs, j'allais m'éclater sur des pistes de danse étrangères, je transitais d'une ville à l'autre en faisant de l'auto-stop avec les copines… J'avais le sentiment de découvrir le monde. Yves ne m'intéressait plus.

Avec Julia, ma chum bilingue et biculturelle – j'ignorais encore qu'elle serait bisexuelle avant que son cœur ne penche irréversiblement vers les filles –, Vévette et Doris la rousse, j'allais danser les vendredis soir chez les francos, à la salle paroissiale de Saint-Thomas-de-Villeveuve, et les samedis soir chez les anglos de Springfield, au Community Hall.

C'est là que je retrouvais David Whitehouse, alias Skipper. Il venait de se faire plaquer par Brenda, une dure à cuire qui avait la réputation d'allonger les gars dans son lit sans tambour ni trompette. Oui oui, c'est elle qui les allongeait...

Ça commérait qu'elle faisait tout sauf laisser l'engin emprunter le tunnel : pas question pour elle de risquer d'être enceinte. Elle ne se formalisait pas d'aimer ou d'être aimée, ne quémandait pas d'amour pour donner du sexe. Elle avait dix-sept ans, aimait les jeux interdits et c'était elle qui *cruisait* les garçons, et non l'inverse. Brenda était l'exception qui confirme la règle : on la trouvait drôlement délurée. Une pas barrée ! On l'enviait aussi en secret. Elle était grande, mince sans être maigre, dure, athlétique et venait d'une famille de bagarreurs. Elle se battait régulièrement avec ses frères, les frères Dolen, contre des bandes rivales. Une furie, cette Brenda !

Il y avait, aux danses du Community Hall, des garçons bien plus vieux que nous, et de l'alcool que certains se procuraient en cachette, derrière le comptoir.

— Vous avez de la bière d'épinette ?
— Ça dépend. Quelle marque tu veux ?
— De la Christin.

Le tour était joué. Le préposé partait derrière et revenait avec un sac en papier brun dans lequel il y avait une bouteille de bière plutôt qu'un Coke ou une Orange Crush. De la vraie bière. De la Molson.

Seuls quelques initiés, fiables et éprouvés, avaient les mots de passe – épinette ou *root beer* et Christin – qui permettaient d'obtenir les nectars proscrits. L'alcool étant prohibé, il arrivait que la police fasse une « descente » à l'improviste et embarque quelques fripons dans le panier à salade. Ce danger nimbait l'endroit d'une aura exaltante.

Jean-Jean y faisait parfois un saut avec ses amis. J'adorais me retrouver en même temps que lui dans ces lieux de péché et de liberté, là où nous exercions, chacun de son côté, notre charme et notre pouvoir de séduction sur autrui. Cela me convainquait que je n'étais plus un bébé, que nous étions en phase, lui et moi. J'étais fière de l'attrait que mon frère exerçait sur les filles ; elles étaient toutes folles de lui. Quand Jean-Jean Dubois entrait quelque part, il y avait de l'électricité dans l'air ! J'aimais bien aussi sentir qu'il me surveillait du coin de l'œil et qu'il gardait à distance les plus vieux qui me tournaient autour.

— *Hey guy, take care ! And don't fool around with my sister, ok*[22] ?

Ainsi en avait-il quelquefois semoncé certains qui me collaient d'un peu trop près en dansant. Cela ne m'offensait pas, au contraire. J'avais quatorze ans, j'en paraissais seize ou dix-sept, mais devant Jean-Jean, je pouvais difficilement me comporter comme si j'en avais vingt-cinq !

Le fait que Skipper avait été le récent ourson de Brenda lui conférait à mes yeux une qualité supplémentaire. Bien incarné, charnel, il dégageait des effluves de matou en chaleur. Toujours aussi beau et ténébreux, avec sa crinière d'encre et ses yeux de cobalt, il avait pris du tonus et de la virilité. Une fois, nous avions dansé ensemble toute la soirée. Des heures à nous coller, à nous frotter au son de *slows* cochons après que je fus parvenue à ralentir son tangage effréné qui m'étourdissait.

— Skipper ! Cesse de te balancer comme ça, tu me donnes le tournis.

---

22. Hé, fais attention ! Ne fais pas de bêtises avec ma sœur, ok ?

Je ne comprenais pas pourquoi les Anglais dansaient en oscillant ainsi à gauche et à droite, comme des bateaux ivres gîtant autour de leur axe.

Ce soir-là, Julia était rentrée chez elle en catastrophe, toute penaude, forcée par son frère Don qui, Dieu sait pourquoi, avait fait irruption au Community Hall pour la ramener à la maison. Il m'avait oubliée là comme un coton, ne proposant même pas de me déposer chez moi. Skipper, bon prince, avait offert de me raccompagner à pied.

Il faisait bon. Nous n'avions pas fait cent pas qu'il voulut m'entraîner dans le petit bois. J'en avais assez envie mais je refusai. Pas par pudeur, plutôt par orgueil. Je portais ce soir-là une vieille brassière noire, relique héritée de Claire-Obscure qui me faisait de bien beaux lolos mais qui n'était pas montrable. Pas question qu'il voie cet oripeau. Il dut me prendre pour une vraie agace-pissette. Ce que j'étais, sans en éprouver le moindre remords. Qu'y avait-il de mal à s'exciter ? Toutes les questions ne demandent pas des réponses immédiates, me semblait-il. L'attente m'habitait délicieusement.

Skipper fit contre mauvaise fortune bon cœur. Il m'escorta, enjoué, jusqu'à la maison, non sans faire de fréquents arrêts pour m'embrasser et jauger à la main, par-dessus mon chemisier, les proportions et la réactivité de mes seins. J'étais certaine qu'il les comparait à ceux de Brenda-la-terreur et cela m'amusait.

— *It feels good, baby. It feels so good… Come on, don't be afraid. Let me, at least, kiss your tits. You'll love it. No danger, just pleasure*[23]…

---

23. C'est bon, bébé. C'est tellement bon… Viens, n'aie pas peur. Laisse-moi embrasser tes seins. Tu vas aimer. C'est pas dangereux, c'est juste du plaisir…

Sa persévérance goulue, sa voix suave, ses mots enfiévrés dans une langue étrangère me transportaient sur un nuage lointain, exotique, plus western que *british*... Son appétit était contagieux.

— *Come on, Honey... I'd love to taste your nipples*[24] me susurra-t-il au creux de l'oreille.

Je me saoulais de ses paroles et de son envie en sachant qu'il n'insisterait pas, ne serait pas déplacé. Je soupçonnais les garçons de bien se comporter avec moi et de respecter les limites que je leur imposais parce qu'ils avaient peur des représailles. Mon frère Jean-Jean était chef de gang et avait la réputation de ne pas entendre à rire quand il s'agissait de sa petite sœur.

Il était près de minuit. En approchant de chez moi, j'aperçus Yves qui rentrait chez lui. J'avais reconnu sa démarche singulière, bien distincte de celle de ses frères. J'étais certaine qu'il m'avait repérée lui aussi, bras dessus bras dessous avec Skipper. Je me dis, lâchement, que c'était l'occasion de rompre. Pourquoi devrions-nous toujours transmettre nos messages avec les mots quand on pouvait très bien faire autrement? Ainsi, lorsque mon bel Anglais me donna une bise amicale sur la joue et fit le geste de s'éclipser, je le retins.

— Attends! Pars pas comme ça, Skipper. *Wait a minute... I'd like a last kiss, a real great kiss to say goodbye*[25], minaudai-je, certaine qu'Yves nous épiait.

Skipper ne se faisait jamais prier. Là encore, malgré sa surprise, il s'exécuta joyeusement, espérant peut-être de ma supplique qu'elle me fasse céder du terrain et abaisser ma garde.

---

24. Viens, ma douce. J'aimerais goûter tes mamelons...
25. Attends une minute. J'aimerais un dernier baiser, un vrai baiser d'au revoir.

— *Your Frenchie accent is so sexy, Gwen. Just irresistible. I can't help it*[26]… bredouilla-t-il du bout de ses lèvres si bien ourlées, si coussinées.

Il me lécha le lobe de l'oreille, mordilla mon cou et ouvrit grand la bouche pour avaler la mienne en glissant une main sur le bas de mon dos dénudé, l'autre sur ma fesse. Il me tira solidement sur lui, me retint ainsi, avec fermeté, pour que je sente bien son sexe bétonné qui poussait résolument sur ma colline vénusienne. Il renversa ma tête par-derrière, faufila ses lèvres brûlantes entre les boutons de mon chemisier, qui sautaient sous le couperet de sa bouche et sous la tension de ma poitrine. Mon corsage était maintenant ouvert à moitié et Skipper béquetait et picorait le bombé de ma poitrine, fouinant pour dégager un sein de son balconnet en le poussant du nez et en faisant travailler sa langue.

Je ne parvenais pas à m'abandonner pleinement à la volupté, attristée et préoccupée que j'étais à imaginer Yves qui nous observait, mortifié, derrière le rideau de son salon. Mon but n'était pas de le blesser, ni de l'humilier. Je voulais rompre avec lui mais j'avais manqué de courage. J'étais en train de joindre l'utile à l'agréable. Au très agréable… Mais je me trouvais un peu vache.

Perte de repères

Je marchais sur mes quinze ans. J'aimais toujours autant cette image, cette idée d'avancer à la rencontre d'un soi-même mouvant, évolutif et changeant, à la rencontre de sa

---

26. Ton accent français est tellement sexy, Gwen. Irrésistible. Je n'y peux rien…

propre vie et de sa propre histoire. J'allais bien mais autour de moi, tout allait mal. Il est faux de croire que notre bien-être ne dépend pas que de nous-mêmes. Tout est toujours, inexorablement, lié aux autres.

Mes parents étaient dans un grand pétrin financier. La menace planait de plus en plus sérieusement qu'ils devraient casser maison. Ils parlaient d'aller vivre chez Claire, avec son mari et leurs deux enfants. Jean-Jean était assez vieux pour se débrouiller seul, et moi, ils me caseraient chez Blanche et Manuel, qui avaient déjà cinq flos. On m'y parquerait dans un vivoir-passage, entre la cuisine et le salon, sans chambre à moi, sans coin de travail, au milieu du brouhaha perpétuel.

Mes parents m'abandonnaient. Certes, ils ne le faisaient ni délibérément, ni gaiement, mais le résultat était le même. Je me sentais comme l'animal de compagnie dont on n'est plus capable de prendre soin, ou comme l'objet arrivé sur le tard, par pur hasard, et dont il faut se départir. Ils allaient casser maison comme des personnes âgées qui capitulent, oubliant que je faisais partie intégrante de cette maison. En la cassant, ils me cassaient avec elle. J'aimais mes neveux et nièces et adorais les garder de temps à autre, les amener en promenade. Mais vivre en permanence au milieu de cinq bambins de zéro à six ans, sans ma mère, sans Jean-Jean, sans Robert le diable, sans ma minable petite chambre qui était mon paradis, sans pouvoir inviter mes amies à dormir et passer la nuit à bavarder : c'était au-delà de mes forces.

J'avais le sentiment déchirant que je ne survivrais pas à cette dispersion et à l'évacuation forcée de ma zone d'appartenance. Ma maison était pour moi un être vivant qui nous enveloppait de ses grands bras, qui avait été témoin de nos rencontres, de nos partages, de nos peines et de nos joies depuis tant d'années, à tous mes frères et sœurs en allés, à Jean-Jean, à mes parents et à moi. Étais-je donc la seule à en avoir encore un besoin absolument vital? J'étais trop petite pour partir, pour me détourner de tout cela. J'avais des idées noires, très noires. De plus, j'éprouvais une vive déception à l'endroit de mes frères et sœurs mariés qui restaient les bras croisés devant un tel drame, qui ne levaient pas le petit doigt pour permettre à ma mère de sauver son royaume, de nous garder ensemble tous les quatre, ce qu'elle souhaitait plus que tout au monde. Pour la première fois de ma vie, je pensai qu'ils étaient tous, à l'exception de Jean-Jean, une bande de sans-cœur, aux antipodes des êtres sensibles et bienveillants que j'avais cru connaître.

Côté scolaire, ça n'allait pas non plus. J'étais maintenant en neuvième année avec sœur Rolande-Marie comme titulaire, laquelle m'avait prise en grippe dès le début de l'année. Elle m'avait fait asseoir dans le fond de la classe, à gauche, et m'ignorait littéralement. J'avais beau lever la main pour donner une réponse à une question ou pour participer à un échange, jamais elle ne m'interpellait. J'étais exclue de tout : les pièces de théâtre, les activités spéciales, les agréables corvées de groupe. Combien de fois des filles ont réclamé :

— Ma sœur, ma sœur! Donnez ce rôle à Gwendoline, elle sera extra là-dedans!

— Mon choix est fait. Ce sera Lucie Gosselin et elle sera excellente.

Ou encore :

— Sœur Rolande, nous voudrions Gwendoline Dubois comme chef d'équipe, elle connaît très bien cette question.

L'an dernier, on a gagné contre des groupes bien plus forts grâce à elle…

— L'an dernier, c'était l'an dernier, tranchait-elle sèchement.

Elle ne me saluait pas, ne répondait pas à mes «bonjour». Elle ne relevait ni mes retards ni mes absences. Jamais elle ne daignait m'adresser le moindre regard : à ses yeux, je n'existais pas. Je crois qu'elle m'aurait aperçue écrasée au sol et baignant dans mon sang qu'elle m'aurait contournée sans appeler de secours. Jamais je n'avais ressenti un tel mépris. Même au cours de mes sinistres expériences avec madame Grodeau et avec sœur Joseph-Marie je ne m'étais sentie ainsi exclue, presque maudite. Pourquoi une attitude si dure avec moi ? J'en déduisis qu'on l'avait renseignée sur l'élève turbulente et indomptable que j'avais été l'année précédente et qu'elle avait décidé d'adopter à mon égard une stratégie éducative de rejet et de déni. Et elle n'y allait pas avec le dos de la cuillère! Julia, Vévette et Doris la rousse m'avaient rapporté que sœur Rolande-Marie avait déclaré devant un groupe que c'est moi qui aurais dû être renvoyée de l'école l'an passé et non Fafra, que j'étais mauvaise et délurée. Cela acheva de me briser.

Un après-midi, j'avais manqué mon autobus et me dirigeais vers chez nous à pas de tortue, comme une âme en peine. Il était rare que je marche seule, sans amie à mes côtés. Une voiture ralentit près de moi. C'était le père François, toujours aussi beau. J'avais découvert, depuis le temps, que c'était également un merveilleux prêtre-ouvrier, un Fils de la Charité engagé auprès de ses ouailles.

— Tu montes? Je m'en vais chez vous, pour voir Jean-Jean.

— Non, merci, le père. Je vais marcher.

Jean-Jean l'appelait « le père », alors moi aussi. Mon frère était président de la section locale de la JOC et tous deux devaient discuter d'un grand rassemblement qui se préparait. Le père François avait à peine cinq ou six ans de plus que Jean-Jean et ils étaient en quelque sorte des amis.

— Tu n'as pas l'air dans ton assiette, toi ?

— Bof… Ça va.

— Tu mens mal, Gwendoline. C'est l'école ?

— Oui et non.

— Allez, viens, on va bavarder en route.

Le simple fait qu'il veuille parler avec moi me fit monter les larmes aux yeux.

— Ça va aller, ne vous mettez pas en retard pour moi.

— J'ai tout mon temps. Si tu ne montes pas, c'est moi qui descends et on marche ensemble jusque chez toi. Ça me fera du bien de prendre l'air.

Il me sourit de toutes ses belles dents blanches. Nous étions devant le bowling, sur la montée Saint-Hubert. Il s'engagea dans le terrain de stationnement pour s'y garer et vint me retrouver en courant.

— On est à peine à un demi-mille de chez vous. Je vais marcher avec toi et revenir chercher mon auto après. Ça va me délier les jambes.

Je tentai un peu d'humour :

— Comme vous voulez. Vous en avez long à délier et à déplier…

— Je vois bien que tu ne files pas, Gwen. Si c'est pas vraiment à l'école, c'est à la maison ?

— Oui et non. C'est partout. Rien ne va.

J'avais des trémolos dans la voix. Je ne pouvais plus parler.

— Je sais. Jean-Jean est triste lui aussi à l'idée de quitter la maison. De se séparer de toi. Il m'en a parlé. Mais surtout, il est très inquiet pour toi. Il voit bien à quel point tu es affectée par cette idée. Et il se sent impuissant.

L'entendre prononcer les mots «quitter la maison», «séparé de Jean-Jean» m'anéantit. Les vannes cédèrent et mon désespoir jaillit en cascades de larmes intarissables. Le père François mit sa grande main sur ma petite épaule. Je me sentais comme une petite souris sous l'aile d'un géant.

— Je ne veux pas aller rester chez ma sœur Blanche! Je veux rester chez moi avec ma mère, mon père et Jean-Jean! Dans NOTRE maison. Je ne veux pas me séparer d'eux! Si vous saviez comme je suis malheureuse!

— Ça n'est pas encore fait. On va essayer de voir ce qu'on peut faire, d'accord? Et au moins s'assurer que cela se fasse pour le mieux. Tu n'es pas seule, tu as Jean-Jean, il faut que vous parliez de tout ça ensemble.

— Je ne veux pas parler avec Jean-Jean, je veux rester avec lui! Vous ne comprenez rien… Pour mes parents, on dirait que Jean-Jean et moi, on n'existe plus. Ils ont cinq grands enfants adultes qui font leur vie, un Jean-Jean de vingt ans dont ils se fichent comme de l'an quarante et une petite fille qu'ils n'auraient jamais dû mettre au monde si c'était pour la laisser tomber comme un vieux torchon à quatorze ans!

— Chut, chut. Je comprends…

Je ne pleurais plus, je hurlais. Je me décomposais de douleur.

— Non! Vous ne pouvez pas comprendre! Personne ne peut comprendre! Toute ma famille m'a toujours gâtée, traitée comme un bébé. Du jour au lendemain, on me demande d'agir comme une adulte. Sont malades dans la tête, ou quoi?

J'avais la morve au nez, pas de mouchoir, pas de kleenex, et lui non plus. Il me proposa de rebrousser chemin vers sa voiture et de rentrer chez moi en auto. Je ne dis rien et le suivis. Une fois dans la voiture, il tenta vaillamment de me changer les idées:

— Tu as une drôle de frimousse, avec tes yeux tout boursouflés. Que dirais-tu si nous allions d'abord manger un cornet de crème à glace, avant de rentrer?

— J'aime pas les cornets. Mais j'aime bien les *fudgesicles*, reniflai-je, tiraillée entre le goût de vivre et l'envie d'arrêter de souffrir, entre ma détresse et le réconfort que me procuraient les mots et la présence de ce grand gaillard rempli d'amour.

Les consolatrices

Heureusement, mesdames Lefebvre et Desrochers, que mes talents réjouissaient, me gratifiaient de bienveillantes marques d'attention. Enseignante de français, madame Lefebvre lisait mes dissertations à voix haute, les citant en modèles. Madame Desrochers me demandait de la remplacer en classe d'anglais, me faisait lire devant le groupe *The Prince and the Pauper*, soulignant ma bonne prononciation. Finalement, les compliments de Skipper sur mon adorable accent n'étaient peut-être pas fondés uniquement sur son espoir de me voir capituler sous ses mains baladeuses… Trois fois par semaine, à l'occasion de deux périodes de français et d'une période d'anglais, un vent doux me réchauffait un peu le cœur et l'âme par les temps froids que je traversais.

Je n'avais aucune amie dans ma classe. Les miennes se destinaient toutes à poursuivre des études commerciales, alors que les élèves de mon groupe iraient l'année suivante dans les sections sciences-lettres, sciences-mathématiques ou enseignement classique de la nouvelle école régionale. Pour me faire de nouvelles amies, il aurait fallu que je rivalise avec sœur Rolande-Marie et c'était impossible : toutes les filles gravitaient dans sa lumière car, il faut bien l'avouer, elle était lumineuse et pétillante d'énergie, cette vache consacrée. C'est bien ce qui me faisait le plus de peine : que cette femme volontaire et brillante me répudie ainsi.

J'allais en classe comme on va à la guillotine. Je passais de l'école à la maison comme on passe d'un cimetière à un autre cimetière. Je ne vivais plus que pour les retrouvailles de fin de semaine, avec ma gang. Là, j'aimais et j'étais aimée, j'étais vivante, reconnue. J'avais ma place.

Nous étions à la fin du mois d'octobre 1962. Les couleurs automnales avaient fait place au dénuement et à la monotonie. Heureusement que la fête de l'Halloween et des citrouilles allait mettre un peu de folie orangée dans cette désolation. Une soirée costumée s'organisait pour le samedi, dans la grande salle de l'école Saint-Thomas, mon ancienne «quatrième première école». Il y aurait des récompenses pour les plus beaux déguisements, des prix de présence, on chanterait et on danserait. Des gars et des filles venant de partout sur la rive sud de Montréal s'y retrouveraient. Et ça, c'était bien excitant. J'y pensais et je m'y préparais fébrilement avec Julia depuis quelques semaines.

Je n'avais pas de chum depuis ma rupture avec Yves. Je n'avais pas revu Skipper depuis qu'il m'avait servi de ruse pour rompre avec mon bel emballeur. Je ne quittais presque plus ma chambre comme si, en m'y cloisonnant, je l'empêcherais de m'échapper. Julia m'avait convaincue de venir au bal masqué, de me changer les idées. Elle aussi était célibataire. À sa façon, puisqu'elle changeait d'amoureux chaque fin de semaine. C'était plus fort qu'elle : elle ne pouvait passer une semaine sans enflammer un garçon, sans être embrassée, câlinée, sans se faire dire qu'elle était belle. Ce n'était pas mon cas. Je voulais être amoureuse, aimer et être aimée, mais pas à tout prix. En ce moment, je voulais surtout empêcher que la terre s'ouvre sous mes pieds, entraînant avec elle tout ce qui m'ancrait et me faisait tenir debout. J'étais trop jeune pour perdre mon port d'attache.

C'est sur cette toile de fond que je me préparais pour mon premier bal masqué. En milieu de semaine, j'avais pris l'autobus numéro 8 de Chambly Transport pour me rendre chez Aimée, avenue De Lorimier, afin qu'elle m'aide avec mon déguisement. Elle m'avait prêté son faux kimono japonais blanc brodé de mille couleurs, acheté dans le quartier chinois montréalais. Eh oui, on trouvait même le Japon dans le Chinatown !

— Tu feras la plus belle geisha que Croydon a même jamais imaginée ! Ce kimono est un peu grand pour moi. Tu as plus de seins, plus de fesses et tu es plus grande que moi. Il t'ira bien mieux.

— Tu crois ?

— Je ne crois pas, j'en suis certaine. Enfile-moi ça pour voir et viens un peu devant le miroir.

Je regardai. Ce blanc satiné, scintillant d'oiseaux et de paysages colorés, ces deux pans de vêtement qui remontaient et se croisaient bien près du cou, c'était beau en effet à faire tourner les têtes. Et le kimono m'allait comme un gant, mettait mes formes féminines bien en valeur.

— Tu vas faire des ravages! Un malheur! Tu sauras me le dire, sourit Aimée.

— Mes cheveux, j'en ferai quoi?

— On pourrait les tirer et te faire une queue, tressée, comme ça, fit-elle en attrapant ma chevelure. Avec ta crinière de cheval, quoi de mieux qu'une tresse de cheval, dit-elle en badinant.

Elle poursuivit:

— Je dois aller voir maman dans les prochains jours, j'ai besoin de ses conseils pour une robe que je couds. Si tu veux, j'irai samedi et je resterai pour t'aider à te préparer à ta soirée d'Halloween.

— Tu ferais cela? Ce serait tellement tellement le fun!

— J'apporterai aussi des petites baguettes japonaises en bois pour mettre dans tes cheveux et les retenir. Tiens, essaye donc mes pantoufles de toile noire. Elles sont chinoises mais on n'y verra que du feu. À condition que tu puisses entrer dedans, avec tes larges pieds de squaw!

Hélas, je fus incapable de mettre le pied dans ses chaussures. Ma sœur avait des pieds de Cendrillon. Mais je jubilais.

— C'est pas grave, je trouverai d'autres chaussures noires.

— L'important, c'est que tu oublies tes grandes enjambées et que tu marches à petits, petits pas, le menton baissé. L'habit à lui seul ne fait pas la geisha. C'est ta manière de te mouvoir, de pencher la tête, de regarder humblement, oui,

oui, humblement, ton attitude, l'émotion dans ton visage, qui feront de toi une vraie geisha qui va confondre toute l'assistance.

— Aimée, je suis tellement contente. Merci! Et à samedi, à la maison!

— Oui, à bientôt, ma Gwensha!

Je rentrai, flottant sur un gros nuage rose. J'en oubliai toutes mes inquiétudes et mon angoisse. Le lendemain, dans l'autobus scolaire, je racontai ma visite chez Aimée à ma complice Julia et lui révélai, en lui faisant jurer de garder le secret, comment je serais déguisée. Elle était emballée.

— Écoute, Gwen, je pensais me costumer en chat ou en bébé, mais tu sais quoi? Je pense que ma mère a un vieux pyjama japonais en satin rouge. Ce serait formidable si on se déguisait pareil, non?

— Ce serait trop beau. Extra!

— Le problème, c'est que, comme on s'habille souvent pareil dans la vraie vie, les gens vont peut-être deviner que les deux geishas sont les deux meilleures amies du monde, la Juju et la Gwen.

— On s'en fout. Si c'est ma sœur Aimée qui nous maquille, je te jure que personne ne va nous reconnaître. C'est une pro.

Nous étions heureuses. Terriblement heureuses. D'un bonheur de cristal.

Le samedi suivant, j'étais assise à la vieille table de notre modeste cuisine, dans notre palais de la rue Saint-Michel. Aimée avait étalé sur la table son attirail de maquilleuse-coiffeuse. Frédéric, son fils de deux ans, tournait autour de nous, sous l'œil vigilant de sa grand-mère. Merveilleuse

Aimée qui, par pure générosité, avait pensé à tout pour me faire plaisir, pour que nos difficultés ne fassent de moi une perdante. Elle avait apporté une sorte de pâte noire qui ressemblait étrangement à du cirage à chaussures pour assombrir ma chevelure. Avec une fausse queue-de-cheval couleur ébène qu'elle avait dénichée je ne sais où et qu'elle attacha à mes cheveux, elle fit une longue couette tressée qui m'allait jusqu'au milieu du dos. Puis, elle blanchit mon visage, rapetissa ma bouche en un petit cœur très rouge, me haussa les pommettes par un coup de poudre miraculeuse et brida mes yeux de deux ou trois coups de crayon magique.

— Lève-toi, ordonna-t-elle en me défendant formellement d'ouvrir les yeux.

Elle m'aida à enfiler ma peau de satin asiatique et attacha derrière mon dos un petit coussin japonais traditionnel, carré, un *obi makura* m'apprit-elle, qu'elle venait de fabriquer, à la dernière minute, avec un bout de tissu marron qui traînait dans le cagibi de couture de ma mère. J'entendais cette dernière pousser des oh! et des ah! d'admiration. Même mon père, l'imperturbable, était médusé : « Mais qui est cette Chinoise ? » Mon indécrottable père avait toujours mis dans le même panier tous les peuples d'Asie. Pour lui, les Chinois, les Japonais, les Vietnamiens et les Cambodgiens, c'était du pareil au même.

Après une bonne heure de travail, Aimée m'amena devant le grand miroir de la chambre parentale.

— Tu peux ouvrir les yeux.

Je fus sidérée. Époustouflée. Éblouie. La Nipponne que je voyais là n'avait plus rien de Gwendoline Dubois. Je me touchai pour voir si j'étais toujours présente, par en dessous. J'y étais.

— Je n'ai pas pu te faire les iris noirs. Tu diras aux juges que tu es «la geisha aux yeux turquoise» ou, mieux, «Gwensha aux yeux de mer».

Je craignis presque de me mettre à parler japonais, comme ces personnes qui, sous hypnose, conversent en langue étrangère.

— Aimée, tu es ma fée, ma sorcière bien-aimée.

Il était sept heures et quart quand Julia me retrouva à la maison. Sa mère, une des rares femmes que je connaissais qui conduisaient une voiture, SA voiture, nous déposerait à la salle de bal. Mon amie n'avait pas pu venir plus tôt pour se faire maquiller par Aimée, comme celle-ci le lui avait offert. Peut-être avait-elle douté des talents de ma sœur? Aidée d'une voisine amie de madame Hall, elle s'était débrouillée. Le résultat était vraiment très bien, elle était magnifique, mais rien de comparable au doigté d'Aimée. Elle me regarda, sembla un peu envieuse, puis se ravisa quand Aimée la félicita et observa que, l'une près de l'autre, elle en rouge et moi en blanc, nous formions une sacrée paire de jumelles nipponnes. Comme sa maquilleuse avait un peu forcé la note, elle faisait geisha en chef, et moi, geisha en herbe. Ce qui, du reste, nous ressemblait un peu. Nous quittâmes la maison, excitées comme des puces, en parlant français avec un accent japonais. Enfin, avec ce que nous croyions être un accent japonais.

En montant dans la voiture de madame Hall, je fis *bye bye* de la main à Aimée qui, à la fenêtre, nous regardait partir, son petit Frédéric dans les bras. Elle souriait, avec une bouche dont les coins tombaient vers le bas plutôt que de remonter vers le haut. J'eus soudain la nette impression qu'elle serait volontiers venue avec nous dans notre carrosse pour aller s'amuser, rire et danser au bal costumé. Elle m'avait magnifiée et sublimée comme elle l'aurait fait pour elle-même, se projetant dans une autre vie que la sienne. Je compris tout à coup, en la voyant ainsi à la fenêtre, qu'Aimée, ma belle, brillante et talentueuse sœur de vingt-quatre ans, était triste et malheureuse comme les pierres.

Hatsukoi

Nous fîmes une entrée remarquée. Il fallait s'inscrire au concours du meilleur costume en payant les droits d'admission, ce que je fis sous le nom que m'avait soufflé Aimée : Gwensha aux yeux de mer. Nous étions vraiment ravissantes toutes les deux, mon amie et moi, trottinant à pas de chat et prenant notre rôle de geisha au sérieux. Notre premier tour de piste fut un *hit*. Les gens chuchotaient sur notre passage. Un homme masqué, vraisemblablement instruit de la tradition japonaise, exprima son souhait d'être invité à une cérémonie du thé. Puis il me souffla à l'oreille :

— Je voudrais être votre *hatsukoi*, belle geisha.

— Hatsu quoi ?

— *Hatsukoi*. Votre premier grand amour, murmura-t-il doucereusement.

Je crus reconnaître la voix et les manières de monsieur Bouchard, l'ancien directeur de l'école des garçons.

— Vous, mon premier grand amour ? Ha ! ha ! ha ! Vous pourriez être mon père !

Seuls les copains et copines proches nous reconnurent. Vraiment, Aimée avait eu raison, nous faisions un malheur : les compliments pleuvaient.

Certaines personnes plus fortunées, des adultes surtout, avaient mis le paquet et payé les yeux de la tête pour louer des costumes extravagants, mais la plupart des participants étaient affublés d'un simple masque ou d'une combinaison de pirate, de squelette ou de Mohawk. Yves Frenette, transformé en Roy Rogers, me confia qu'il me trouvait tout simplement prodigieuse, qu'il m'avait reconnue, qu'il me reconnaîtrait toujours entre toutes, tout en avouant qu'il avait entendu ma jumelle japonaise m'appeler Gwendo. Je bégayai. J'étais toujours mal à l'aise quand je le croisais. Je savais que je lui avais fait beaucoup de peine et, quand j'étais mal à l'aise, j'avais tendance à dire des âneries. À cet égard, j'étais vraiment la fille de mon père.

— Vous faites erreur, cow-boy. Je m'appelle Gwensha et non Gwendo.

— Une Japonaise avec des yeux turquoise, c'est pas mal beau. Dommage que ça n'existe pas pour vrai, dit-il, la voix traînante.

— Qu'en savez-vous, que ça n'existe pas? rétorquai-je en m'éclipsant à petits pas sur la pointe des pieds, fidèle aux conseils que m'avait prodigués Aimée.

Aimée… Ma douce et bien-aimée Aimée. Je regrettais de ne pas lui avoir proposé de venir avec nous. Il y avait ici des personnes de tous âges, même si la majorité avait entre quinze et vingt-cinq ans et que les gens mariés étaient tous venus en couple. Évidemment, à l'époque, une femme mariée qui sortait seule était encore très mal vue. Aimée aurait refusé mon invitation.

Les copines nous reconnaissaient à notre voix, malgré notre effort pour avoir l'intonation et l'accent japonais. Quant aux copains, c'est en dansant les *slows* collés qu'ils nous devinaient. La finesse ou l'épaisseur de la taille, la texture d'une joue, le balancement du bassin, la façon de se mouvoir, la forme des seins écrasés sur la poitrine masculine… Les sens ne trompent pas. Et puis, surtout, le rire. Mon frère Jean-Jean, qui était venu faire un tour sans déguisement, me dit que mon rire me trahissait à un mille à la ronde, que sans cet éclat de rire caractéristique, il ne m'aurait jamais reconnue. C'était un mensonge bienveillant, comme je les aime et comme je sais bien en faire, moi aussi. À partir de là, je souris, la bouche crispée.

— Tu vas gagner un prix, je gagerais ma chemise, me dit-il avec un clin d'œil en quittant la salle.

Ce fut une soirée de rêve. Quoi de plus agréable, à quatorze ans, que de se faire dire par tous, connus et inconnus, qu'on est belle ? Quoi de plus flatteur que de voir les garçons se bousculer pour réserver une danse sur son carnet de bal ? Les jeux et les concours, plus folichons les uns que les autres, rapprochaient la foule bigarrée dans une familiarité frôlant la promiscuité. Les déguisements, plutôt que de créer de la distance, semblaient faire tomber les inhibitions. J'ai dansé, chanté et même goûté mes premières gorgées de bière en cachette, sur le perron ma quatrième « première école ». L'effet ne tarda pas : j'étais hilare et décontractée.

Vers onze heures vint le moment de décerner les prix aux meilleurs déguisements. Les critères : l'originalité, l'esthétique et l'élégance ou l'inélégance du personnage, selon ce qu'il représentait. Le troisième prix fut décerné à un vampire qui crachait le sang. Il était si repoussant qu'il avait fait tapisserie, le pauvre, pas une fille ne s'étant laissé approcher par lui. Le deuxième prix alla, *ex æquo*, à La Pompadour et à son Louis XV. C'étaient monsieur et madame Doucet, un jeune couple bien nanti, début trentaine, qui étaient ainsi déguisés. Leurs costumes et perruques étaient vraiment splendides. Puis, roulements de tambour… Mon cœur était sur le point d'exploser.

— Finalement, le premier prix. Pour la qualité et l'efficacité de son maquillage, la beauté de sa coiffure et de son costume, et enfin, pour l'élégance et la dignité de sa démarche de geisha…

Ouf! C'était Julia ou moi. Nous nous sommes regardées toutes les deux, le cœur en chamade.

— Nous accordons le premier prix à «Gwensha aux yeux de mer», mademoiselle Gwendoline Dubois.

Tonnerre d'applaudissements. J'étais folle braque. Je me prenais pour une starlette.

— *Arigato*, *arigato*, répétai-je au micro.

La salle applaudit de plus belle, amusée que j'aie appris deux ou trois mots de japonais.

— Wow! Merci! Je suis très, très, très contente d'avoir ce prix que je vais remettre à ma sœur Aimée, que certains ici connaissent, à qui je dois ma métamorphose.

Prononcer le nom d'Aimée me tira des larmes et je ravalai un petit sanglot.

— *Sayonara*, dis-je en quittant l'estrade avec mon prix, un trophée commémoratif de la soirée indiquant que j'avais décroché le premier prix, et un coffret cadeau contenant trois quarante onces d'alcool: un de gin, un de vodka et un de rhum. Quelle idée de fou! Remettre à une fille qui n'a pas quinze ans un cadeau consistant en cent vingt onces d'alcool fort!

Quand je revins à ma table, Julia, la geisha en chef, me félicita en m'embrassant bien fort. Elle était contente pour moi.

— Ça m'apprendra à ne pas me faire maquiller par ta sœur, s'exclama-t-elle.

Je pensai effectivement que mon maquillage et ma coiffure impeccables avaient été déterminants. Je regrettai sincèrement que nous n'ayons pas remporté le prix *ex æquo*, mon amie et moi. J'eus une pensée émue pour Aimée, qui m'avait permis de vivre ces moments magiques et d'oublier mon malheur. Ce soir-là, un décret se formula de lui-même au fond de moi : plus tard, je ne resterais pas à la maison, derrière, à attendre quelque chose qui ne viendrait jamais. On ne m'obligerait pas à vivre comme les autres femmes avant moi, comme ma mère, comme Aimée. Moi, j'irais au-devant de ma vie et je la saisirais à bout de bras. Et c'était ce soir-là que ça commencerait !

Jimmy, Jimmy, Jimmy...

Je revenais de recolorer mes babines en cœur et de me repoudrer lorsqu'un clown canaille, au nez plus rouge et plus gros que la pomme qu'avait fait croquer Ève à Adam, me bloqua gentiment la route.

— Salut, Gwendoline !

— Allô, bouffon !

Je pris un instant pour situer la voix et les yeux de ce mauvais clown. Non ! Pas Jimmy Mali ! Mon Dieu ! Jimmy Mali ? J'avais bien vu de loin ce grossier paillasse, arrivé tardivement sur les lieux de la fête. Il m'avait semblé qu'à distance, lorsqu'il bavardait avec Yves au milieu d'une gang de gars, il me cherchait des yeux. Je le connaissais peu. Il ne faisait pas vraiment partie de notre bande d'amis et fréquentait des garçons plus âgés dans des bars, en dehors de Croydon. Il m'intimidait terriblement. Il était trop : trop beau, trop attirant, trop musclé, trop basané, trop athlétique, trop… Italien. Ses yeux étaient bien trop brillants. Ils aveuglaient. On y coulait à pic. Et il avait un sourire à faire chavirer le cœur, avec, derrière des lèvres bien dessinées, des dents plus blanches que dans les publicités de Pepsodent.

— Je n'ai jamais dansé avec une geisha. Tu viens ? dit-il sur un ton ronronnant en prenant ma main pour m'entraîner sans attendre la réponse.

Je me laissai emporter sur la piste de danse.

J'avais vu Jimmy Mali pour la première fois sur la patinoire un soir d'hiver, quelques années auparavant. Mon amie de l'époque, Christiane, était folle de lui. J'avais eu beau patiner divinement, en fendant le vent de mes petits seins pointés comme des glaçons, mon manteau de cuirette raide comme de l'acier, grand ouvert, il m'avait totalement ignorée. Comme un garçon de quinze ans qui a vu neiger ignore une petite étourdie de douze ans et demi. Il était inaccessible et, quand je m'étais occasionnellement trouvée sur sa route dans des partys ou des salles de danse, il m'avait considérée comme une fillette. Pire, il avait semblé ne pas me voir, être complètement indifférent. Je l'avais détesté et relégué aux oubliettes. Le voir ainsi surgir du cachot de mes fantasmes et s'approcher de moi me secoua.

Une rumeur voulait qu'une fille de seize ans avait eu un bébé de lui et qu'elle avait déménagé dans une autre ville. Les commères colportaient qu'il allait parfois voir cet enfant, un garçon. On racontait aussi qu'il sortait avec des femmes qui avaient l'âge d'être sa mère. Ce qui était sûr, c'est qu'il avait fréquenté Ida, une fille du coin qui n'était ni belle, ni brillante mais qui présentait la particularité non négligeable de coucher avec les gars et de bien les servir au lit. Du moins, c'était sa réputation. À part cela, comme il ne se tenait pas dans notre bout, mais à Montréal avec ses cousins et une gang d'Italiens, nous ne savions pas grand-chose de lui. Lorsqu'il était ici, dans notre petit patelin, c'était pour participer à des compétitions sportives. Il excellait au hockey, au baseball et au football.

Nous dansions. Si on peut dire. Nous bougions langoureusement, plutôt. Elvis chantait *Love Me Tender*, Jimmy fredonnait près de mon oreille. Il faussait mais connaissait tous les mots. Sa voix éraillée, son accent *slang* américain parfait, son souffle chaud… Je fondais. Sans nulle envie de m'éloigner de la flamme.

— Tu as changé, Gwen. Quand on m'a dit que tu te cachais sous ce déguisement, je ne l'ai pas cru.

— Ben oui, tout le monde change. J'ai vieilli. Et toi? Que deviens-tu, Jimmy Mali? On ne te voit pas souvent par ici.

— Je vais toujours à l'école de Saint-Hubert, pourtant. On ne se croise pas car je n'y vais pas en autobus. Et je n'y vais pas souvent, dit-il avec son sourire ravageur. Je déteste toujours autant l'école. À part ça, je joue de plus en plus au football. Je voudrais jouer professionnel. Un club américain m'a approché. Je me croise les doigts.

— Wow! Ce serait un rêve. Je me croise les doigts pour toi.

— Et toi? Tu brises des cœurs, il paraît? Tu as cassé avec Frenette et plus personne ne peut t'approcher. Les gars te traitent de *stuck up*, tant les Français que les Anglais.

— Yves, c'est de l'histoire ancienne. Pour le reste, j'suis pas *stuck up* pantoute. Les gars, quand ils ne nous intéressent pas, ils nous traitent de *stuck up* ou de tête enflée. C'est ridicule. Pis toi, pourquoi t'es ici ce soir avec ton pif de clown? T'avais rien d'autre à faire de plus intéressant?

Il me regarda un moment en silence, puis finit par dire qu'il s'était laissé entraîner par son voisin, un copain.

— J'y pense, dis-je. Il me semble que tu avais un gros ventre un peu plus tôt. Tu l'as perdu sur la piste de danse?

— Je l'ai enlevé pour danser avec toi, murmura-t-il en m'attirant plus près de lui. Je ne voulais pas de lui entre toi et moi.

Je me moulai entre ses larges épaules comme une pièce de casse-tête s'emboîte dans son morceau complémentaire. Il voulut chuchoter dans mon oreille ou, que sais-je, y déposer un baiser mais son gros pif l'en empêcha. Je le tapotai du bout des doigts en riant. Il l'arracha, embrassa l'intérieur de ma main et y déposa le faux nez en déclarant qu'il me l'offrait, sur le ton de celui qui offre un gage précieux.

— Je suis certain que personne ne t'a jamais offert son nez.

Il referma mes doigts autour de cette rondeur spongieuse et enveloppa ma main, toute pleine de son faux nez, dans la sienne.

Nous avons continué à nous mouvoir lentement au rythme de la musique, ma main droite et sa main gauche fermées autour de la sphère, comme si nous tenions un fruit rond et précieux, sa main droite déployée au milieu de mon dos et ma main gauche remplie de sa nuque athlétique. Puis il entreprit de me bécoter les joues, le lobe de l'oreille, le cou...

— Ça va mieux comme ça, non? chuchota-t-il. J'ai enlevé mon faux ventre et mon faux nez pour être plus près de toi. Jamais deux sans trois, que peut-on enlever encore pour être le plus près possible d'une geisha? plaisanta-t-il.

— Cela dépend de ce que tu as encore de faux.

Il rit de bon cœur, en s'éloignant un peu de moi, pour me regarder. J'eus l'impression qu'il me trouvait distrayante.

— Toi alors! Tu as réponse à tout!

Je croyais rêver. Jimmy Mali dansait avec moi. Jimmy Mali couvrait mon visage de petits baisers affectueux. Jimmy Mali me tenait dans ses bras. Jimmy Mali m'incendiait. Jimmy Mali n'avait d'yeux, de corps, de mains, d'attentions que pour moi. À la face du tout-Croydon. Le reste de la soirée, jusqu'à minuit, se déclina en arpèges voluptueux. Plus personne, plus rien n'existait, nous étions seuls au monde. Dans une bulle. Enlacés pendant toute la dernière heure, incapables de desserrer notre étreinte, plus proches que proches, je ne savais plus où commençait la Japonaise et où finissait le clown. Contre ce corps, dans cette odeur de bois et d'agrume, il me semblait que j'avais toujours été.

Je ne me souvenais même plus de Skipper ni d'Yves. Avaient-ils seulement existé? M'avaient-ils embrassée? Avais-je seulement vu leur visage, exploré leur bouche et caressé leurs cheveux? Disparus, évanouis, comme de pâles, lointains et anodins fantômes. J'étais certaine que je rêvais. Le fait d'être fardée et affublée d'un kimono renforçait cette impression. À minuit, mon prince-bouffon ensorceleur retournerait dans le nuage rose d'où il était venu, rentrerait dans sa vie de clown, s'envolerait en fumée ou se transformerait, lui aussi, en crapaud. Et moi, je retournerais dans ma vie, ma triste vie. À minuit, la soirée enchantée et le sortilège prendraient fin.

Il m'abandonna pour aller aux toilettes. Il chancelait un peu en s'éloignant, saoul de nous, passant sa main dans ses cheveux légèrement bouclés, dorés. Dieu qu'il était beau! J'étais certaine qu'il ne reviendrait jamais. Julia profita de son absence pour s'approcher. Elle avait accroché Réal Laflamme, le copain de Jimmy avec lequel, d'ailleurs, il était arrivé, m'apprit-elle. Un peu plus et je lui sautais au cou pour le remercier d'avoir entraîné Jimmy jusqu'ici.

— Tu vas bien? Je te trouve bizarre, me dit mon amie.

— Julia, je crois que je suis ensorcelée. Mali, il m'a ensorcelée. C'est à cause de l'Halloween, tu crois?

— Tu ne serais pas la première, tu sais. Mais toi, si sage, tu m'étonnes.

— Je ne me fais pas d'idées. Ça doit être Gwensha la geisha qui l'intéresse, pas moi…

Mon bel Italien revint sur ces entrefaites et surprit mes dernières paroles. Sans se soucier de Julia, qui repartit vers Réal, il s'assit, m'attira sur ses genoux, écarta mes lèvres, très lentement, en les mangeottant, glissa dans ma bouche sa langue de feu, l'enroula autour de la mienne, me fora, m'aspira. Nous nous savourions. Je découvrais ce qu'était embrasser et être embrassée. Je ne savais pas ce qu'était faire l'amour, mais à ce moment précis, la langue et les lèvres de ce garçon me chuchotaient des mots d'amour plein la bouche. Il me prenait, m'absorbait, m'emplissait, me pénétrait. J'ignorais aussi ce qu'était se faire caresser les seins et le sexe ou caresser le sexe d'un garçon, mais je savais que je ne pouvais éprouver plus d'extase que j'en éprouvais maintenant au contact de ses mains immenses, ventouses chaudes sur mes reins, sous mon aisselle frôlant mon sein. Son bas-ventre, gonflé à bloc, explosif, voisinait intimement avec le mien, y insistait avec désinvolture. J'étais prête à être cueillie, comme un fruit bien mûr ruisselant de nectar. Il s'éloigna doucement, me regarda.

— Hé! Tu voudrais transmettre un message pour moi? me demanda-t-il avec sa voix de chambre à coucher.

— Un message? Oui. À qui?

— Tu veux bien dire à Gwensha Chose qu'elle ne m'intéresse pas? Mais si elle veut bien me présenter Gwendoline Dubois, alors oui, j'aimerais bien sortir avec elle.

Sonnée, j'étais. La cervelle m'éclatait. Il venait de me demander de SORTIR AVEC LUI!

— Tu me niaises? Tu veux qu'on sorte ensemble, toi et moi? Toi, Jimmy Mali, et moi, Gwendoline Dubois?

Le maître de cérémonie annonça la dernière danse de la soirée: *Only You*, cette vieille mélodie des Platters qui ne vieillissait pas et se laissait toujours danser bien enlacés. Nous nous sommes engouffrés l'un dans l'autre, nous nous sommes sculptés l'un à l'autre. Nous avons mêlé nos bouches et notre fièvre durant toute la pièce musicale. De temps à autre, il s'écartait un peu, me regardait, alignait, avec ses mains sur mes hanches, mon bassin sur le sien, me rapprochait en m'écrasant sur lui. Un bâton de dynamite semblait prêt à exploser dans le pantalon du bouffon. Il gémissait un peu dans le creux de mon oreille. Ça grésillait dans mon kimono. Il me semblait que je pétillais, que je crépitais du nord au sud et que cela s'entendait.

— Je te reconduis chez toi? Je n'ai pas le char de mon père. Réal a celui du sien, mais il a l'air de s'être matché avec ta copine et ça ne me tente pas de me retrouver avec eux. Et toi?

— Moi non plus.

— Viens. On rentre à pied, toi et moi.

C'est en marchant vers chez moi que je réalisai que je n'avais pas rêvé. S'il me reconduisait à la maison, c'est que c'était vrai, que notre histoire continuait, que les crochets qui nous reliaient ne se déliaient pas avec la fin de la soirée d'Halloween et la mascarade : Jimmy Mali était mon chum ! J'aurais voulu le crier à tue-tête sur tous les toits.

Nous avons marché d'un bon pas, son bras sur mon épaule. Nous n'avons pas fait d'arrêt-baiser comme cela avait été le cas avec Yves dans une autre vie, sur ce même chemin. Nous avons bavardé d'école, de sport, de mon frère Jean-Jean dont il s'était informé et qu'il respectait et admirait. Entre caïds et enjôleurs, on a des affinités… Une fois devant la maison, il parut déçu que je ne l'invite pas à entrer. Cela n'était pas possible. Aucun garçon n'était encore entré chez moi et ça ne pouvait pas commencer comme ça, sans préambule, à une heure du matin. Encore moins avec un gars que mes parents n'avaient jamais vu et dont ils n'avaient pour ainsi dire jamais entendu parler.

La nuit était douce, étoilée. Jimmy balaya le voisinage du regard et m'attira dans le coin droit de la cour, du côté opposé à la maison des Frenette, le coin le plus sombre qui donnait sur un champ désert. Il s'adossa à la petite clôture de bois blanche en y appuyant les fesses, à moitié assis sur la poutre transversale, et m'ouvrit grand les bras. J'entrai chez lui, en lui, comme on rentre chez soi après des siècles d'itinérance. Il entreprit de continuer ce qu'il avait commencé : me dévorer vivante, toute crue. Encore une fois, je ne pensais pas qu'on pouvait être aussi fougueusement et sublimement embrassée.

Sa main posée entre ma clavicule et mon épaule glissa d'elle-même sur le tissu soyeux de mon kimono jusqu'à mon sein gauche qui lui barra la route, la retint, l'emplit. Elle devint vivante, cette main, d'abord effleureuse, puis fouineuse, valseuse, palpeuse, pétrisseuse... Jimmy regardait sa main qui examinait et auscultait mon sein comme si elle était extérieure à lui. Puis, la reprenant en charge, il insinua ses doigts dans mon kimono qui bâillait, les fit grimper au balcon de mon soutien-gorge et libéra habilement mon sein droit de sa prison. Il le garda un moment dans sa main en coupole, sans bouger, le contemplant. Mon mamelon dur comme de l'acier pointait vers les étoiles reflétées dans ses pupilles dilatées. Son regard plongé dans le mien, il laissa glisser ses lèvres ouvertes, lentement, sur mes paupières, le coin de ma bouche puis sur mon sein qu'il absorba. Une main pressant mon bassin sur son sexe, l'autre toujours cramponnée à mon sein libre, il se mit à faire rouler sa langue autour de mon mamelon, l'aspira, le lécha, le suça d'une bouche avide et ambitieuse. Le bout de mon sein s'allongeait effrontément au-dehors pendant qu'à l'intérieur, un grand courant électrique le reliait jusqu'à mes entrailles, me traversant comme l'éclair. Lui, penché en arc de cercle, replié sur moi, moi courbée vers l'arrière, il me plaqua sur son sexe bandé en poussant sur le mien, avec toutes nos pelures.

J'ouvris juste un peu les jambes et me plaçai instinctivement de manière à entrebâiller légèrement, sous mes vêtements, les portes de ma vulve, pour libérer cette partie gonflée de mon corps dont j'ignorais le nom. Il se passait là une clameur qui ne pouvait que s'atténuer ou aboutir. Mes jambes s'écartèrent encore un peu, d'elles-

mêmes. J'appuyai mon pubis sur la raideur bien proéminente de Jimmy, en rapprochant et écartant mes cuisses,
rythmiquement, lentement, puis de haut en bas. À peine.
Presque imperceptiblement. Une sensation de pointe
d'aiguille de plus en plus insoutenable m'envahissait. Je
m'arc-boutai et là, prise par surprise, je fus projetée dans
un abîme. Je n'avais plus aucune prise, je dégringolais.
Une déferlante de flux et de reflux me fit tressaillir. Dé-
faillir. Perdre pied. Comme si j'avais atteint le sommet
d'une capiteuse ascension et que, d'un coup, tout avait
cédé, déboulé, explosé. Comme si mon corps, mon
ventre, mon sexe, l'entrée de mon vagin et toutes mes
cellules, en chœur, étaient secoués d'un immense, irrépressible, interminable et bienfaiteur éclat de rire. Des
vagues, longues, dévalaient dans mon sexe, roulaient de
plus belle, l'une à la suite de l'autre, l'une plus longue que
la précédente. Je gémissais et me contorsionnais.

Jimmy me considérait, perplexe. Il m'avait regardée jouir,
de manière imprévue et imprévisible.

— Toi, tu n'as jamais couché avec un gars, que tu dis?
— Heu… non, jamais. Je n'ai jamais rien fait d'autre
qu'embrasser. Ou presque.

J'avais pratiqué le baiser comme on pratique un sport ou
comme on entre en religion, sans jamais aller plus loin.
J'avais aussi lu et relu quelques livres érotiques qui m'étaient
tombés sous la main. Une fois, j'avais vu un magazine porno
dans la chambre de Don, le frère de Julia. Cela ne m'avait
pas allumée. Ça m'avait même un peu dégoûtée.

— T'as vu ce que tu me fais?
Il prit ma main, la posa sur l'éminence qui soulevait sa
culotte bouffante de clown, la frotta un peu, sans plus

insister, avec un air intimidé. J'eus peur un instant qu'il ouvre sa braguette. Je n'aurais pas su quoi faire.

— Je fais quoi moi, maintenant, avec cette bandaison d'enfer ? me demanda-t-il d'un air penaud.

Aux mots « bandaison d'enfer », la lumière de la salle de bain s'alluma dans la maison. C'était la seule fenêtre qui donnait du côté du terrain où nous étions. J'entraînai Jimmy plus loin. Mon père devait encore être devant sa tévé à regarder un programme ou un film américain. Il avait dû s'en détacher pour une halte-pipi avant d'aller se préparer des biscuits soda avec du beurre de pinotte et une tasse de thé.

— Jimmy, il faut que je rentre. Je viens d'apercevoir mon père. Je crois qu'il nous a vus. S'il se donne la peine de sortir, je te signe un papier que ce sera l'enfer pour de vrai. Merci de m'avoir raccompagnée. Tu vas m'appeler ? dis-je tout bas.

Il y eut un silence. J'eus l'impression qu'il réfléchissait à sa réponse.

— Ouais. Je vais t'appeler.

Il m'embrassa et l'envie nous prit, moi de répéter l'expérience, lui de la poursuivre afin de se libérer à son tour d'une tension portée au paroxysme. Je me défis de son étreinte et me sauvai, le laissant en plan au sixième ciel, les boules congestionnées, coincées comme dans un étau qui le « serrait jusqu'au cœur », me raconterait-il plus tard.

Je me couchai complètement chamboulée, sans me démaquiller, sans me débarbouiller ni me décoiffer, sans même me laver les dents, ni le bout du nez, ni le bout des fesses… Je voulais conserver sur moi l'odeur, le parfum, l'haleine de Jimmy. Son odeur et la mienne, entremêlées. Je ne comprenais rien aux sensations stupéfiantes, divines et affolantes que je venais de ressentir en cascades. J'ignorais que pareille volupté, que semblable festin du corps puisse seulement exister.

C'est le lendemain que j'appris, après qu'Aimée eut écouté, ahurie, le récit de mes époustouflantes sensations, que ce que j'avais ressenti avait un nom : orgasme. À quatorze ans et demi, dehors, debout, tout habillée, j'avais éprouvé ce tsunami fulgurant, gracieuseté de la chimie bouffon-geisha.

— T'es vraiment une p'tite tête heureuse, toi, ma bougresse. Moi, tu vois, j'ai beau être mariée, avoir accouché, ça ne m'est jamais arrivé. Et c'est pas faute d'avoir essayé ! Cela n'arrive pas comme un cadeau du ciel à toutes les femmes. Y'a pas de justice ! ajouta Aimée, mi-figue, mi-raisin.

Je ne savais pas si j'étais aussi chanceuse qu'Aimée l'affirmait. Ce que je savais, sans l'ombre d'un doute, c'est que ça pulsait comme jamais dans chacune des cellules de mon être, et que Jimmy Mali faisait battre à tout rompre et mon cœur, et mon sexe. J'étais éperdument, follement, dangereusement amoureuse. J'étais possédée.

Terminé à l'Ubaldine-sur-le-Lac, le 17 décembre 2014

REMERCIEMENTS

Merci à Pierre Bourdon pour sa confiance, sa vision et son amitié indéfectible.

Merci à Liette Mercier pour son ardeur, sa vigilance et sa constance proactive.

À Diane, Ann-Sophie, Julie, Jacinthe, Judith, Fabienne et Sylvie, ainsi qu'à toutes, toutes, toutes ces formidables femmes des Éditions de l'Homme.

POUR SUIVRE L'AUTEURE :

Sur son blogue : JocelyneRobert.com
Sur Twitter : Twitter.com/jocelynerobert
Sur Facebook : Facebook.com/jojocelynerobert
Pour lui écrire : Jo@JocelyneRobert.com

Suivez-nous sur le Web

Consultez nos sites Internet et inscrivez-vous à l'infolettre pour rester informé en tout temps de nos publications et de nos concours en ligne. Et croisez aussi vos auteurs préférés et notre équipe sur nos blogues!

EDITIONS-HOMME.COM
EDITIONS-JOUR.COM
EDITIONS-PETITHOMME.COM
EDITIONS-LAGRIFFE.COM

Achevé d'imprimer au Canada
sur papier Enviro 100% recyclé